Jak kreslit skvělé věci

KRESLENÍ PRO UČITELE A ŽÁKY

Catherine V. Holmes

Vydal:
Library Tales Publishing, Inc.
www.LibraryTalesPublishing.com
www.Facebook.com/LibraryTalesPublishing

Vydalo vydavatelství Library Tales Publishing, Inc., New York, New York

Obecné informace o našich dalších produktech a službách vám poskytne naše oddělení péče o zákazníky na čísle 1-800-754-5016 nebo faxem 917-463-0892. Technickou podporu naleznete na adrese www.LibraryTalesPublishing.com

Nakladatelství Library Tales Publishing vydává své knihy také v různých elektronických formátech. Každý obsah, který vychází v tištěné podobě, je k dispozici i v elektronických knihách. kontrolní číslo Kongresové knihovny: 2017944834

:979-8-89441-003-6

VYTIŠTĚNO VE SPOJENÝCH STÁTECH AMERICKÝCH

Toto je komplexní nástroj pro tvorbu krásných a zajímavých uměleckých děl!

Uvnitř najdete více než 100 návodů, které jsou krok za krokem a které se snadno sledují a jsou zábavné.

Pro umělce: Kniha "Jak kreslit skvělé věci" obsahuje kapitoly věnované prvkům designu, částem lidské tváře, perspektivě, svátkům, zvířatům, tvorům a dalším tématům a představuje stovky kreseb, které demonstrují, jaké obrázky můžete vytvořit pouhým spojením jednoduchých tvarů. Umělci se naučí rozpoznat základní tvary v objektu a v několika jednoduchých krocích je proměnit v detailní umělecká díla. Tato praktická cvičení vám pomohou procvičit a zdokonalit vaše dovednosti, abyste mohli kreslit vlastní cool věci.

Pro učitele: Pokud máte omezený rozpočet, málo času, omezené zdroje nebo máte studenty, kteří rádi kreslí - tato kniha je určena právě vám! Uvnitř najdete spoustu lekcí, které jsou snadno přenosné a lze je použít k výuce umění pro všechny úrovně studentů. Každá lekce obsahuje přehledné pokyny, kde je celý proces nahlížen prostřednictvím sledu ilustrací a minimálního množství textu. Ke každému výtvarnému projektu je také přiložena tabulka obsahující základní dovednosti a pojmy, které se vaši žáci naučí, spolu se závěrečnými hodnotícími úkoly, které mají vaši žáci splnit. A to nejlepší na tom je - jsou to věci, které děti chtějí kreslit.

Potřebujete jen tužku a papír a můžete kreslit skvělé věci!

OBSAH

Kapitola 2

Lidská tvář

Kapitola 3

Perspektiva

Kapitola 4

Svátky a roční období

Kapitola 5

Zvířata a tvorové

Kapitola 6

Skvělé věci

O Autorovi

Catherine V. Holmesová je matka, učitelka, umělkyně, obhájkyně mládeže a autorka ilustrátorské série "Jak kreslit skvělé věci".

Holmes se formálně vzdělával na Boston University School for the Arts a v současné době se samostatně učí a zkoumá různé techniky používané při tvorbě. Není příliš náročná na to, co vytváří, hlavně že něco tvoří. V poslední době se Holmesová zaměřila na vytváření detailních stanovišť pro dramatické hry a senzorických košů pro svá batolecí dvojčata.

Holmes věří, že každý si zaslouží umění. Ačkoli každý má touhu tvořit, vymýšlet a dělat, umění nemusí být vytvořeno, aby bylo oceněno. Umění je všude kolem nás a můžeme si ho užívat, ať už ho kreslíme, zpíváme, píšeme, čteme o něm nebo si ho jen prohlížíme. Umění jako takové je tím prvkem, který nás činí nejvíce lidskými.

CVHolmes

ÚVOD

Tato kniha vznikla z nutnosti. Poté, co jsem prozkoumala umělecké katalogy a knihovny a prošla sekce "Jak kreslit" v knihkupectvích, jsem našla několik dobrých zdrojů, ale žádný neměl všechny vlastnosti, které jsem u knihy o kreslení hledala. Některé nápady byly příliš základní a často urážely mé starší, umělecky zdatnější studenty. Jiné materiály se zdály sloužit jako přehlídka krásných výtvarných děl, ale chyběly jim konkrétní instrukce.

Jako "cestující" učitelka výtvarné výchovy s omezeným rozpočtem a omezeným časem na přípravu potřebuji jediný zdroj, který se snadno přenáší a lze jej použít pro výuku všech úrovní studentů od střední školy až po gymnázium a další. Tato kniha vznikla, aby tuto potřebu naplnila, a chci se o ni podělit s učiteli a výtvarníky v podobné situaci. Tyto projekty vám umožní přinést zajímavé a poučné lekce, které nabízejí jasné cíle a podporují úspěchy, aniž byste potřebovali drahé/víceúčelové pomůcky: stačí obyčejná tužka a guma (někdy pravítko nebo drobné pero). K úspěchu nejsou zapotřebí luxusní umělecké tužky, drahý papír ani hnětací gumy. Všechny stránky byly testovány a schváleny žáky.

Detaily o knize:

Uvnitř najdete konkrétní cvičení, která krok za krokem poskytují návod na kreslení nejrůznějších předmětů. Každá lekce začíná snadno nakreslitelným tvarem, který se stane základní strukturou kresby. Odtud se v každém kroku přidávají prvky k této struktuře, což umožňuje umělci navázat na svůj výtvor a vytvořit detailnější obrázek.

Ke každému výtvarnému projektu je připojena tabulka s informacemi, které by měl výtvarník na konci lekce **VĚDĚT** (fakta, základní dovednosti), **ROZUMĚT** (hlavní myšlenky, pojmy, základní otázky), a tedy být schopen **UDĚLAT** (závěrečné hodnocení, výkon, měření cílů).

Tyto dodatečné informace dávají těmto stránkám větší sílu než jen "umění pro umění" - ne že byste je potřebovali - protože umění je samo o sobě dost důležité! Umělci se o sobě učí jako o výrazných duších prostřednictvím procesu vytváření krásných a zajímavých děl.

Nejlepší na tom je, že to jsou věci, které umělci chtějí kreslit.

Informace pro učitele používající tuto knihu:

Učitelé si mohou být jisti, že při používání této příručky využívají vyučovací čas způsobem, který má pro jejich žáky význam. Každá lekce obsahuje přehledný návod, kde je celý proces nahlížen prostřednictvím sekvence podrobných ilustrací, které lze propojit s historickými souvislostmi, učebními standardy vašeho kurikula nebo je přizpůsobit lekci integrace umění. Je na vás, jak intenzivní bude každý projekt.

Projekty lze diferencovat tak, aby odpovídaly různým stylům učení studentů, a to prostřednictvím kombinace vizuálních a textových materiálů.

Pro dosažení nejlepších výsledků vám nabízím několik tipů:

- Lekce jsou většinou na jednostranných listech pro snadnou reprodukci. Pokud je to možné, kopírujte je na školním kopírovacím stroji s nastavením na fotografie. Stínovaná místa si zachovají nejlepší hodnotu.
- Vyvěste na tabuli list "Vědět, Rozumět, Udělat", aby žáci jasně viděli cíle lekce.
- Povzbuďte žáky, aby nevynechávali žádný z kroků. Učitelé mohou zjistit, že mnoho studentů chce okamžité uspokojení a často se snaží přeskočit k poslednímu kroku, aniž by postupovali podle postupu. Existuje několik studentů výtvarného oboru, kteří mají "talent" na kreslení nebo mají předchozí zkušenosti s kreslením složitých forem a kroky nepotřebují, většina však potřebuje dodržovat postup, aby dosáhla nejlepšího výsledku. Pro větší úspěch musí postupovat podle kroků! Tímto způsobem žáci trénují svůj mozek, aby viděl tvary v rámci objektu, a ne objekt jako celek. Tím se zjednoduší proces kreslení.
- Řekněte studentům, aby lehce kreslili. Jakmile budou mít základní obrys a několik detailů, mohou žáci své čáry ztmavit a udělat je trvalejší. Přimět umělce s těžkou rukou, aby kreslili lehce, může být neustálý boj, ale jakmile uvidí výhody, boj se vyplatí. Mazání se stane snazším a papíry se méně mačkají a vyhazují.
- Každý student bude s těmito průvodci kreslením úspěšný na jiné úrovni. Povzbuďte studenty, aby se jejich práce lišila od cvičení v knize tím, že přidají "něco navíc" a více detailů. Díky tomu bude každé dílo jedinečné a osobní.
- Tyto jednoduché kroky lze přizpůsobit jakékoli úrovni - student může do své práce vložit tolik nebo tolik úsilí, kolik mu to dovolí. POZNÁMKA: Jako skvělý učitel výtvarné výchovy vždy tlačte své studenty k většímu úsilí - překračování komfortní zóny je způsob, jak se učíme!

- Techniky a postupy představené v této knize jsou v dosahu možností vašeho studenta. Někteří studenti mohou být občas frustrovaní a chtějí to vzdát. Někdy student prohlásí porážku ještě předtím, než se o práci pokusí. To je nepřijatelné! Připomeňte jim, že tvorba umění je proces. V takových případech povzbuďte žáka, aby zkusil jen první krok. Uvidí, že první krok je poměrně snadný, a možná ho to povzbudí k tomu, aby zkusil další krok atd.

- Pokud se zdá, že všechny pokusy o kreslení brání žákovi v dosažení úspěchu, možná budete chtít žákovi umožnit, aby se vydal po stopách. Kresby na těchto stránkách jsou prezentovány v menším měřítku, aby odrazovaly od obkreslování, nicméně je lepší obkreslování povolit, než aby váš žák nedělal vůbec nic. Úpravy úkolů mohou v případě potřeby zahrnovat obkreslování, jen ať student přidá vlastní jedinečný nádech stínováním nebo přidáním "navíc", které nejsou vidět v uvedených příkladech. Obkreslování, aniž byste se o to pokusili - NENÍ V POŘÁDKU!

- Tato kniha je skvělá pro náhradníky. Zkopírujte si několik lekcí, vložte je do složky pro suplování a bez obav si vezměte den nemoci.

Při dostatečném procvičování nebudou studenti nakonec potřebovat žádnou knihu s návodem, jak na to. Dojde k posunu v mozku a vaši studenti budou schopni bez pomoci mentálně rozložit jednodušší obrázek za složitějším. Tehdy se z nich stanou superchytří umělci!

Informace pro umělce používající tuto knihu:

Provádění těchto cvičení je skvělým způsobem, jak si procvičit řemeslo a začít vnímat věci z hlediska jednoduchých tvarů v rámci složitého objektu. Profesionální výtvarné tužky a papír mohou nabídnout různé výsledky, nicméně techniky probírané v této knize lze úspěšně využít i s použitím každodenních potřeb.

Tato kniha je intuitivní, ale můžete narazit na několik náročných kroků. Pro dosažení nejlepších výsledků postupujte podle níže uvedených tipů.

- Zkuste zablokovat informace, které nepotřebujete. Až začnete kreslit některou z kreseb v této knize, zakryjte všechny zobrazené kroky prázdným listem papíru s výjimkou prvního. Nakreslete pouze první krok, který je odkrytý. Po dokončení tohoto kroku odkryjte další krok a pracujte na něm. Tím, že zakryjete kroky, na kterých nepracujete, se stane výtvarné dílo méně náročné na pokusy. Pokračujte v odkrývání jednotlivých kroků jeden po druhém a doplňujte je, dokud nebude dílo kompletní. Je to jednoduchá taktika, ale funguje díky tomu, že vás přiměje soustředit se vždy jen na jednu činnost.

- Je třeba trpělivosti. Nespěchejte, nespěchejte a buďte trpěliví. Nerozmačkejte papír frustrací pokaždé, když uděláte chybu. Podívejte se na své dílo a zjistěte, které linie fungují a které ne. Podle potřeby je změňte.

To je snazší, když:

- Lehce kreslete. Začněte s lehkým obrysem a v průběhu kreslení přidávejte další detaily. Jakmile se vám budou všechny linie zdát dobré, můžete je nakreslit tmavší a trvalejší.

- Nezabývejte se příliš snahou, aby vaše kresba vypadala stejně jako ta v knize, ani netrávte mnoho času snahou o to, aby obě strany údajně symetrického objektu byly stejné. Ani naše obličeje nejsou dokonale symetrické. Váš jedinečný (a někdy nedokonalý) přístup je to, co udělá dílo poutavým a krásným. Pokud vaše kresba nevypadá “dokonale”, je to v pořádku!

- Chcete, aby vaše umělecká díla vypadala ještě profesionálněji? Nakreslete svůj objekt ve velkém a poté jej zmenšete na kopírce pomocí nastavení fotografie. Detaily a linie se zobrazí jemněji a vaše dílo bude vypadat detailněji. Skvělý trik, který můžete vyzkoušet!

- A konečně, nedělejte si starosti s tím, jak vypadá umělecké dílo vašeho souseda. Pamatujte si: každý umí kreslit, ale nikdo neumí kreslit stejně jako vy. Právě to dělá umění tak výjimečným. Kdybychom všichni kreslili úplně stejně, umění by bylo nudné a nemělo by smysl. Podívejte se na to, jak vaše výtvarné dílo vypadá po dokončení, a porovnejte ho se svými předchozími pracemi. Pravděpodobně budete sami sebou ohromeni!

Tipy pro stínování:

- Kapitola "Základy" zobrazuje několik různých technik stínování. Silný tlak tužky zanechá tmavé čáry, stejně jako slabý tlak zanechá světlé stopy. Kombinace obou s postupným přechodem od jednoho k druhému je jedním z přístupů k realistickému stínování. Procvičte si používání různých tlaků na tužku, abyste vytvořili různé tóny.

- Pokud se rozhodnete rozmazat kresbu a vytvořit tak stínování, buďte opatrní. Technika rozmazávání uměleckého díla prstem za účelem vytvoření stínů může rozmazat některé složitě nakreslené linie a zničit krásnou kresbu. Při správném provedení však může být rozmazávání rychlým a účinným způsobem, jak uměleckému dílu dodat hloubku. Může to být přijatelný postup, jen si dejte pozor na tvorbu bláta! Přílišné rozmazávání způsobí, že se všechny jemné linie a kontrastní odstíny změní ve stejný rozmazaný, plochý šedý tón. Tím se kresba připraví o hloubku a dílo bude působit méně detailně. Nejlepších výsledků při stínování technikou tření prstem dosáhnete, když budete jen trochu rozmazávat.

- V této knize uvidíte několik příkladů, kde je použito šrafování a křížové šrafování. Jedná se o další techniku stínování, která může být jedinečnou alternativou k rozmazávání nebo tlaku tužky při vytváření stínovacích efektů. Vyzkoušejte je všechny a zjistěte, která z nich vám nejlépe vyhovuje.

Proč potřebujeme umění

Kreslení vás dělá chytřejšími! Věřte tomu nebo ne, ale umělci při plnění úkolů v této knize jen bezmyšlenkovitě nekopírují to, co vidí. Absolvováním těchto projektů umělci zvyšují svou kreativitu a umělecké sebevědomí a zároveň získávají mocné nástroje k pochopení toho, co je součástí tvorby výtvarných děl. Studenti ve skutečnosti přeškolují svůj mozek na jiný způsob vidění. To jim umožňuje vyjádřit se a stát se kompetentními, bystrými, gramotnými, nápaditými, kreativními a vnímavými v umění i v životě. Dejte svým studentům, spolupracovníkům a světu najevo, že UMĚNÍ JE DŮLEŽITÉ!

Kapitola 1

PRVKY DESIGNU

VĚDĚT:

Prvky designu: barva, hodnota, linie, tvar, forma, textura a prostor.

ROZUMĚT:

- Základní složky, které umělec používá při tvorbě uměleckých děl.
- Jak jsou tyto součásti využívány
- Rozdíl mezi tvarem (délka a šířka) a formou (přidání hloubky)

UDĚLAT:

Procvičte si šrafování, pointilismus, texturu, linii, tvar, formu a prostor pomocí jemného černého pera na místě vedle příkladů na letáku. Okopírujte, co vidíte, nebo vytvořte vlastní návrhy. Využijte prostor v rámečku číslo 7 a vytvořte originální návrh s použitím alespoň 4 prvků designu procvičovaných v rámečcích výše.

EXTRA:

Vytvořte originální umělecké dílo na samostatném listu papíru s použitím alespoň 6 ze 7 prvků designu. Vyplňte papír od okraje k okraji svým návrhem.

SLOVÍČKA:

Prvky designu - Barva, hodnota, linie, tvar, forma, textura a prostor. Základní složky, které umělec používá při tvorbě umění. Umělecké prvky jsou části, které se používají k vytvoření námětu uměleckého díla

Prvky designu

Základní složky, které umělec používá při tvorbě umění

Barva, hodnota, linie, tvar, forma, textura a prostor

Vytvořte příklady každé z nich na vyhrazených místech

Níže uvedené úkoly vyplňte ostrou tužkou nebo jemným černým perem (barvy prozatím vynecháme).

HODNOTA - světlost nebo tmavost barvy. V tomto poli vou zobrazí hodnotu pomocí čar nebo teček.

TEXTURA - v tomto rámečku nakreslete, co vidíte, nebo si vytvořte vlastní texturu.

LINIE - značka znázorňující lenath a směr. Do tohoto rámečku nakreslete, co vidíte, nebo vytvořte vlastní čáry.

TVAR - uzavřený prostor s vyznačením délky a šířky Do tohoto rámečku nakreslete alespoň 4 různé tvary.

FORMA - uzavřený prostor s uvedením výšky šířky a hloubky Do tohoto rámečku nakreslete formuláře, které vidíte vlevo.

MÍSTO- vzdálenost nebo prostor mezi věcmi, kolem nich a uvnitř nich. Do tohoto rámečku nakreslete kladný a záporný prostor, který vidíte vlevo.

POUŽÍVEJTE TUTO OBLAST vytvořit originální návrh s použitím alespoň 4 z výše uvedených prvků designu

STÍNOVÁNÍ TVARŮ

VĚDĚT:
Stínování, stíny a prolínání tónů

ROZUMĚT:
- Hodnota přidaná k tvaru (2D) při kreslení vytváří tvar (3D)
- Světlost nebo tmavost hodnoty označuje zdroj světla na objektu.

UDĚLAT:
- Zopakujte si 9 příkladů z letáku "Stínování tvarů" a začněte vytvořením hodnotové stupnice.
- Odstínujte jednotlivé objekty podle hodnotové stupnice
- Míchání hodnot

SLOVÍČKA:
Směs - Sloučení tónů nanesených na plochu tak, aby nevznikla ostrá čára označující začátek nebo konec jednoho tónu
Stínování - Zobrazení změny světla na tmavé nebo tmavé na světlé na obrázku
Stín - Tmavá plocha vržená objektem osvětleným na opačné straně
Odstín - Barva, do které byla přidána černá nebo bílá, aby byla tmavší nebo světlejší
Hodnota - Umělecký prvek, který označuje světlost nebo tmavost barvy

1. Stupnice hodnot

Vytvořte obdélník s 5 čtverci

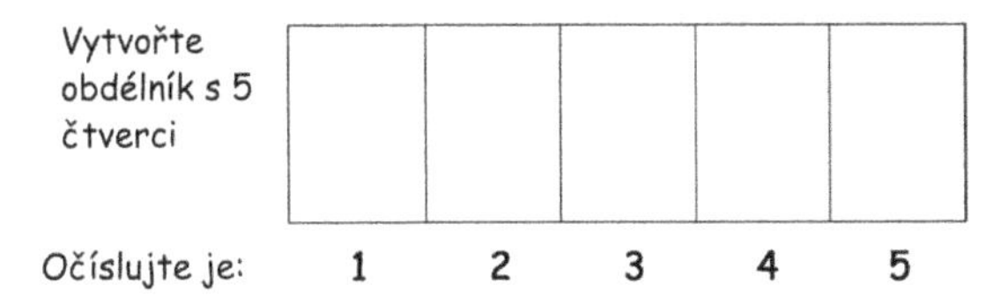

Očíslujte je: 1 2 3 4 5

Stínování čtverců

nechat bílou | světle šedá | středn ě šedá | tmavě šedá | černá

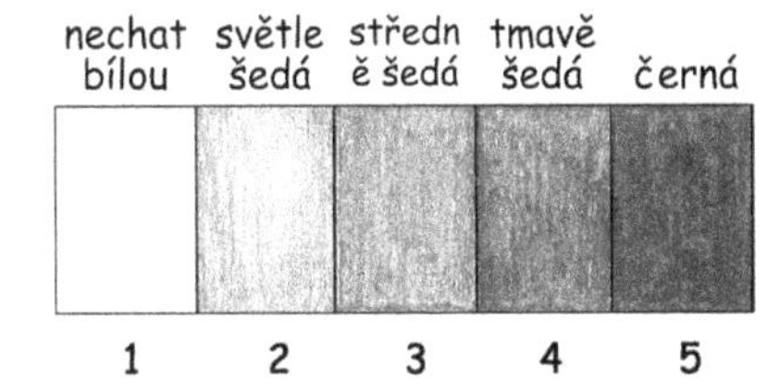

1 2 3 4 5

2. Ploché stínování - KOCKA

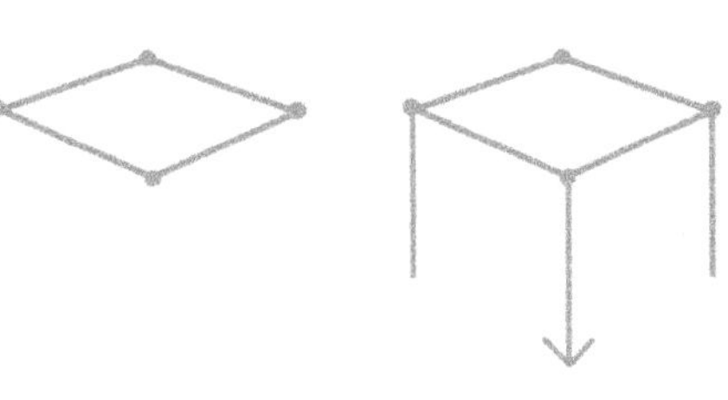

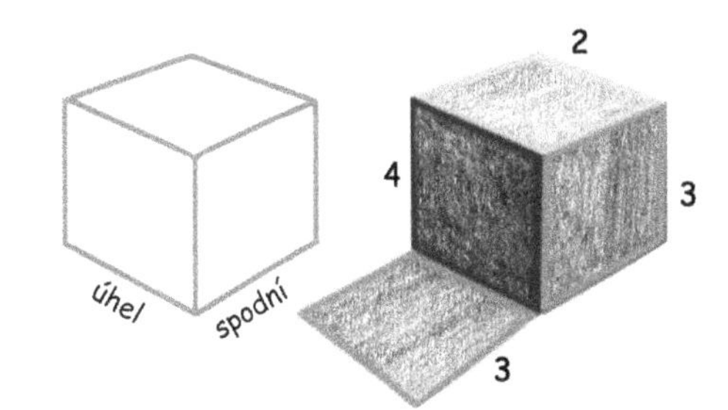

3. Kulaté stínování - KOULE

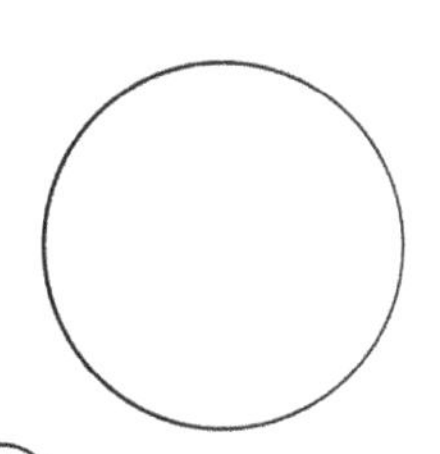

Přidejte další 3 kruhy

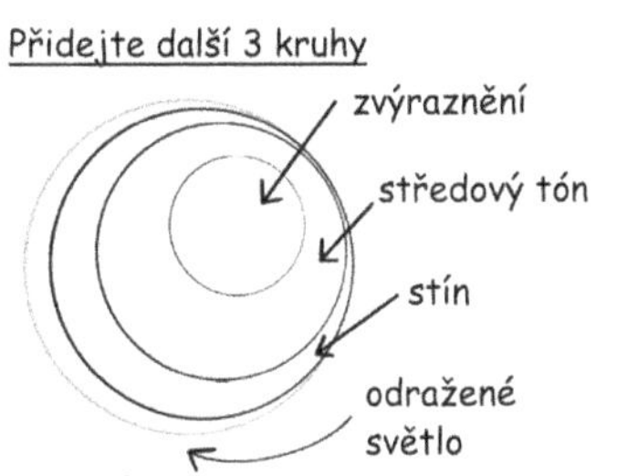

Stín

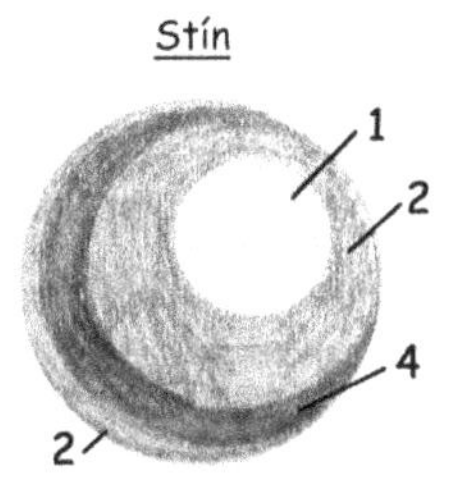

Směs

4. Stínování bannerů

odstín nejtmavší uvnitř záhybů

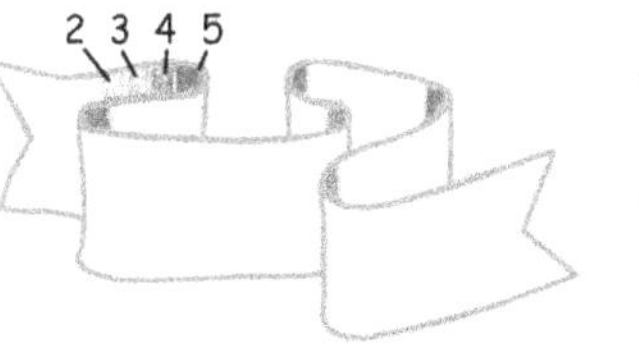

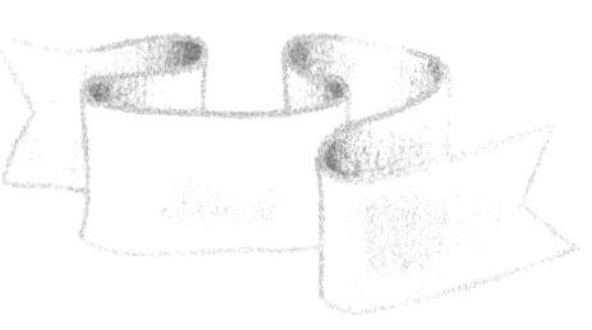

5. Stínování pyramid

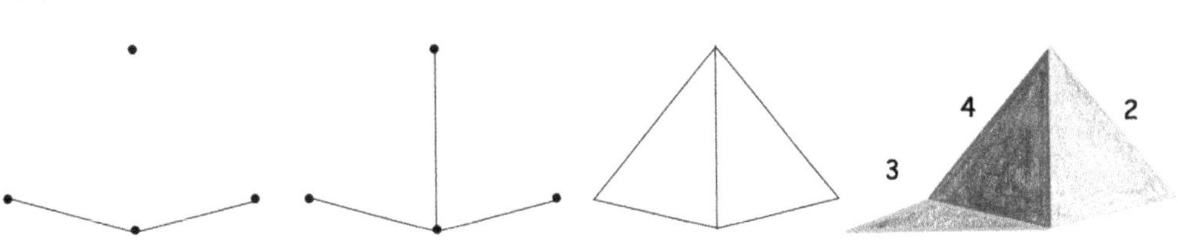

Stínování Tvarů 2

6. Mince

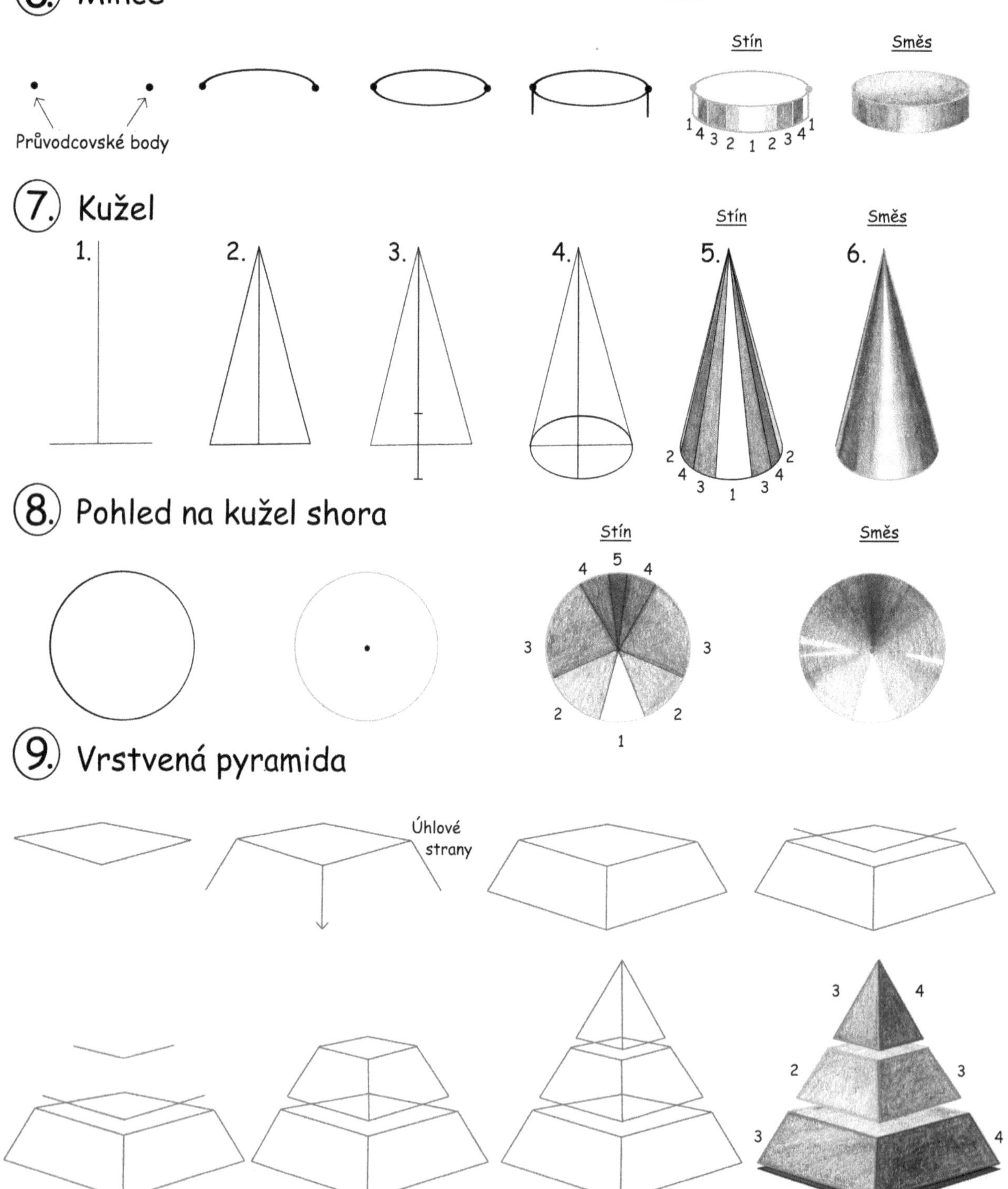

PŘÍPRAVA NA KRESLENÍ

VĚDĚT:

Křížové šrafování, šrafování, textura, stupnice hodnot

ROZUMĚT:

- Umělci používají texturu, aby ukázali, jak může něco působit nebo z čeho je to vyrobeno.
- Hodnota přidaná k tvaru (2D) při kreslení vytváří tvar (3D)
- Světlost nebo tmavost hodnoty označuje zdroj světla na objektu.

UDĚLAT:

Chcete-li si procvičit různé typy stínování, dokončete v oblasti uvedené na letáku cvičení na stupnici hodnot, šrafování a křížové šrafování. Na samostatný list papíru nakreslete strom (nebo jiný objekt), který obsahuje typy stínování procvičované na letáku.

SLOVÍČKA:

Šrafování - Vytváření tónových nebo stínovacích efektů pomocí úzce rozmístěných rovnoběžných čar. Pokud je více takových čar umístěno šikmo přes první, nazývá se to křížové šrafování.
Stínování - Zobrazení změny světla na tmavé nebo tmavého na světlé na obrázku ztmavením oblastí, které by byly ve stínu, a ponecháním jiných oblastí světlých
Textura - Kvalita povrchu nebo "omak" předmětu; jeho hladkost
Hodnota - Umělecký prvek, který označuje světlost nebo tmavost barvy

Připravujeme se na kreslení

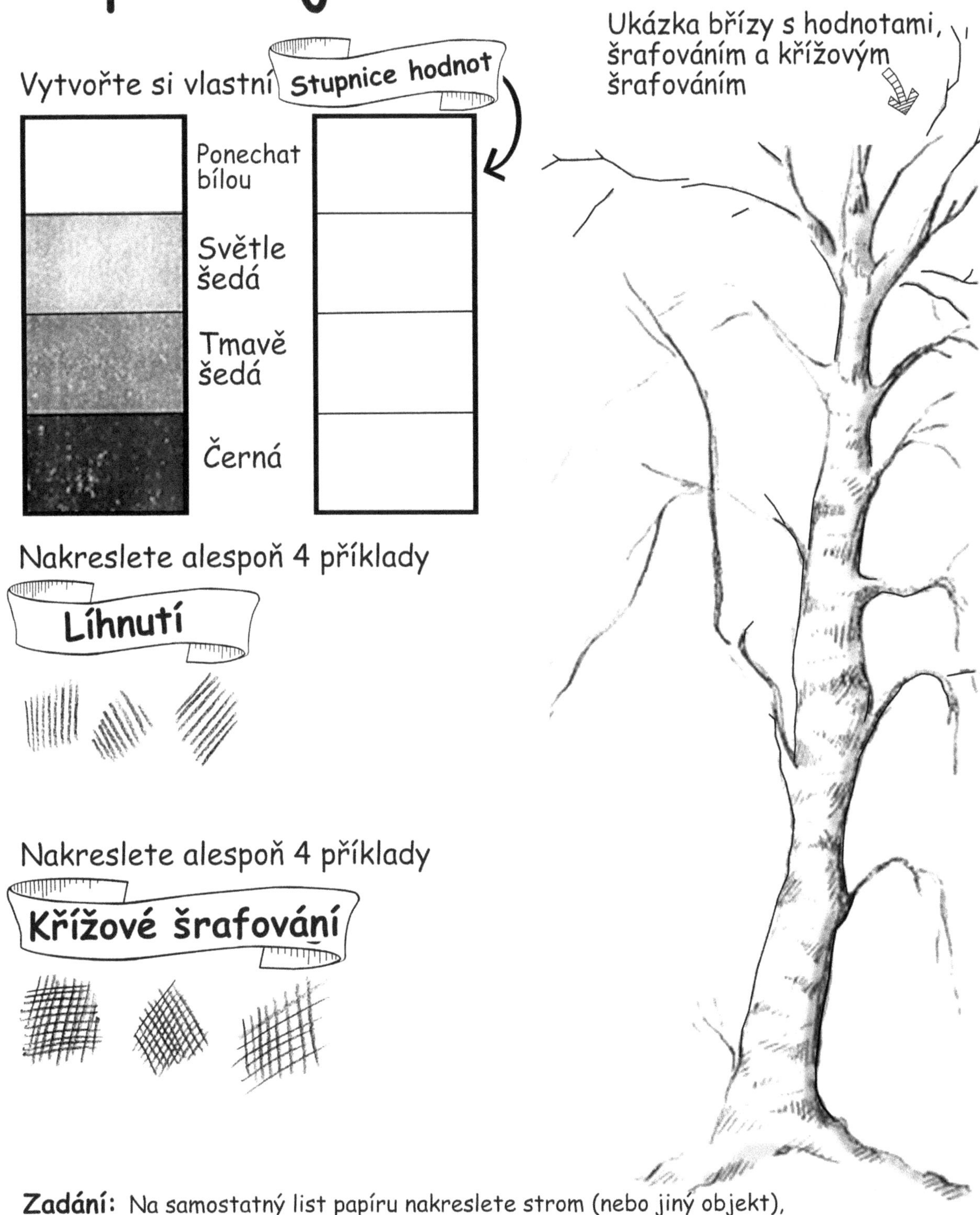

Zadání: Na samostatný list papíru nakreslete strom (nebo jiný objekt), na kterém je vidět šrafování, křížové šrafování a stupnice hodnot.

Kvalita čáry (Holubice)

VĚDĚT:

Čáry jsou nástrojem komunikace

ROZUMĚT:

• Různé typy čar v uměleckém díle dodávají hloubku a zajímavost, naznačují prostor, pohyb, světlo a/nebo tloušťku (3D okraj).
• Rozsah kvality linií zvyšuje popisný potenciál uměleckého díla (textury, pohyb, světlo, prostor atd.).

UDĚLAT:

Vytvořte originální obrázek pomocí detailní čárové grafiky, která se zaměřuje na kvalitu linií. Experimentujte s kresbou dodané holubice a přidejte váhu čáry v obrysových oblastech zvýrazněných na pracovním listu. Poté si tuto techniku vyzkoušejte na vybraném předmětu, přičemž dbejte na to, aby některé čáry zdánlivě vystupovaly dopředu (silnější) a jiné ustupovaly (tenčí).

SLOVÍČKA:

Kvalita linie (hmotnost) - Jedinečný charakter kreslené linie, která mění světlost/tmavost, směr, zakřivení nebo šířku; tenké a tlusté linie v uměleckém díle, které vytvářejí iluzi tvaru a stínu.

Kvalita čáry popisuje vzhled čáry - její vzhled, nikoli její směr (tj. tlustá, tenká, světlá, tmavá, plná, přerušovaná atd.).

Olivová ratolest a holubice jsou symboly míru.

Úvod do Kvalita Linií

Kvalita čáry popisuje vzhled čáry (tlustá, tenká, světlá, tmavá, plná, přerušovaná atd.).

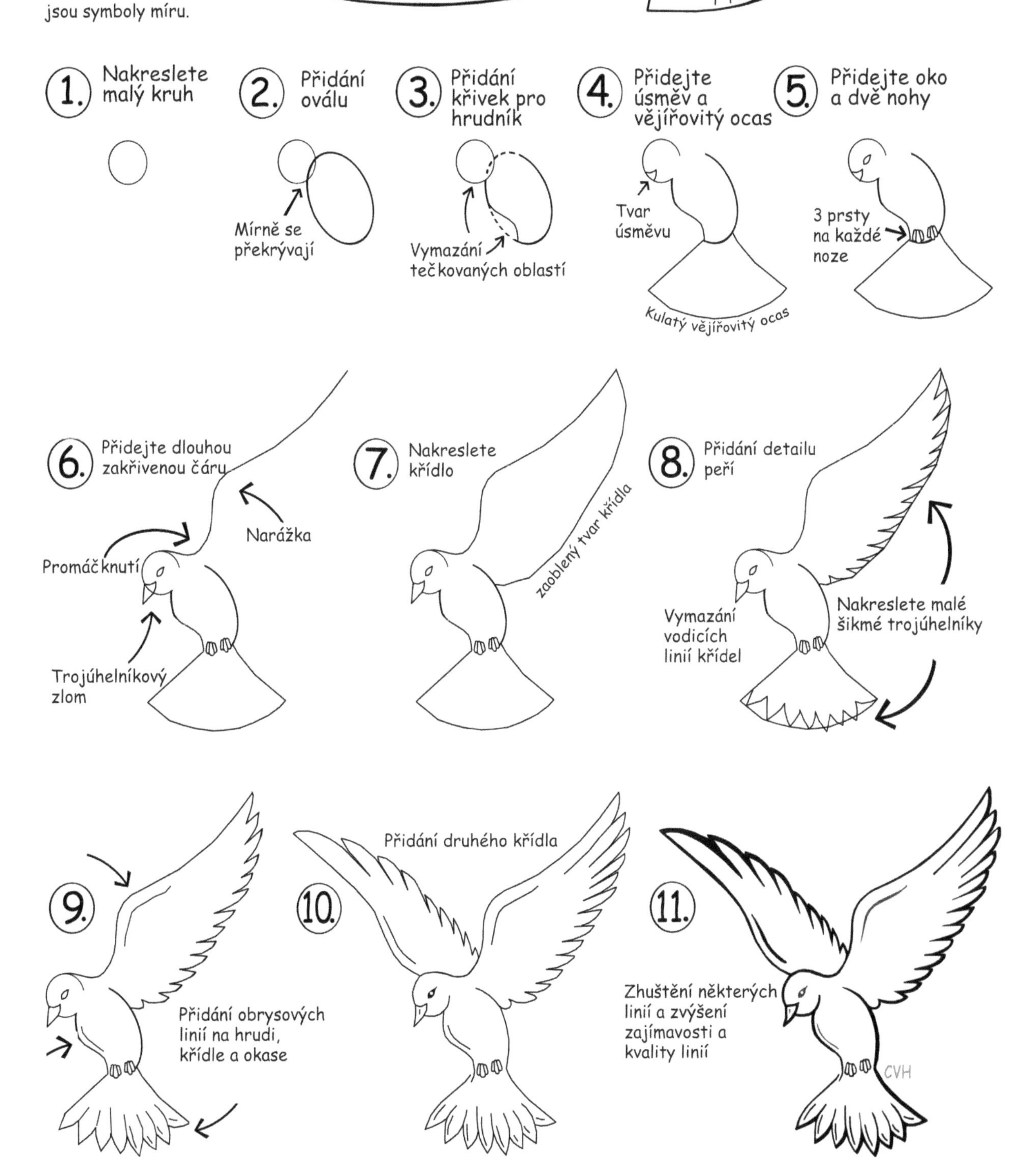

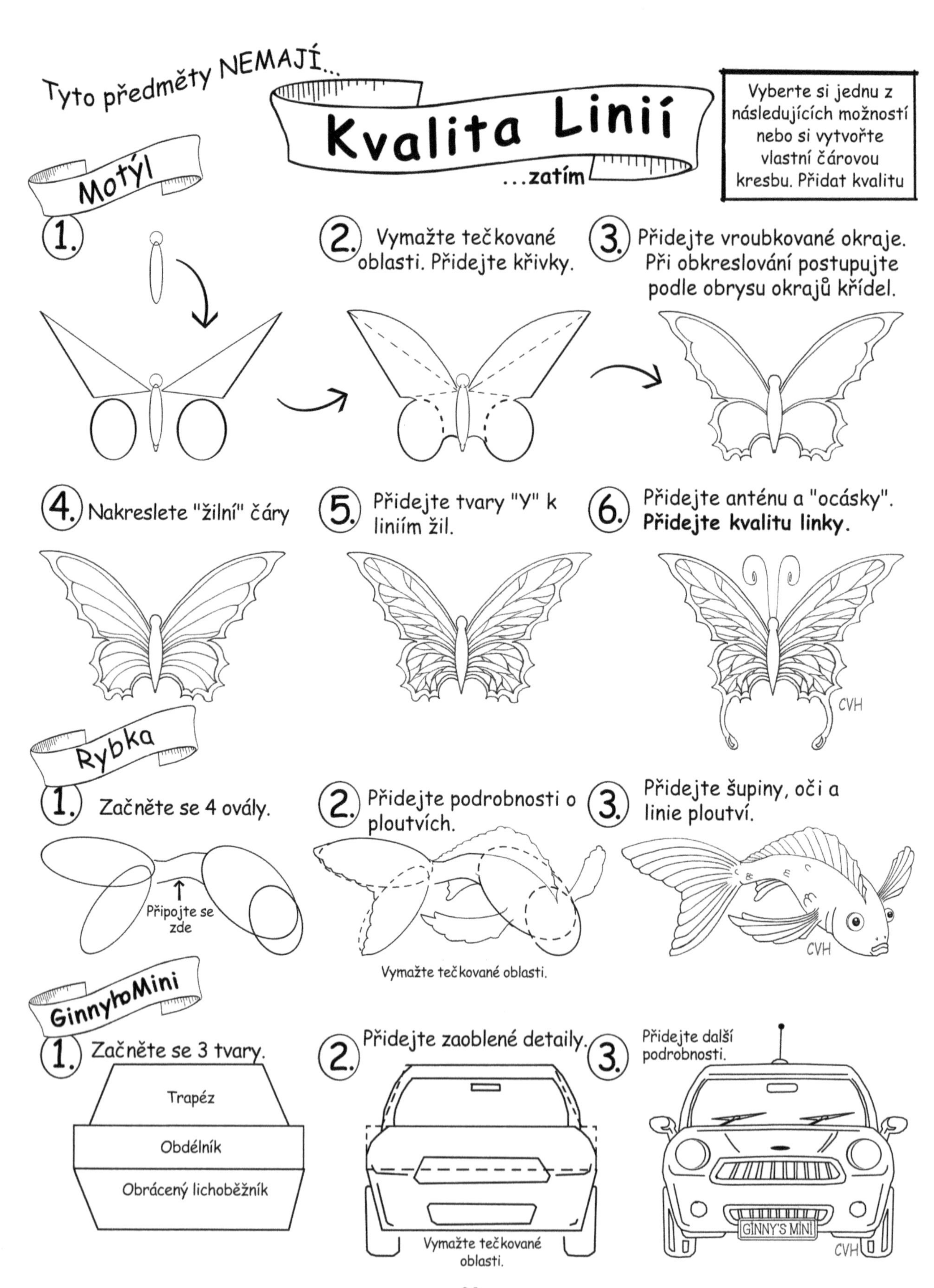

Tyto předměty NEMAJÍ...
Kvalita Linií
...zatím
Vyberte si jednu z následujících možností nebo si vytvořte vlastní čárovou kresbu. Přidat kvalitu
Motýl
1.
2. Vymažte tečkované oblasti. Přidejte křivky.
3. Přidejte vroubkované okraje. Při obkreslování postupujte podle obrysu okrajů křídel.
4. Nakreslete "žilní" čáry
5. Přidejte tvary "Y" k liniím žil.
6. Přidejte anténu a "ocásky". Přidejte kvalitu linky.
CVH
Rybka
1. Začněte se 4 ovály.
Připojte se zde
2. Přidejte podrobnosti o ploutvích.
Vymažte tečkované oblasti.
3. Přidejte šupiny, oči a linie ploutví.
CVH
GinnyhoMini
1. Začněte se 3 tvary.
Trapéz
Obdélník
Obrácený lichoběžník
2. Přidejte zaoblené detaily.
Vymažte tečkované oblasti.
3. Přidejte další podrobnosti.
GINNY'S MINI
CVH

ZKRÁCENÍ

VĚDĚT:

• Jednoduché kroky k přeměně tvarů na formy
• Jak vytvořit iluzi 3D

ROZUMĚT:

• Předsádka je způsob zobrazení objektu tak, aby vyvolával iluzi hloubky (3D).
• Předsunutí je, když se zdá, že se objekt posouvá dopředu nebo se vrací zpět do prostoru.

UDĚLAT:

• Procvičte si předsazení tak, že znovu vytvoříte 7 miniaturních kreseb (5 zepředu a 2 zezadu), které jsou uvedeny na letáku. Neobkreslujte. Stínujte.
• Vytvořte originální kresbu scény na samostatný list papíru, která zobrazí alespoň 5 příkladů zkrácení.

SLOVÍČKA:

Předsunutí - Způsob znázornění předmětu tak, že vyvolává iluzi hloubky, zdánlivě vystupuje dopředu nebo se vrací zpět do prostoru.

Zkrácení

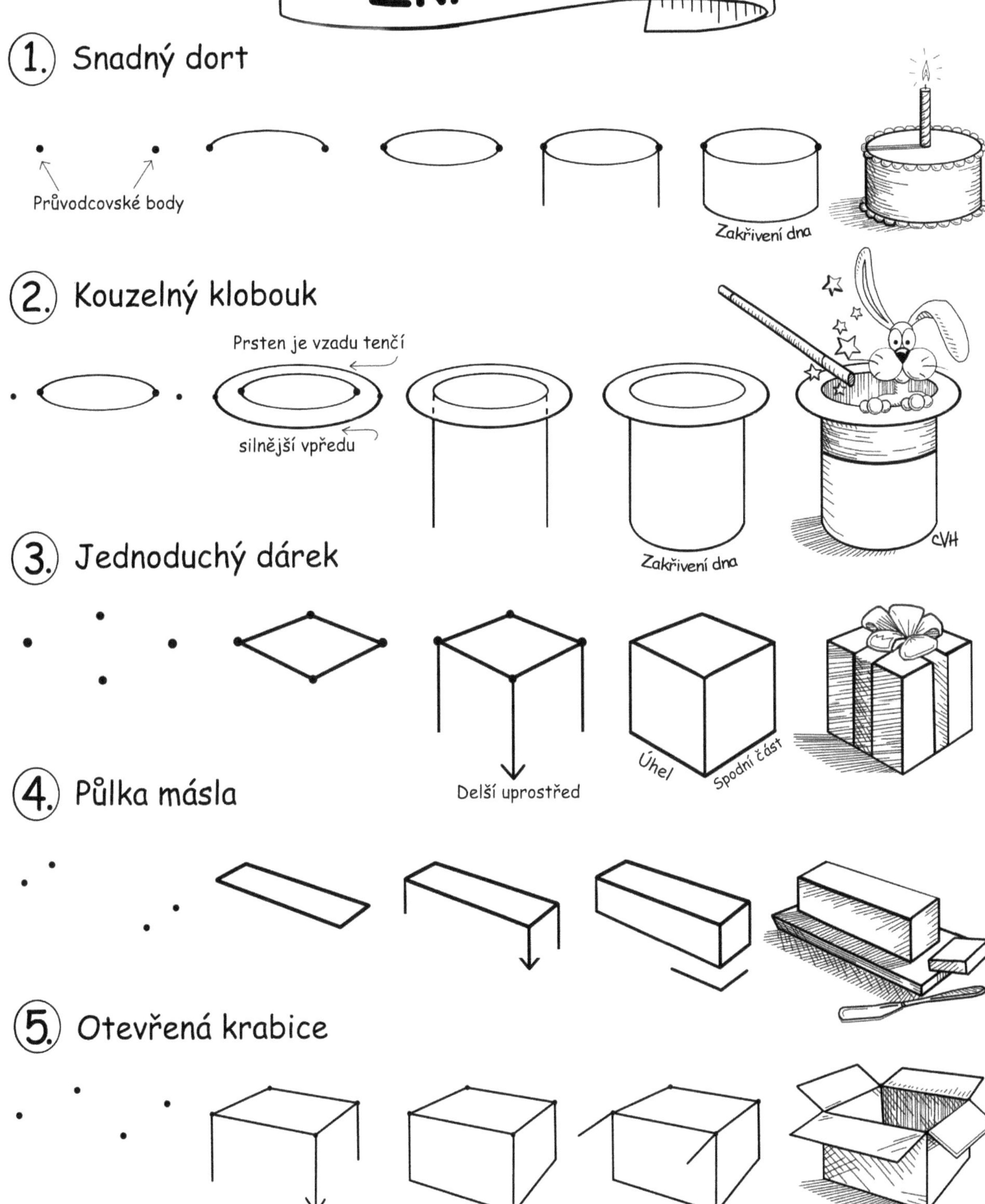
1. Snadný dort
Průvodcovské body
Zakřivení dna
2. Kouzelný klobouk
Prsten je vzadu tenčí
silnější vpředu
Zakřivení dna
CVH
3. Jednoduchý dárek
Delší uprostřed
Úhel
Spodní část
4. Půlka másla
5. Otevřená krabice

Zkrácení

1. Vrstvený dort

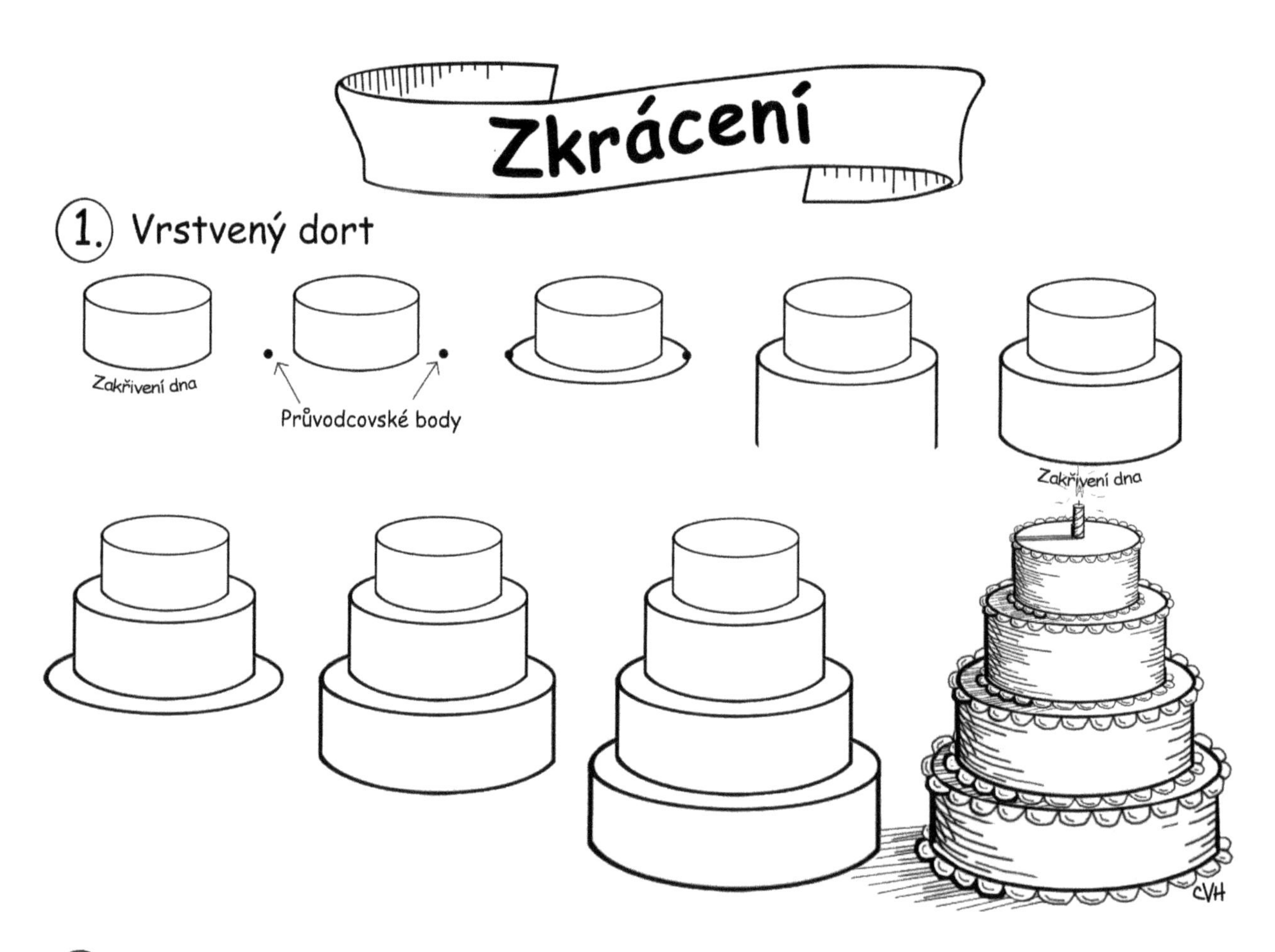

2. Krabice v krabici v krabici v krabici v krabici

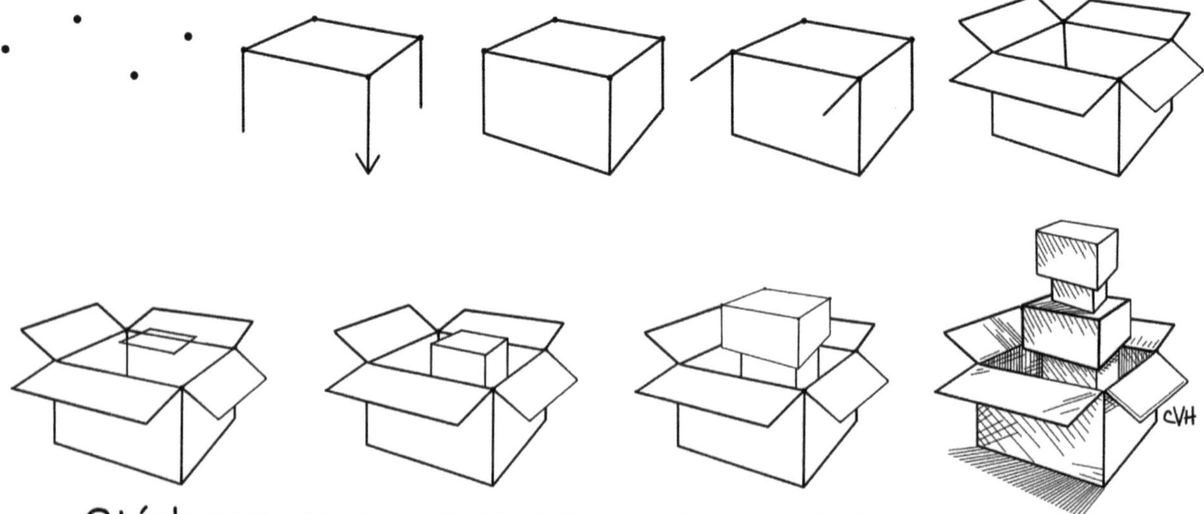

Otázka: Mám 3 krabice. Uvnitř těchto 3 krabic mám 3 krabice. Uvnitř těchto 3 krabic mám 3 krabice. **Kolik krabic mám?**

ZKRÁCENÍ OSOBY

VĚDĚT:
Úhel pohledu

ROZUMĚT:
Perspektiva, při níž jsou velikosti blízkých a vzdálených částí objektu značně kontrastní. Blízké části jsou větší a vzdálené části jsou mnohem menší.

UDĚLAT:
Procvičte si předsádku tak, že vytvoříte verzi vlastní předsádky při pohledu shora. Ujistěte se, že hlava vaší postavy je mnohem větší než nohy, abyste vytvořili dojem předozadního zkrácení. Neobkreslujte. Stínujte.

SLOVÍČKA:
Předsunutí - Způsob znázornění objektu tak, aby vyvolával iluzi hloubky a působil dojmem, že se posouvá dopředu nebo se vrací zpět do prostoru. Úspěch předsazení často závisí na úhlu pohledu nebo perspektivě, v níž jsou velikosti blízkých a vzdálených částí předmětu značně kontrastní.

Perspektiva - Technika, kterou umělci používají k promítání iluze trojrozměrného světa na dvourozměrný povrch. Perspektiva pomáhá vytvářet pocit hloubky nebo vzdalujícího se prostoru.

Úhel pohledu - Pozice nebo úhel, ze kterého je něco pozorováno nebo posuzováno, a směr pohledu diváka

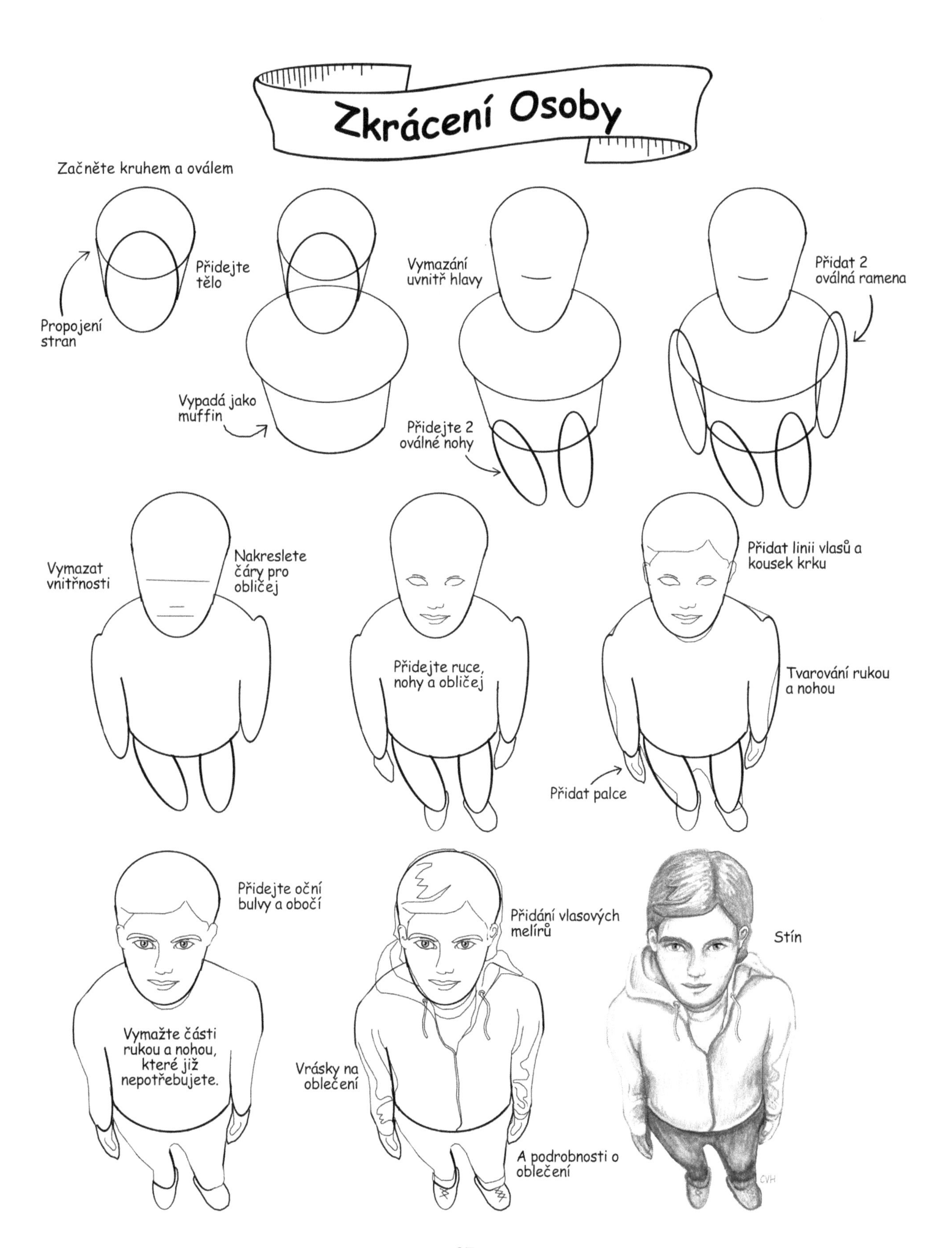
Zkrácení Osoby
Začněte kruhem a oválem
Přidejte tělo
Propojení stran
Vypadá jako muffin
Vymazání uvnitř hlavy
Přidejte 2 oválné nohy
Přidat 2 oválná ramena
Vymazat vnitřnosti
Nakreslete čáry pro obličej
Přidejte ruce, nohy a obličej
Přidat linii vlasů a kousek krku
Tvarování rukou a nohou
Přidat palce
Přidejte oční bulvy a obočí
Vymažte části rukou a nohou, které již nepotřebujete.
Přidání vlasových melírů
Vrásky na oblečení
A podrobnosti o oblečení
Stín
CVH

OBRYSOVÉ LINIE A TRUBKY

VĚDĚT:
Obrysové čáry obklopují a vymezují okraje objektu.

ROZUMĚT:
Přidání čar na vnitřní stranu obkresleného objektu, které mu dodají tvar a objem.

UDĚLAT:
- Na samostatný list papíru vyplňte 5 minikreseb, které vidíte na letáku.
- Nakreslete vlastní originální dílo se zaměřením na použití obrysových čar. Zahrnujte: Nejméně 5 ohýbacích trubek, 4 na sebe naskládané kulaté tvary, 3 kostky, 2 "chlupaté" předměty a 1 "navíc".
- Nezapomeňte na Stíny!

SLOVÍČKA:
Obrys - Obrys a další viditelné hrany objektu
Obrysové čáry - Linie, které obklopují a vymezují okraje předmětu a dodávají mu tvar a objem.
Trubka - Dutý válec
Objem - Prostor uvnitř formuláře

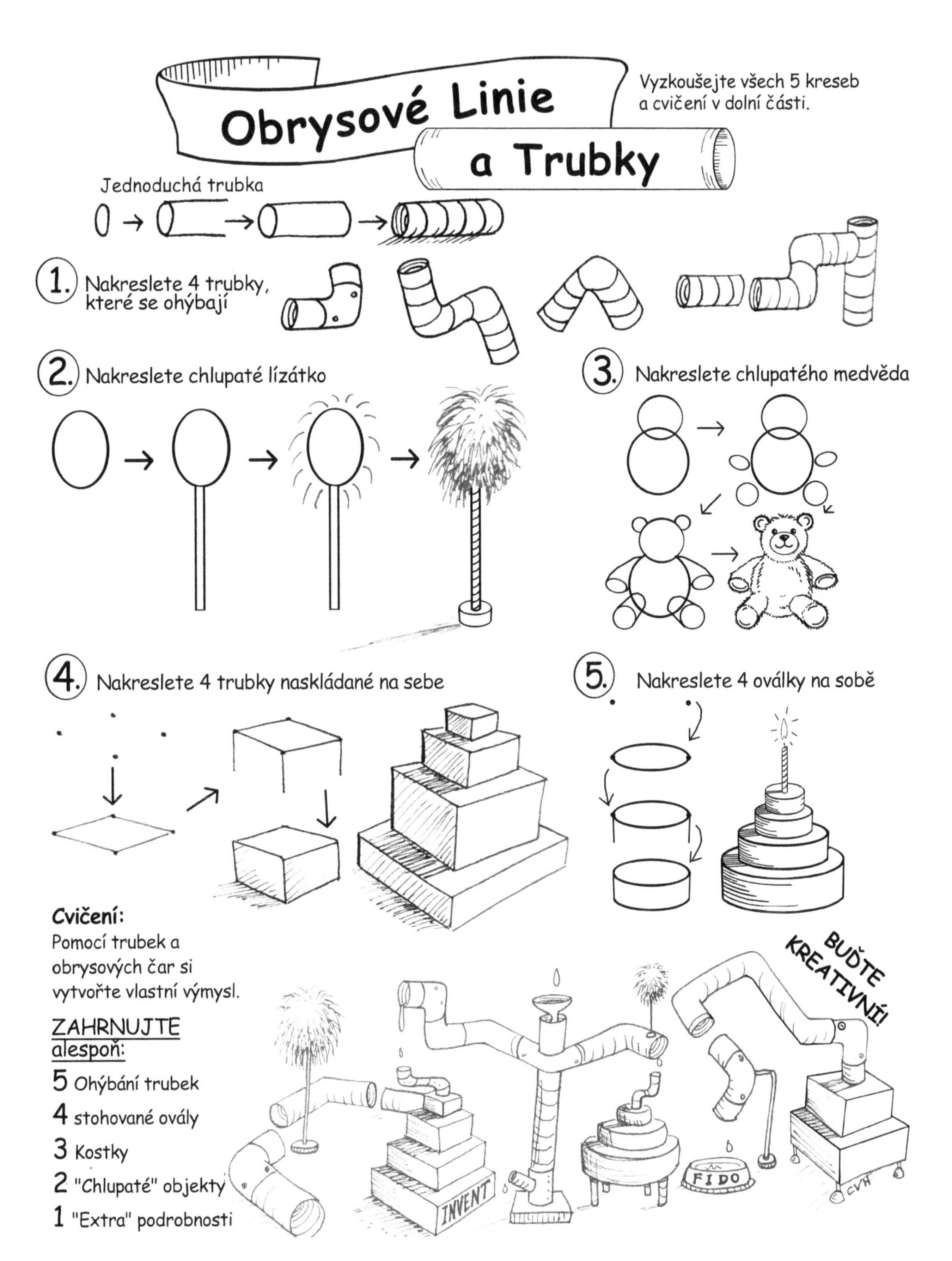
Obrysové Linie
a Trubky
Vyzkoušejte všech 5 kreseb
a cvičení v dolní části.
Jednoduchá trubka
1. Nakreslete 4 trubky, které se ohýbají
2. Nakreslete chlupaté lízátko
3. Nakreslete chlupatého medvěda
4. Nakreslete 4 trubky naskládané na sebe
5. Nakreslete 4 oválky na sobě
Cvičení:
Pomocí trubek a obrysových čar si vytvořte vlastní výmysl.
ZAHRNUJTE alespoň:
5 Ohýbání trubek
4 stohované ovály
3 Kostky
2 "Chlupaté" objekty
1 "Extra" podrobnosti
BUĎTE KREATIVNÍ!
INVENT
FIDO
CVH

OD TVARŮ K FORMÁM

VĚDĚT:

- Základní konstrukce válce ve výkresu
- Tvar a forma jsou 2 ze 7 prvků umění.

ROZUMĚT:

- Rozdíl mezi tvarem a formou
- Objem

UDĚLAT:

Prohlédněte si poskytnuté 2D obrázky tvarů a pomocí naučených technik je překreslete do 3D podoby.

ASSIGNMENT:

Natáhněte si sklenici čiré tekutiny s kostkami ledu a brčkem. Nezapomeňte - kostky ledu plavou!

SLOVÍČKA:

Forma - Trojrozměrný tvar (výška, šířka a hloubka), který uzavírá objem.
Tvar - Uzavřený prostor
Objem - Prostor uvnitř formuláře

Zadání: Na samostatný list papíru nakreslete sklenici vody s ledem a brčkem. Nezapomeňte: Kostky ledu plavou!

VÁLCE A DISKY

VĚDĚT:
Mnoho objektů (vytvořených člověkem i přírodních) je založeno na válci.

ROZUMĚT:
- Válce v umění působí dojmem 3D kruhové trubice.
- Disky jsou krátké válce
- Jak vytvořit vzhled 3D trubice v různých objektech

UDĚLAT:
- Zrekonstruujte 7 minikreseb ve 3D, jak je vidět na letáku.
- Na samostatný list papíru obkreslete obrys ruky a vytvořte z něj řadu rozdělených válců.

SLOVÍČKA:
Válec - Trubice, která se jeví jako trojrozměrná
Disk - Oblast v rovině ohraničená kružnicí (také se píše disk).
Rovina - Plochý dvourozměrný povrch

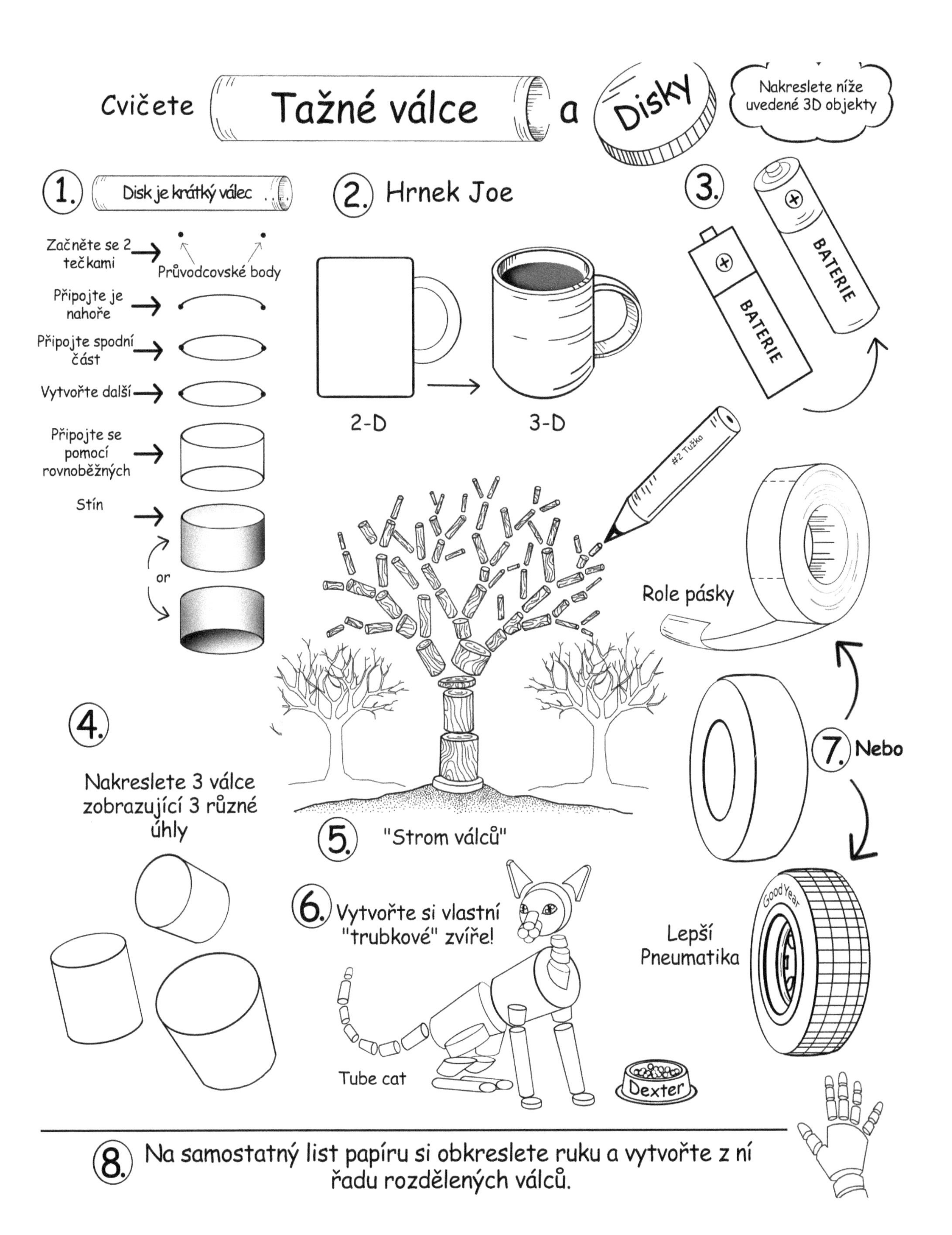
Cvičete
Tažné válce
a
Disky
Nakreslete níže uvedené 3D objekty
1.
Disk je krátký válec
Začněte se 2 tečkami
Průvodcovské body
Připojte je nahoře
Připojte spodní část
Vytvořte další
Připojte se pomocí rovnoběžných
Stín
or
2. Hrnek Joe
2-D
3-D
3.
BATERIE
BATERIE
#2 Tužka
Role pásky
4.
Nakreslete 3 válce zobrazující 3 různé úhly
5. "Strom válců"
6. Vytvořte si vlastní "trubkové" zvíře!
Tube cat
Dexter
7. Nebo
Lepší Pneumatika
GoodYear
8. Na samostatný list papíru si obkreslete ruku a vytvořte z ní řadu rozdělených válců.

STUPŇOVITÝ DORT

VĚDĚT:

Skládáním a vrstvením válců lze vytvořit jedinečnou strukturu.

ROZUMĚT:

• Označení horní i dolní elipsy na výkresu trubky (a následné vymazání neviditelné oblasti) může pomoci při vytváření proporcionálního válce.

• Válce jsou jednou ze čtyř základních podob, které pomáhají uměleckému dílu působit trojrozměrně.

UDĚLAT:

• Začněte v horní části papíru a začněte trénovat vytváření krátkých válců vrstvených na sebe.
• Snažte se poskládat co nejvíce "koláčů", dokud se stránka nezaplní. Přidejte na každou vrstvu jiné ozdoby, aby byla jedinečná. Některé nápady jsou svíčky, cukroví, vířivá poleva, květiny atd.

SLOVÍČKA:

Válec - trubice, která se jeví jako trojrozměrná
Disk - oblast v rovině ohraničená kružnicí
Elipsa - kružnice viděná pod úhlem (nakreslená jako ovál)
Vrstva - předmět, který leží nad nebo pod jiným předmětem.

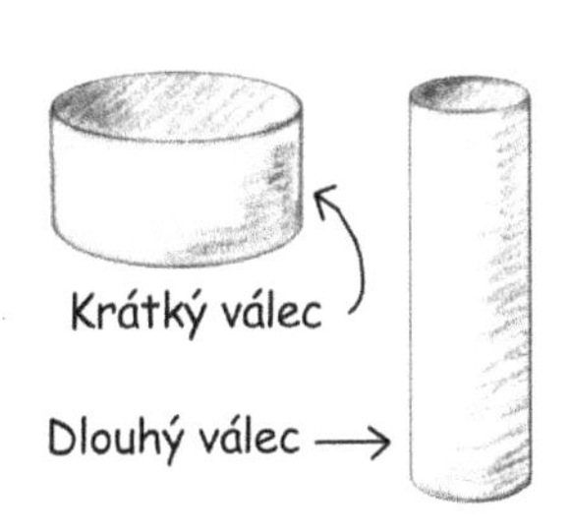

Vytvořte Stupňovitý Dort

Použitím válců

Válce jsou jednou ze čtyř základních forem, které pomáhají uměleckému dílu vypadat trojrozměrně (dalšími jsou **krychle, koule a kužel**)

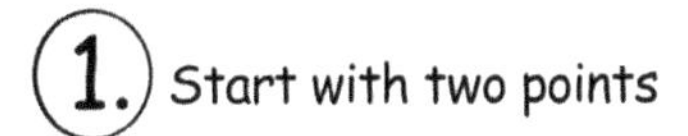

1. Start with two points

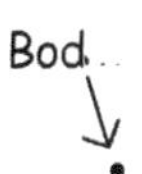

2. Spojte body zaoblenými čarami a vytvořte tenký ovál.

3. Přidejte 2 svislé čáry směřující z obou bodů přímo dolů.

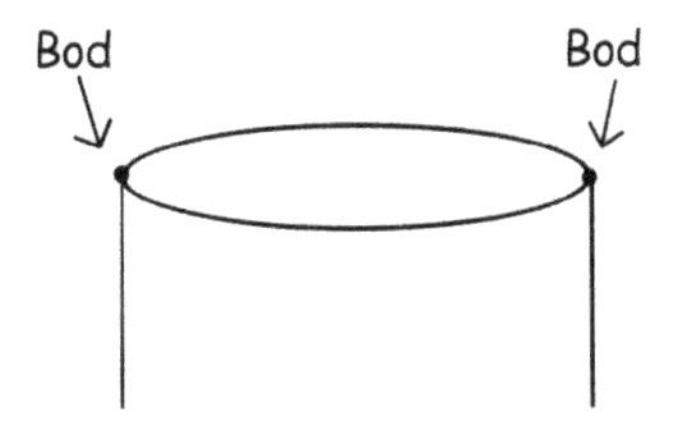

4. Základnu spojte zakřivenou čarou a přidejte další dva body po stranách.

5. Opakujte kroky 2 a 3 s novými body.

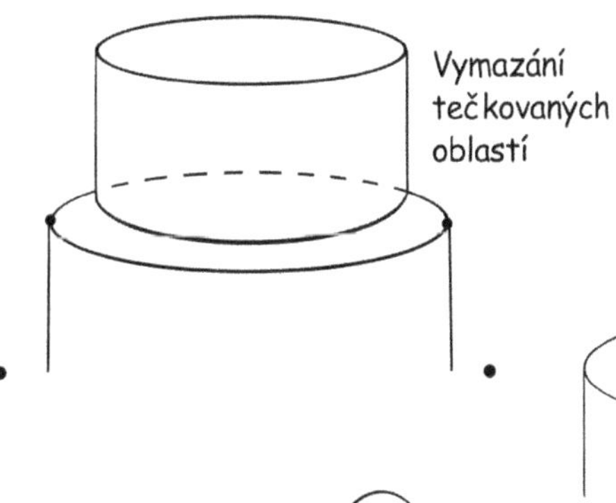

6. Opakujte pro třetí úroveň

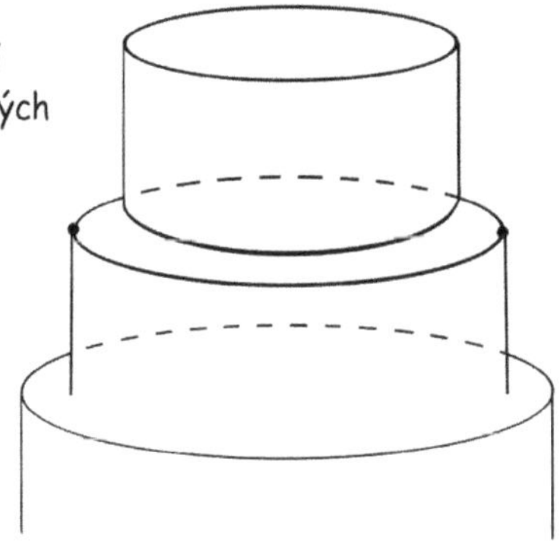

7.

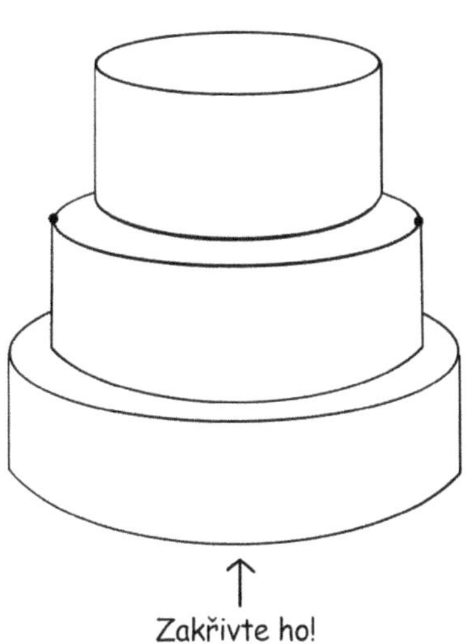

8. Stínování a zdobení

KOUSEK DORTU

VĚDĚT:
Techniky používané k přeměně tvaru na formu

ROZUMĚT:
- Rozdíl mezi tvarem a formou
- Rovnoběžné čáry označují směr i hrany objektu.
- Drobné doplňky se při realistickém kreslení objektů mohou stát významnými detaily.

UDĚLAT:
Podle uvedených pokynů vytvořte plátek dortu ve tvaru trojúhelníkového hranolu. Přidejte detaily, stínování a "doplňky" a vytvořte jedinečné umělecké dílo.

Poznámka: "Extra" jsou drobné detaily, které si autor vymyslí a vytvoří.

SLOVÍČKA:
Forma - Trojrozměrný tvar (výška, šířka a hloubka), který uzavírá objem
Tvar - Uzavřený prostor
Tříboký hranol - mnohostěn
Objem - Vztahuje se na prostor uvnitř formy

Kousek Dortu

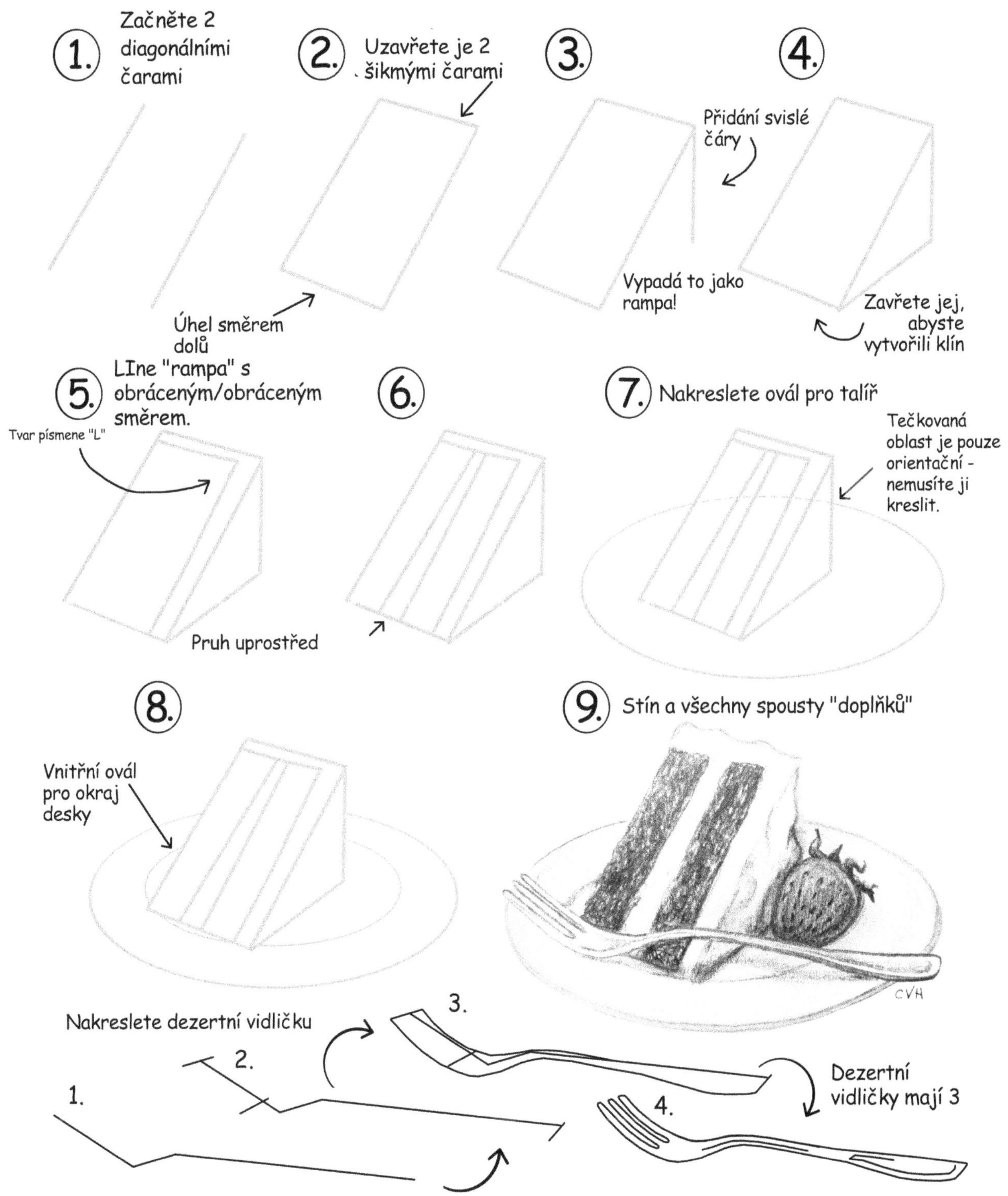
1.
Začněte 2
diagonálními
čarami
2.
Uzavřete je 2
šikmými čarami
3.
4.
Přidání svislé
čáry
Úhel směrem
dolů
Vypadá to jako
rampa!
Zavřete jej,
abyste
vytvořili klín
5.
LIne "rampa" s
obráceným/obráceným
směrem.
Tvar písmene "L"
6.
7.
Nakreslete ovál pro talíř
Tečkovaná
oblast je pouze
orientační -
nemusíte ji
kreslit.
Pruh uprostřed
8.
Vnitřní ovál
pro okraj
desky
9.
Stín a všechny spousty "doplňků"
CVH
Nakreslete dezertní vidličku
1.
2.
3.
4.
Dezertní
vidličky mají 3

STUHY, SVITKY A BANNERY

VĚDĚT:
Překrývající se, ustupující linie

ROZUMĚT:
- Zprostředkování iluze hloubky
- Různé velikosti a umístění na ustupující rovině
- Překrývání a stínování vytváří dojem 3D.

UDĚLAT:
Procvičte si překrývání a stínování vytvořením vlastního banneru/stuhy/svitku pomocí poskytnutých technik. Neobkreslujte. Stínujte.

SLOVÍČKA:
Překrytí - Když jedna věc leží nad jinou nebo ji částečně zakrývá.
Perspektiva - Technika, kterou umělci používají k vytvoření iluze 3D na 2D povrchu. Perspektiva pomáhá vytvářet pocit hloubky nebo vzdalujícího se prostoru.
Ustupující linie - Jakýkoli řádek, který vypadá, že se vrací do prostoru

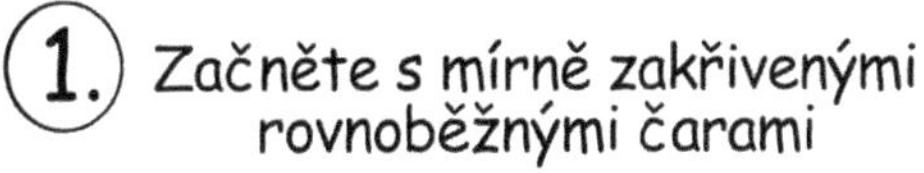

1. Začněte s mírně zakřivenými rovnoběžnými čarami

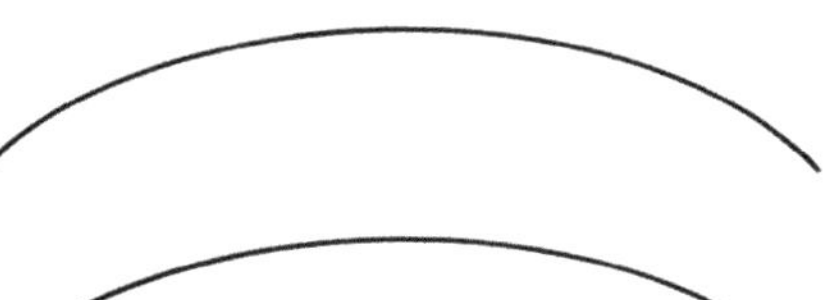

2. Přidejte 4 šikmé svislé čáry, jak je vidět níže

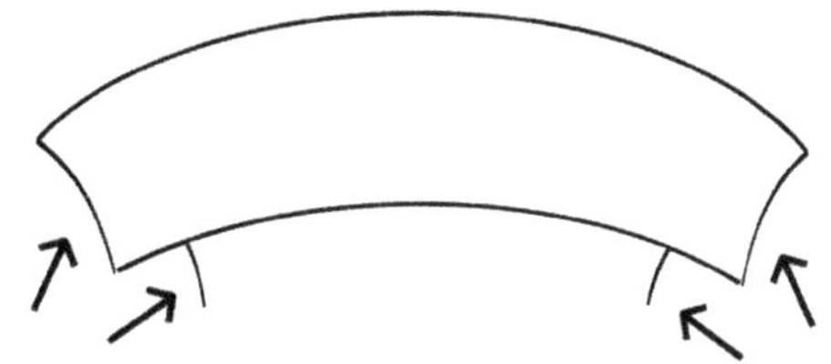

3. Přidejte bototmický hřeben stuhy

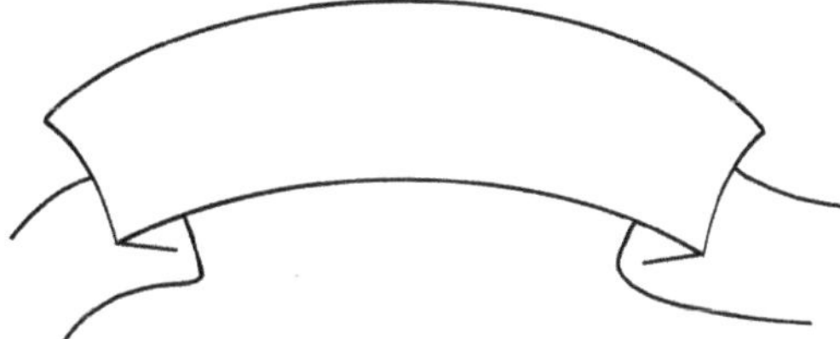

4. Konce stuhy uzavřete a přidejte "praskliny", aby působila starším dojmem.

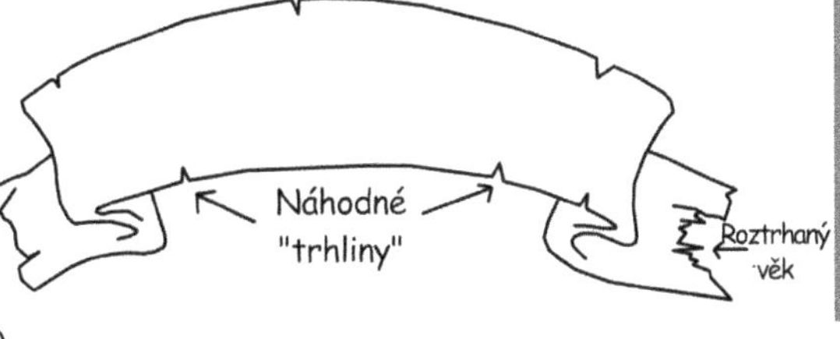

1. Začněte s jednou dlouhou křivkou

2. Přidejte krátkou svislou čáru, která vychází z každého zakřiveného okraje.

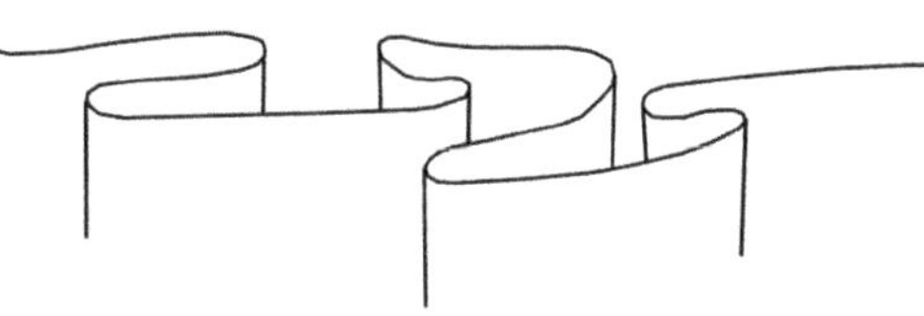

3. Uzavření spodní části stuhy pomocí zakřivených čar

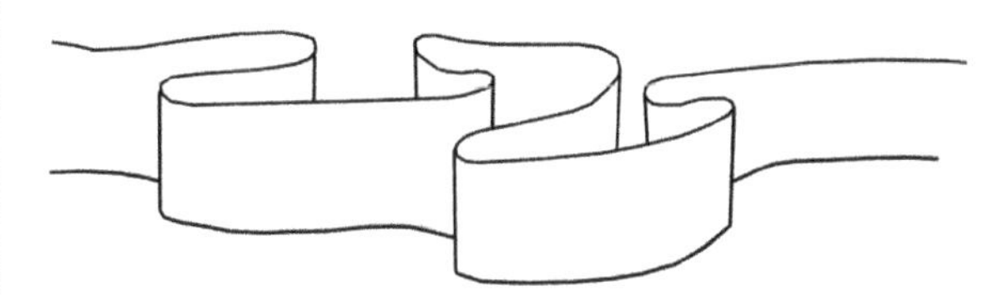

4. Oba konce stuhy uzavřete tvarem: "<"

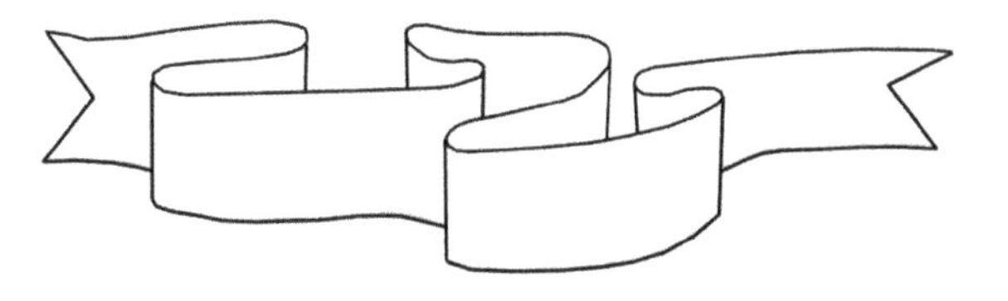

5. Dokončení slovy a stínováním

1. Začněte se zakřivenou čarou, jako je tato

2. Na konec přidejte víry

3. Přidejte 4 svislé čáry. Ty budou tvořit konec svitku.

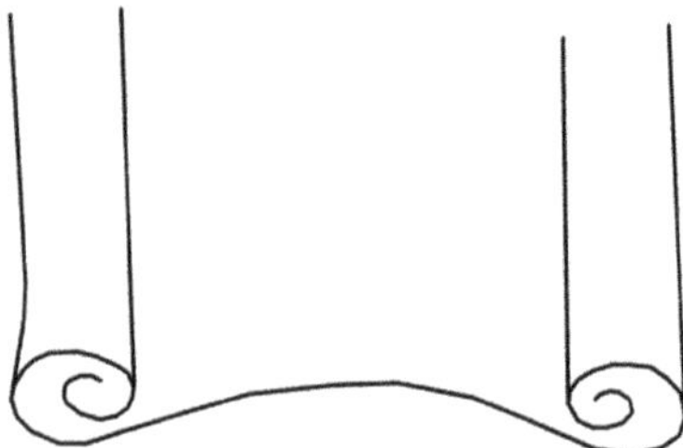

4. Spojte vrcholy 3 zaoblenými čarami.

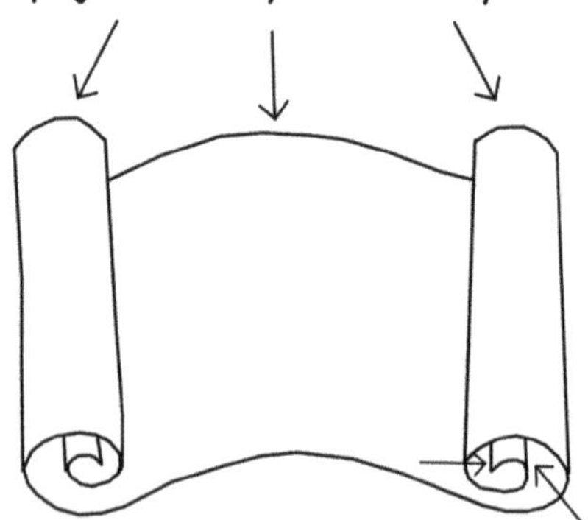

Přidejte 2 čáry na každém svitku, abyste spojili křivky.

5. Stín

Tmavší na okrajích, kde se kroutí

1. Začíná se písmenem "S"

2. Přidejte víry na obou koncích

3. Přidejte 3 vodorovné čáry

4. Spojte víry svislými čarami

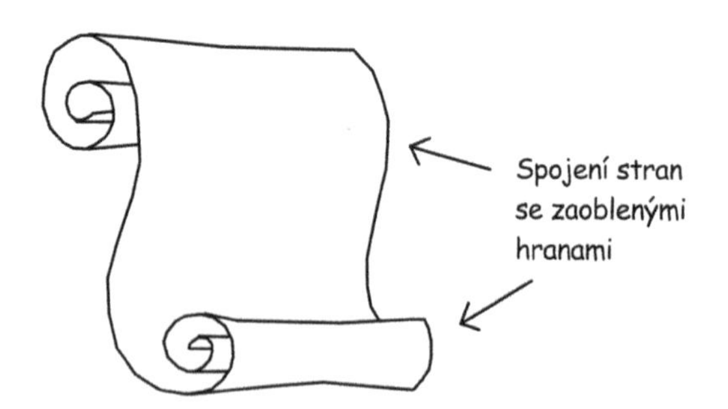

5.

Rolující se Svitky

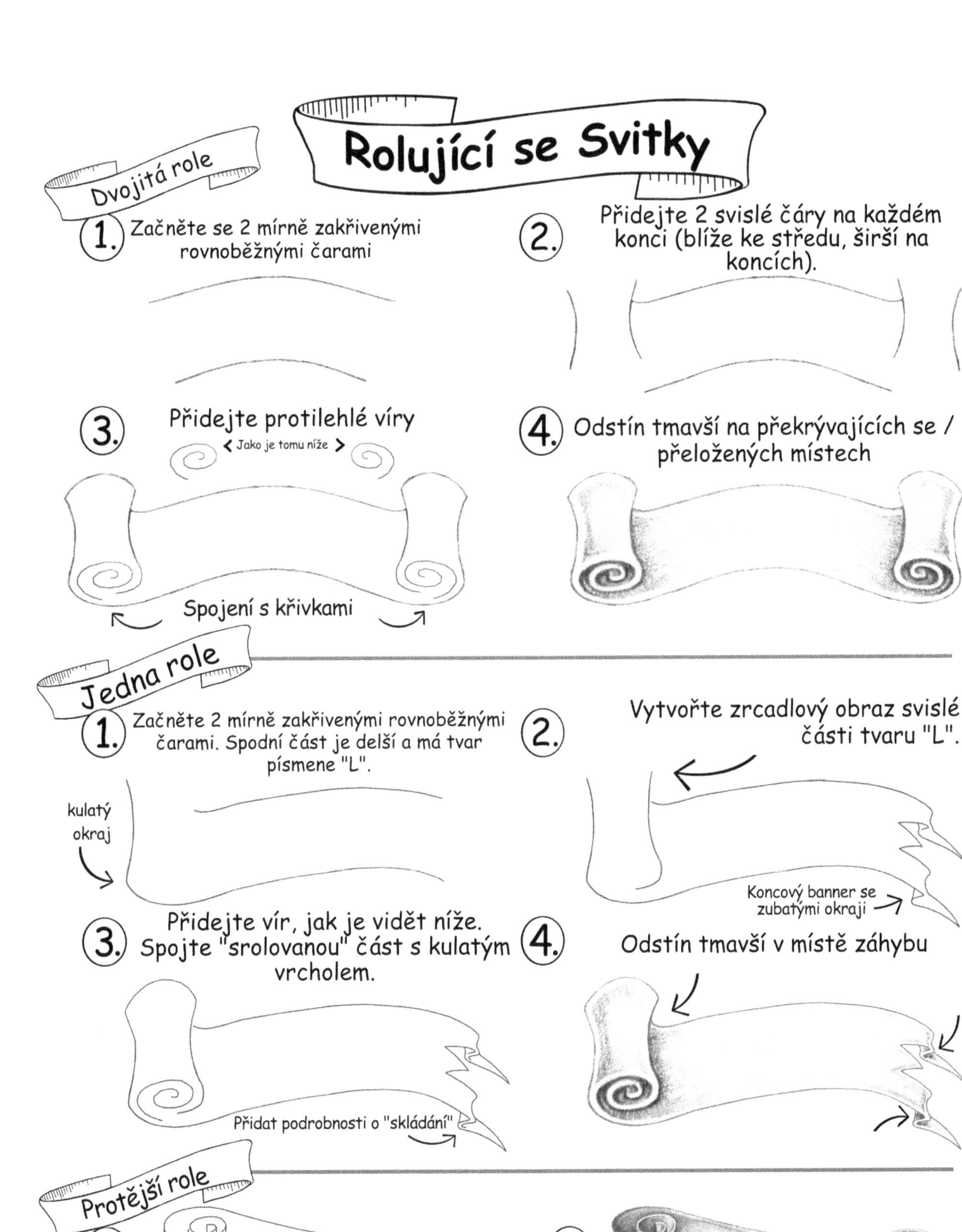

1.

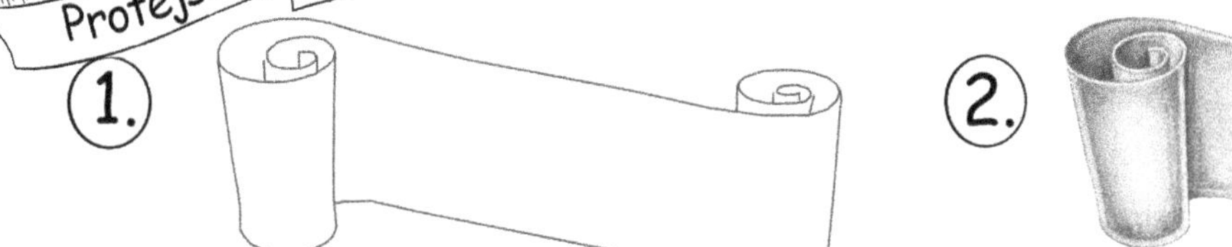

2.

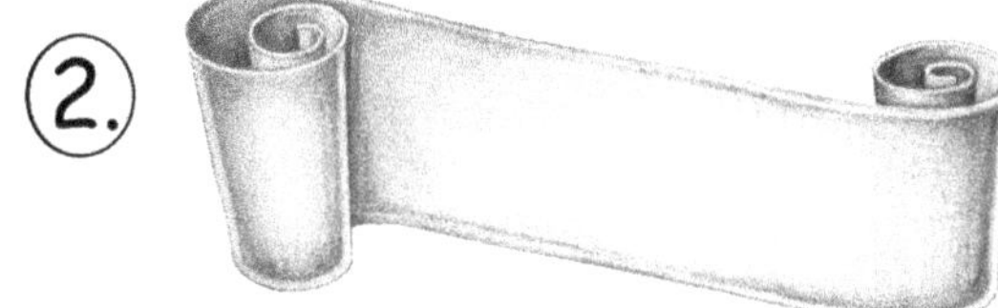

MÁVAJÍCÍ BANNERY

VĚDĚT:

Křivka, Překrývání, Perspektiva, Ustupující linie

ROZUMĚT:

- Jakýkoli 3D tvar (banner) lze vytvořit pomocí jednoduché čáry jako vodítka.
- Zprostředkování iluze hloubky
- Překrývání a stínování vytváří dojem 3D.

UDĚLAT:

- Nakreslete si vlastní banner/stuhu/svitek pomocí poskytnutých technik.
- Přidejte alespoň 2 záhyby, abyste vytvořili rozměr a zajímavost.
- Vyplňte celý papír. Nesledujte. Stínujte.

SLOVÍČKA:

Křivka - Čára nebo hrana, která se plynule a souvisle odchyluje od přímky.
Překrytí - Když jedna věc leží nad jinou nebo ji částečně zakrývá.
Perspektiva - Technika, kterou umělci používají k vytvoření iluze 3D na 2D povrchu. Perspektiva pomáhá vytvářet pocit hloubky nebo vzdalujícího se prostoru.
Ustupující linie - Jakýkoli řádek, který vypadá, že se vrací do prostoru

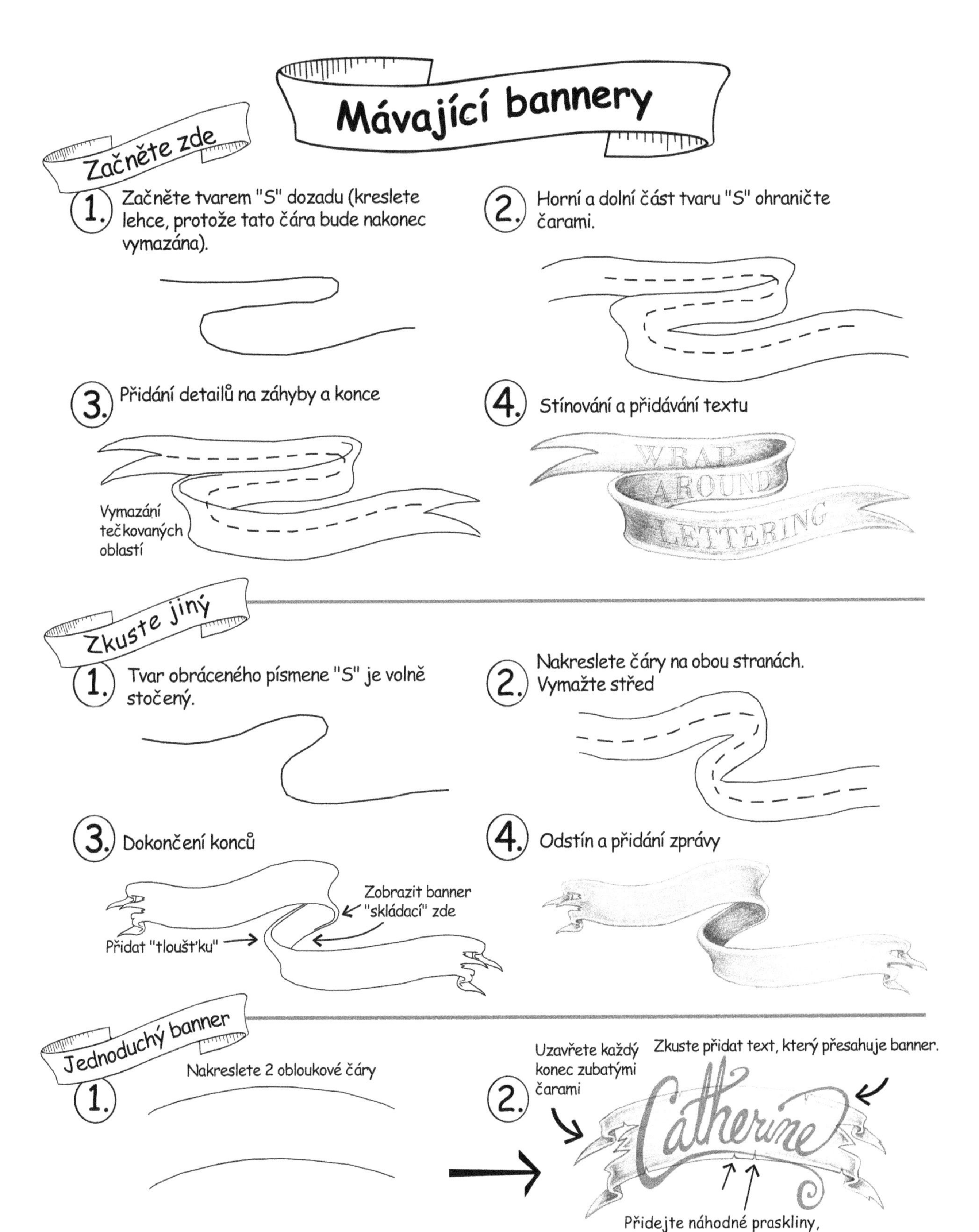

Mávající bannery
Začněte zde
1. Začněte tvarem "S" dozadu (kreslete lehce, protože tato čára bude nakonec vymazána).
2. Horní a dolní část tvaru "S" ohraničte čarami.
3. Přidání detailů na záhyby a konce
Vymazání tečkovaných oblastí
4. Stínování a přidávání textu
WRAP AROUND LETTERING
Zkuste jiný
1. Tvar obráceného písmene "S" je volně stočený.
2. Nakreslete čáry na obou stranách. Vymažte střed
3. Dokončení konců
Zobrazit banner "skládací" zde
Přidat "tloušťku"
4. Odstín a přidání zprávy
Jednoduchý banner
1. Nakreslete 2 obloukové čáry
2. Uzavřete každý konec zubatými čarami
Zkuste přidat text, který přesahuje banner.
Catherine
Přidejte náhodné praskliny, abyste ukázali stáří

Další Mávající Bannery

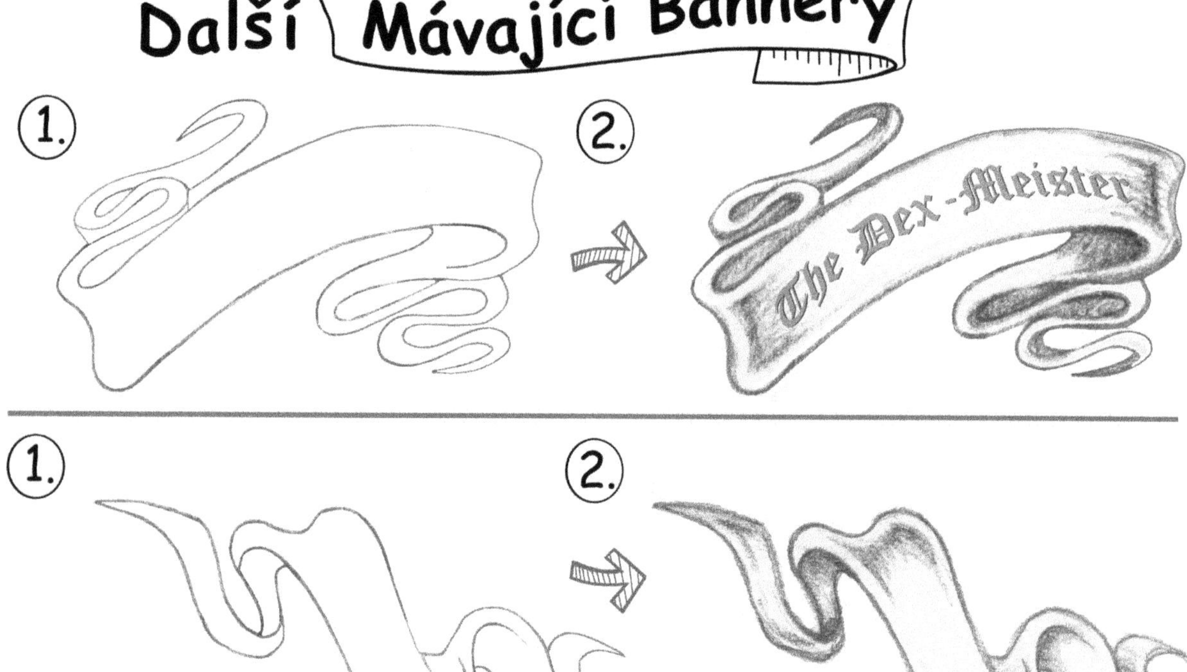

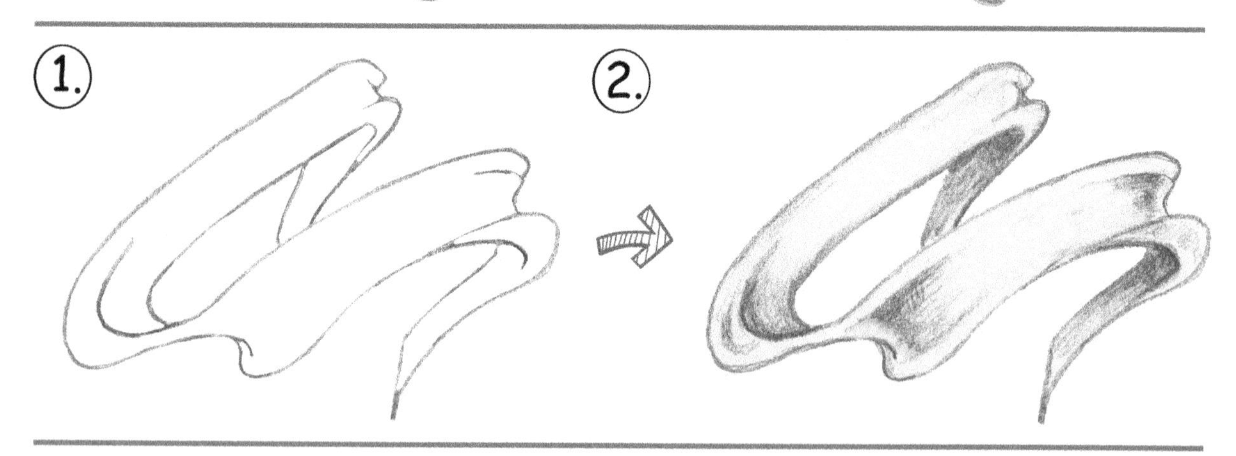

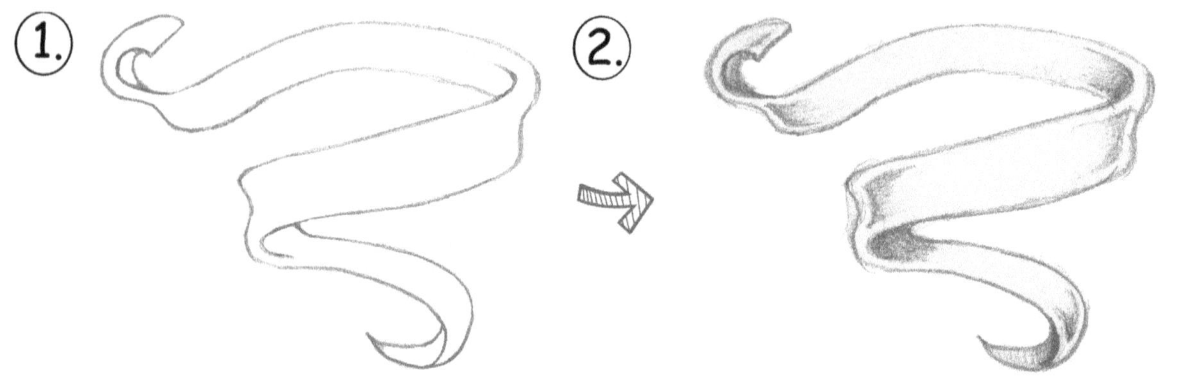

AMERICKÁ VLAJKA

VĚDĚT:
Jednoduché opakování překrývajících se tvarů může vytvářet dojem vlající vlajky.

ROZUMĚT:
- Vytváření iluze záhybů
- Obtáčení pruhů nebo vzorů kolem křivek povrchu pomáhá naznačit realističnost a hloubku.

UDĚLAT:
- Vytvořte mávající verzi vlajky USA pomocí poskytnutých tipů a technik.
- Přidejte 13 pruhů, které představují původních 13 kolonií.
- Přidejte 50 hvězdiček, které představují 50 států
- Nesledujte, Stínujte.

SLOVÍČKA:
Překrytí - Když jedna věc leží nad jinou nebo ji částečně zakrývá.
Opakování - Opětovné nakreslení stejného tvaru
Obal - Kreslení přes objekt pomocí obrysových čar pro znázornění tvaru.

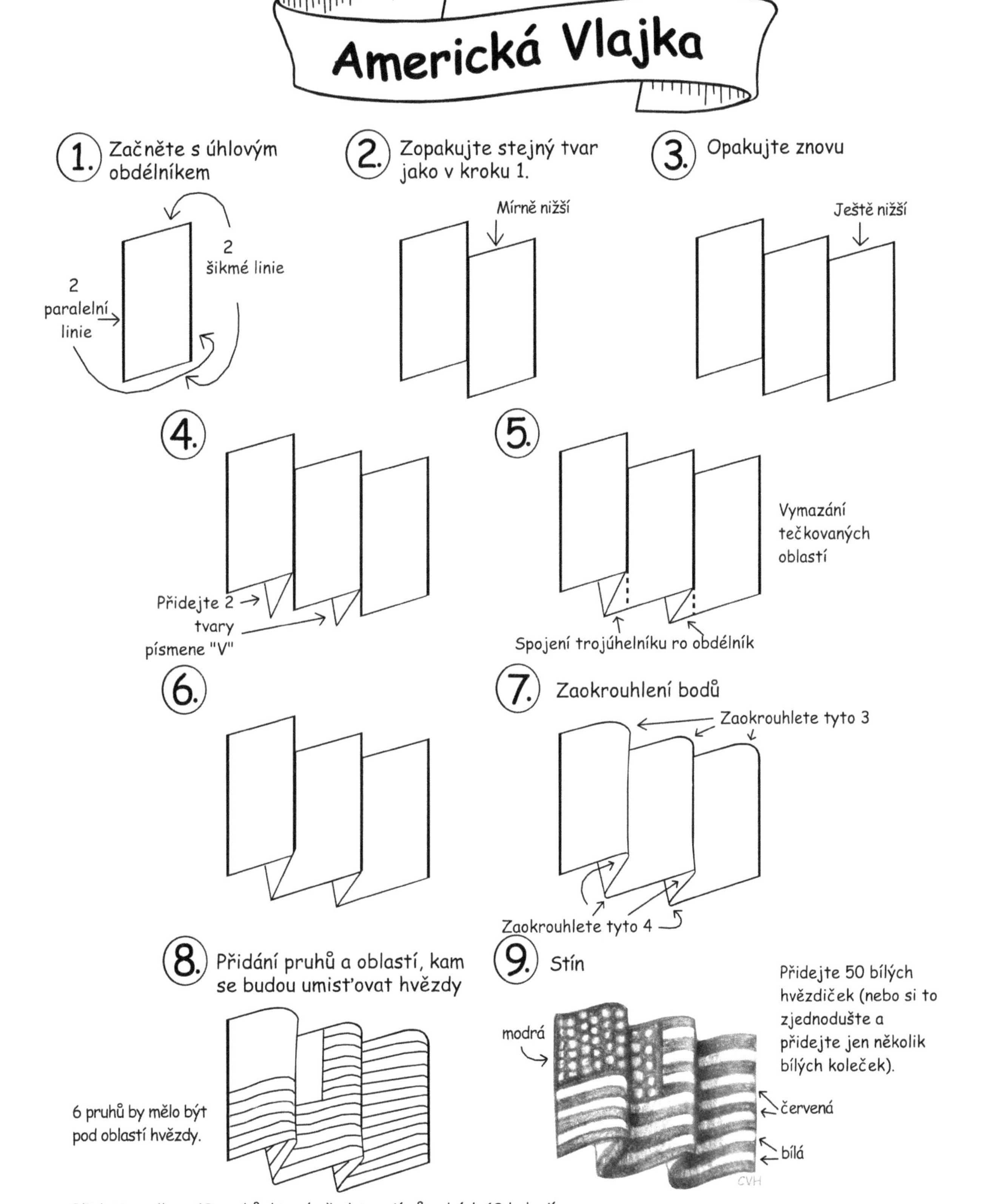

Přidejte celkem 13 pruhů, které představují původních 13 kolonií.

Druhá kapitola

LIDSKÉ OKO

VĚDĚT:

Viditelné části oka (duhovka, zornice, skléra)

ROZUMĚT:

- Průměrné lidské oko lze vytvořit pomocí standardních pokynů/měření.
- Lidské oko je koule
- Průměrné lidské oko je stejně široké jako vzdálenost mezi očima (na šířku jednoho oka).

UDĚLAT:

- Procvičte si kresbu základního lidského oka pomocí navržených technik.
- Nakreslete čáry, které vyzařují ze zornice (jako paprsky na kole), abyste naznačili mnoho detailů.
- Obočí a řasy přidejte jako poslední
- Odstín. Vymažte malou oblast uvnitř duhovky, abyste ji zvýraznili.

SLOVÍČKA:

Duhovka - barevná část oka
Zornice - nejtmavší část oka, která se nachází uprostřed duhovky
Skléra - bílá část oční koule
Koule - trojrozměrný tvar koule, nikoliv plochý kruh.

1. Začněte kruhem. To bude duhovka.

2. Do středu přidejte malé kolečko.

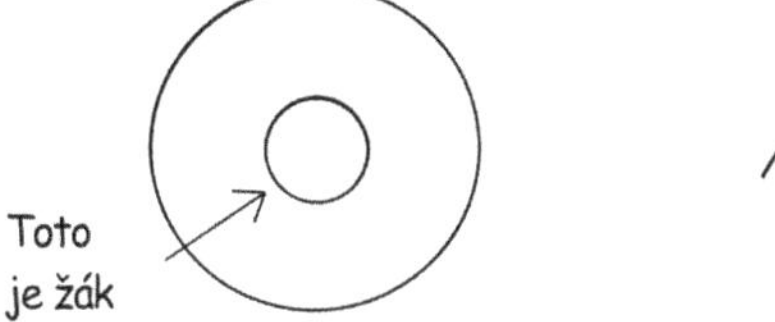

3. Nakreslete oblouk nad větším kruhem

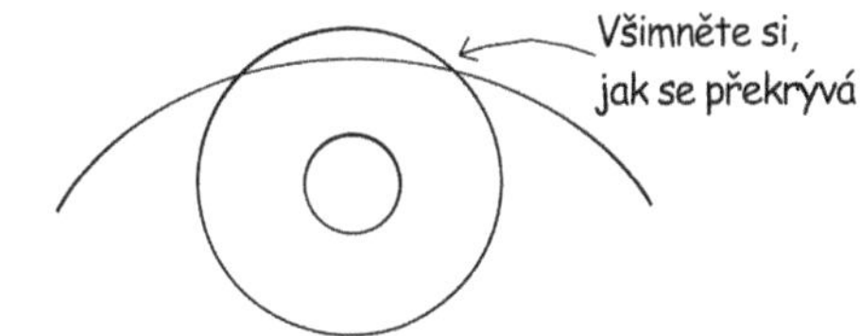

4. Přidání oblasti spodního víka

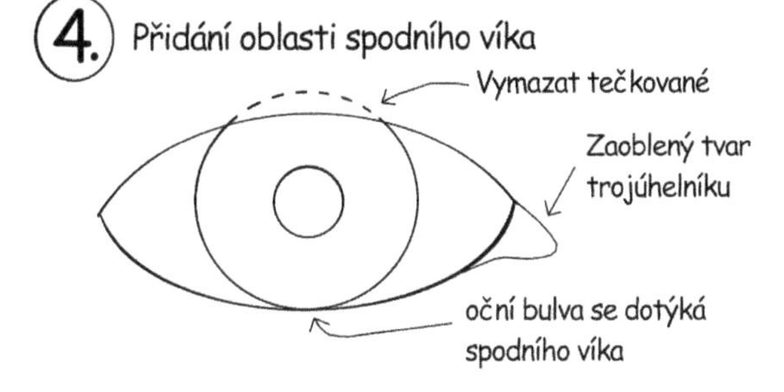

5.

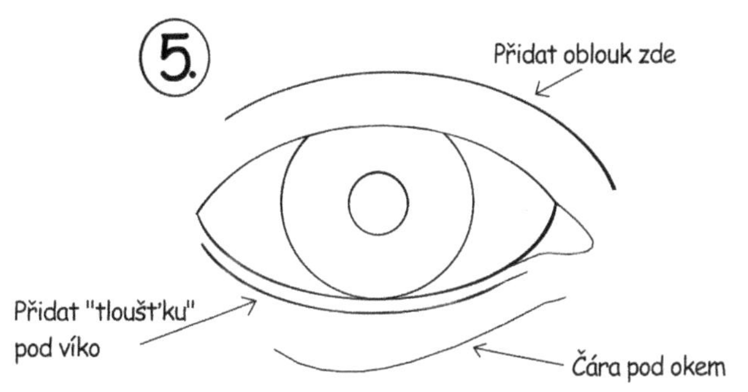

6. "Vějíř" několika řas kolem horního víčka

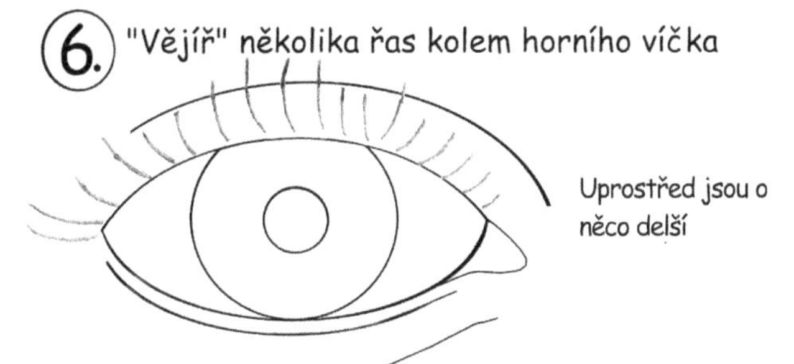

7. Nakreslete "špice" kolem žáka

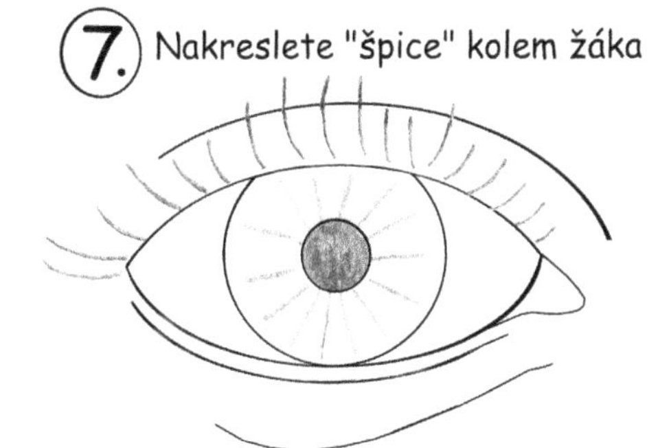

8. Ztmavení záhybů

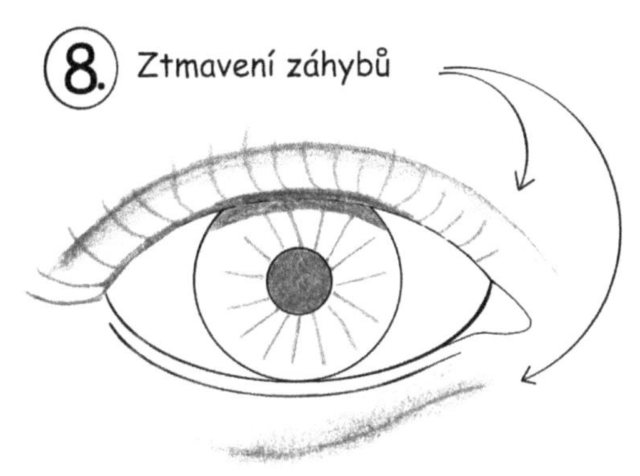

9. Odstín. Přidejte více řas na horní víčko a několik kratších na spodní víčko.

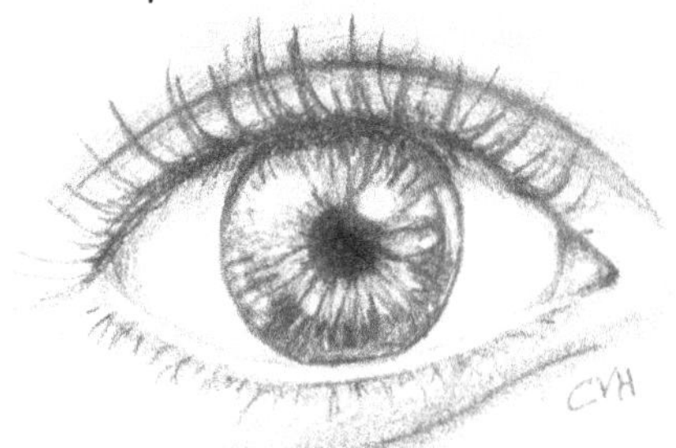

Vymažte některá místa v duhovce, aby se leskla. Přidejte další paprsky vycházející ze zornice.

OČNÍ BULVA

VĚDĚT:
Duhovka, zornice, skléra, koule, vrstvení

ROZUMĚT:
• Rozdíl mezi tvarem (délka a šířka) a formou (přidání hloubky)
• Využití proporcí a pozorování k vytvoření realistické oční bulvy
• Spojením řady jednoduchých geometrických tvarů lze vytvořit složitý (organický) objekt.
• Vrstvení a rozdíly ve velikosti objektů ve scéně pomáhají dosáhnout iluze hloubky.
• Vysoce kontrastní stínování vytváří dojem tvaru a 3D.

UDĚLAT:
• Podle uvedených kroků vytvořte originální návrh oční bulvy se zaměřením na vyváženost, stínování a prolínání tónů.
• Stínování tužkou nebo barevnou tužkou

SLOVÍČKA:
Duhovka - Barevná část oka
Zornice - Nejtmavší oblast oka, která se nachází uprostřed duhovky.
Skléra - Bílá část oční bulvy

1. Začněte kruhem

2. Do středu přidejte malé kolečko. To bude duhovka.

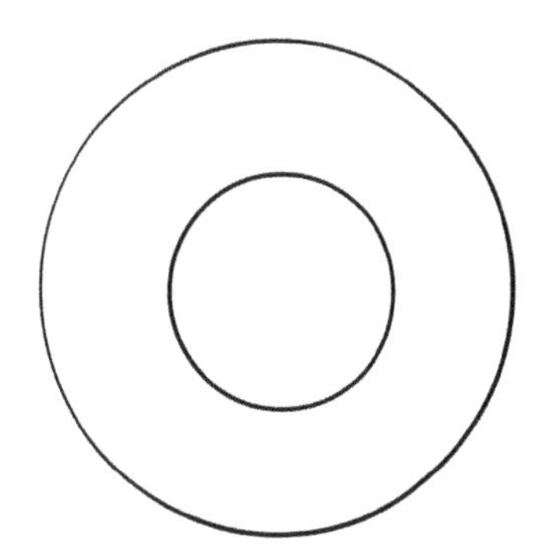

3. Do středu duhovky přidejte poslední nejmenší kolečko.

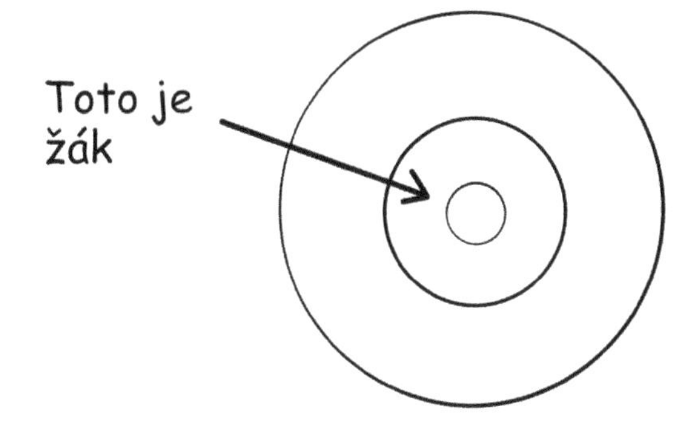

4. Vystínujte zornici černou barvou. Kolem zornice nakreslete "paprsky".

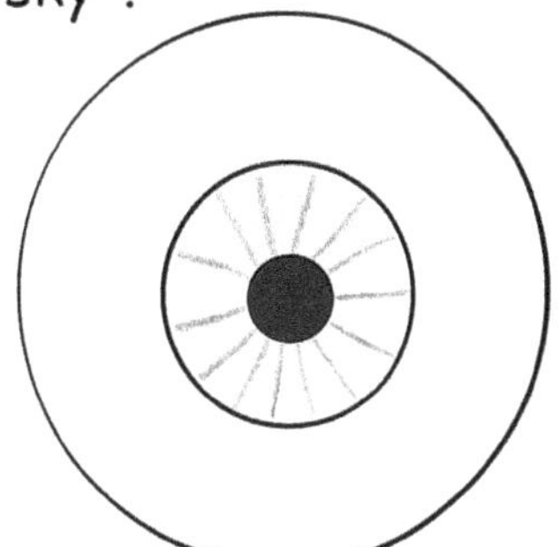

5. Ztmavte okraje duhovky, přidejte více "paprsků".

6. Zastíní celou duhovku. Podle potřeby přidejte další špičky.

Vymazání některých oblastí na duhovce pro označení "lesku".

Přidejte několik tenkých čar pro žilky

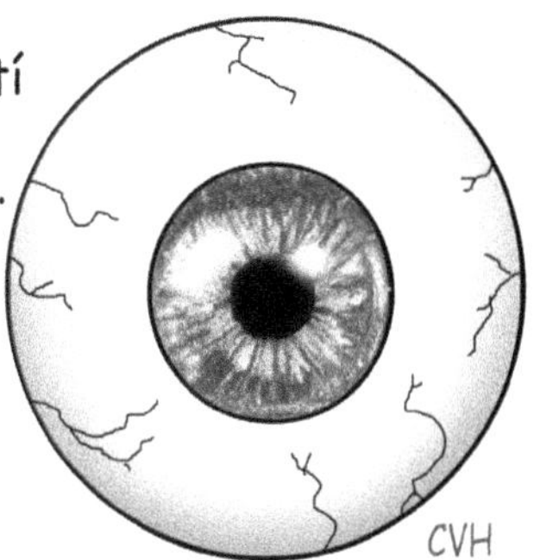

LIDSKÝ NOS

VĚDĚT:
Průměrný lidský nos lze vytvořit pomocí standardních pokynů/měření.

ROZUMĚT:
• Průměrný lidský nos je stejně široký jako vzdálenost mezi očima.
• Nos vystupuje a je obvykle světlejší uprostřed a tmavší po stranách (v závislosti na zdroji světla).
• Lidský nos je tenký v místě mezi očima a směrem dolů se rozšiřuje.

UDĚLAT:
Procvičte si kreslení obecného lidského nosu pomocí navržených technik. Stínujte tužkou a zaměřte se na stínování, stíny a prolínání tónů.

Tip: Nedělejte nosní dírky příliš tmavé, protože by odváděly pozornost od zbytku obličeje a vypadaly by příliš "prasácky".

SLOVÍČKA:
Stínění - Prolínání jedné hodnoty do druhé. Zobrazení přechodu od světlého ke tmavému nebo od tmavého ke světlému v uměleckém díle ztmavením oblastí, které by byly ve stínu, a ponecháním jiných oblastí světlých. Stínování se používá k vytvoření iluze rozměru a hloubky.

1. Začněte tvarem písmene "U"

2. Po stranách přidejte 2 malé tvary písmene "U".

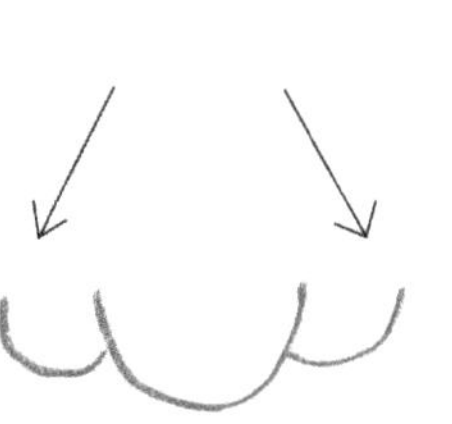

3. Lehce nakreslete strany nosu

4. Odstín na jedné straně tmavší

Nos je nahoře vždy tenčí a u základny širší.

Více pro pokročilé

1. Začněte širokým písmenem "U" a konce zahněte.

2. Přidání tvaru "závorky" na strany

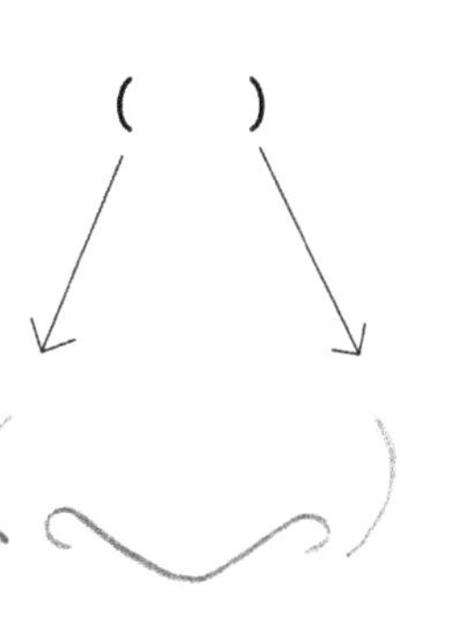

3. Lehce nakreslete strany nosu

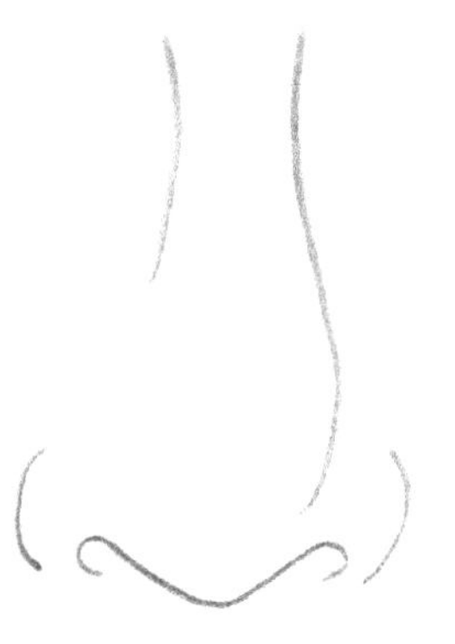

4. Odstín na jedné straně tmavší

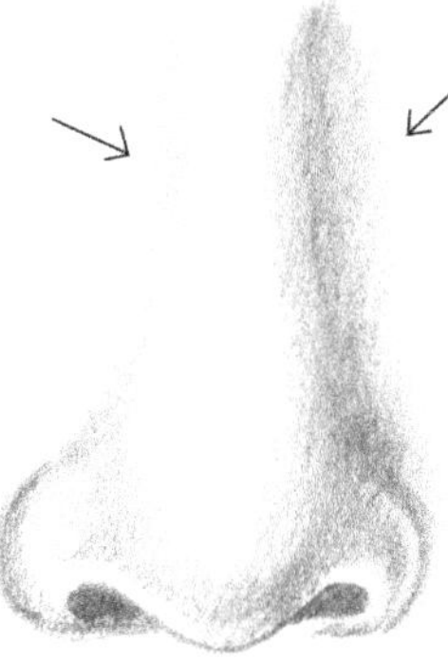

TIP: strany nosu nejsou linie, jsou stínované.

Další

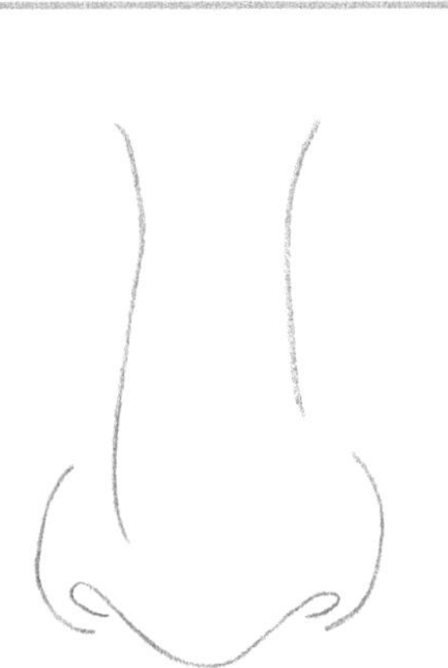

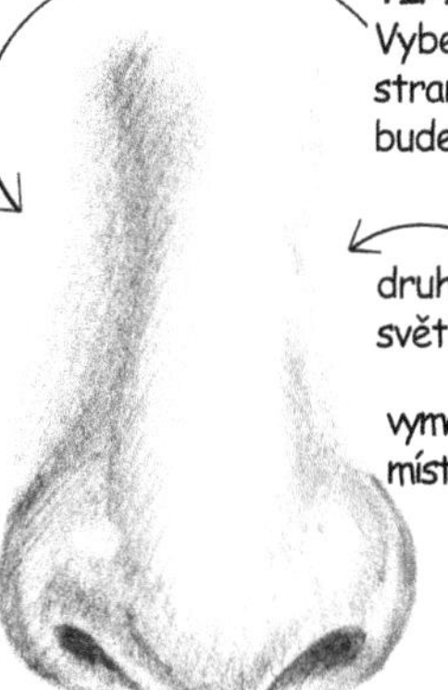

TIPY:
Vyberte si stranu, která bude ve stínu

druhá strana je světlejší

vymazat některá místa pro zvýraznění

CVH

Výběr Nosu

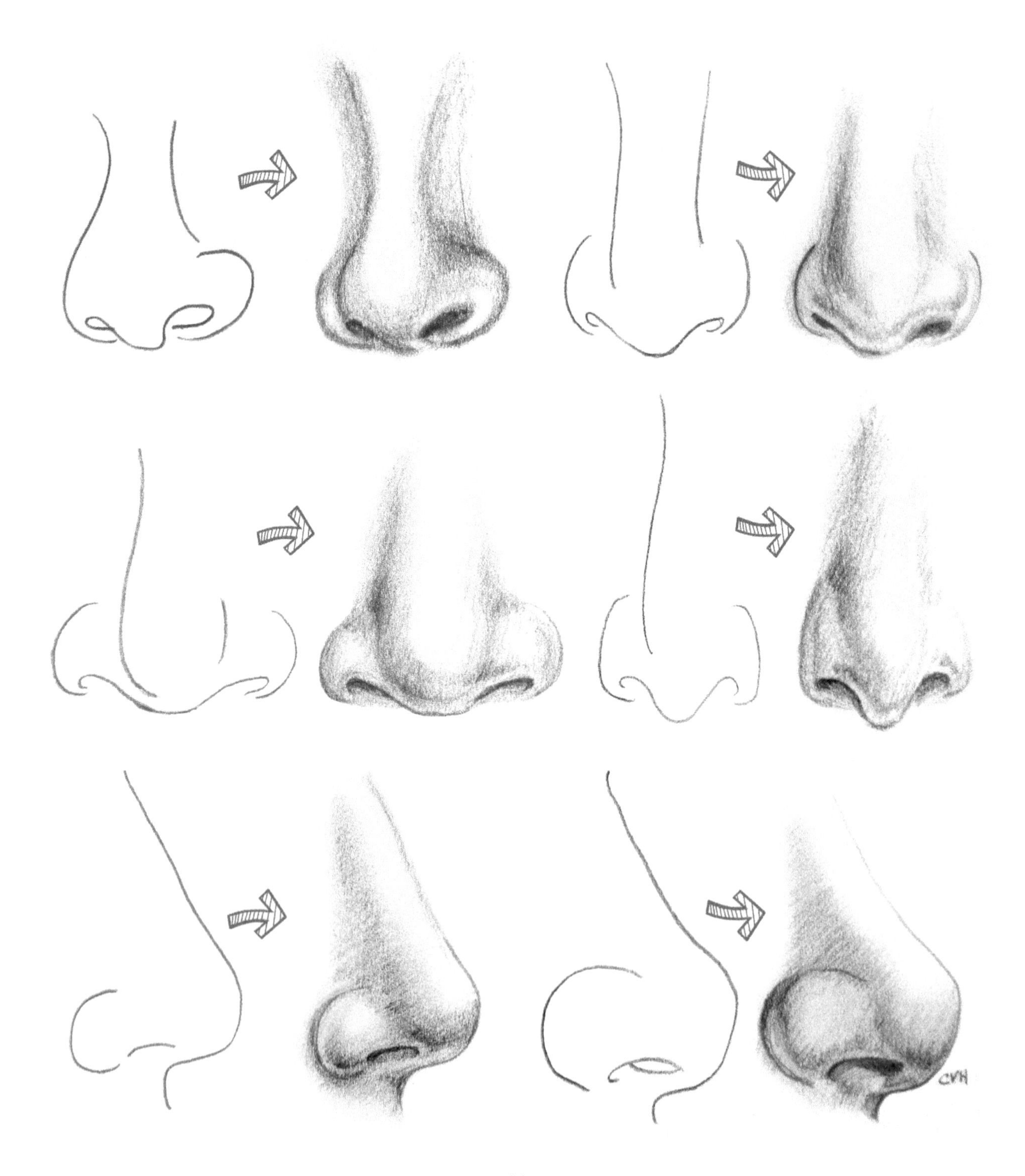
CVH

LIDSKÁ ÚSTA

VĚDĚT:

Průměrná lidská ústa lze realisticky nakreslit pomocí standardních pokynů/měření. (Při kreslení obličeje měřte šířku od zorniček směrem dolů).

ROZUMĚT:

- Průměrný lidský spodní ret je plnější a větší než horní ret (u většiny lidí!).
- Stínování ve směru rovin rtů vytváří tvar, zakřivené linie vytvářejí obrys.

UDĚLAT:

- Nácvik kresby základních lidských úst pomocí navržených technik
- Stín
- Nejtmavší hodnotu vytvořte na linii, kde se rty setkávají. Vymažte několik míst uprostřed spodního rtu, abyste vytvořili přirozený lesklý efekt.

Nakreslete Lidská Ústa

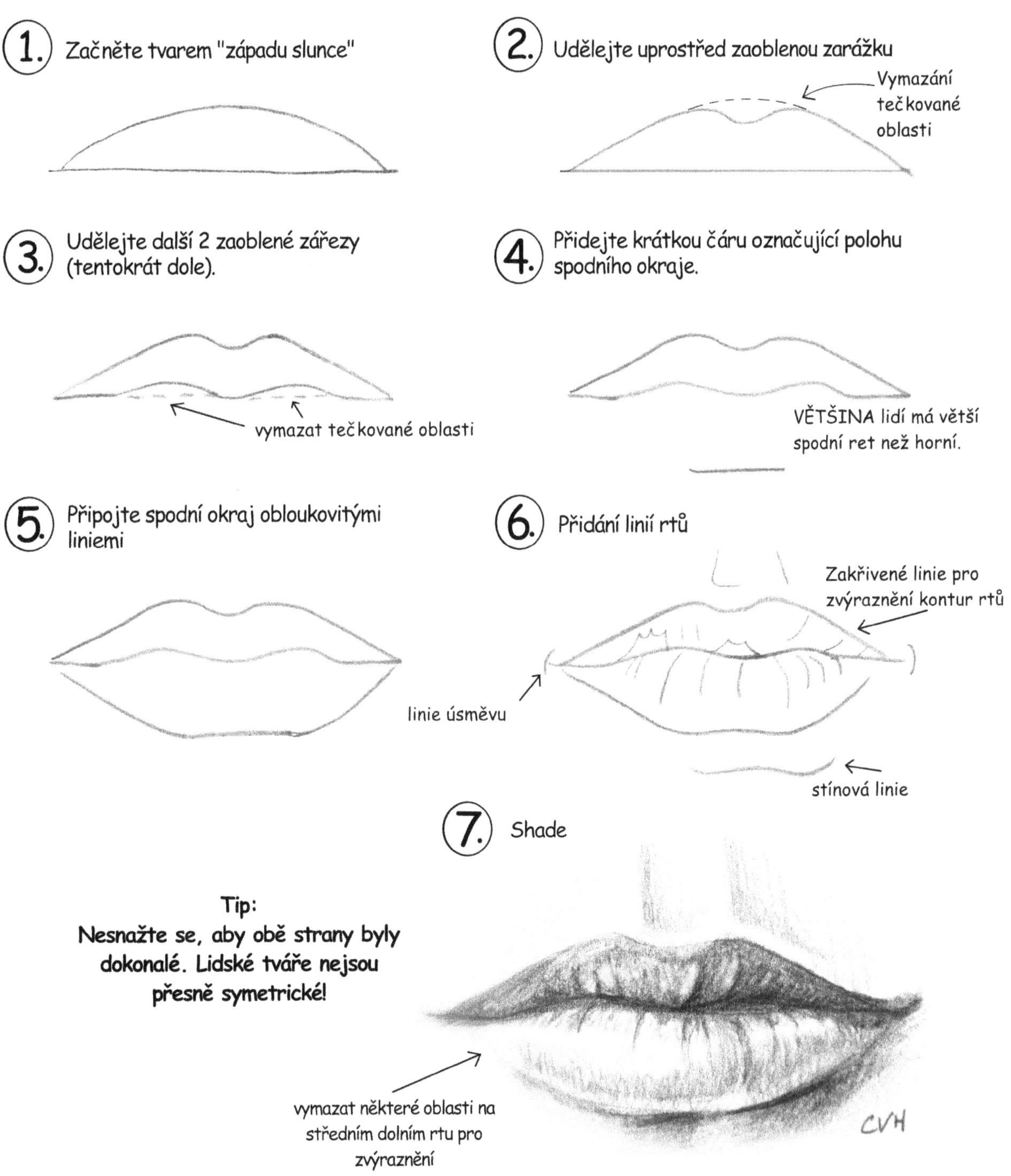

Tip:
Nesnažte se, aby obě strany byly dokonalé. Lidské tváře nejsou přesně symetrické!

LIDSKÉ UCHO

VĚDĚT:

• Ucho je orgán lidského těla, který vnímá zvuk a pomáhá udržovat rovnováhu a polohu těla.
• Lidské uši jsou umístěny poněkud symetricky na opačných stranách hlavy.

ROZUMĚT:

• Průměrné lidské ucho lze realisticky nakreslit pomocí standardních pokynů/měření (při kreslení uší na hlavě měřte od okraje linie očí ke spodní části linie nosu).
• Stínování pomocí hodnotových stupnic dosáhne realističtějšího vykreslení.

UDĚLAT:

• Nácvik kresby základního lidského ucha pomocí navržených technik
• Nejtmavší hodnota je uvnitř "kruhu" a pod horní zaoblenou oblastí. Vymažte některá místa na laloku, abyste vytvořili efekt přirozeného lesku.

SLOVÍČKA:

Symetrie - Stejné na obou stranách; vyvážený poměr

Nakreslete Lidské Ucho

1. Začněte se 2 překrývajícími se kruhy na úhlopříčce.

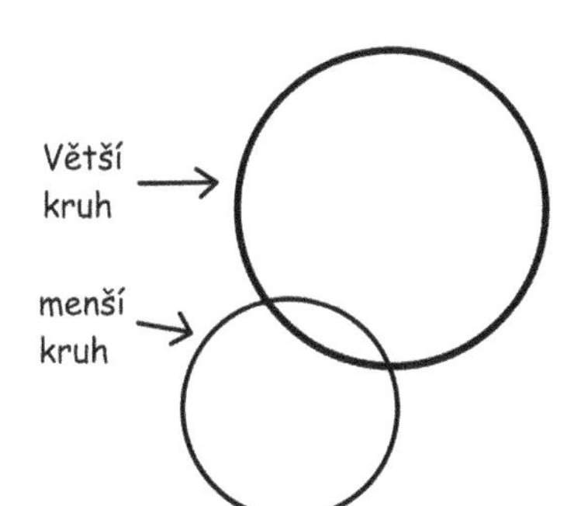

2. Vymažte části označené pomlčkami

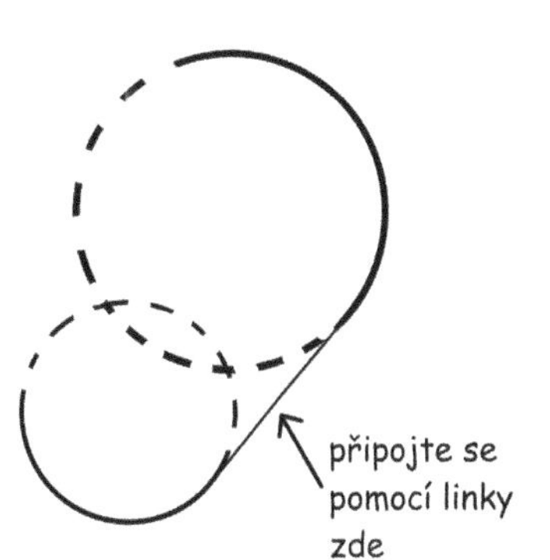

3. Nakreslete vrchol tvaru otazníku

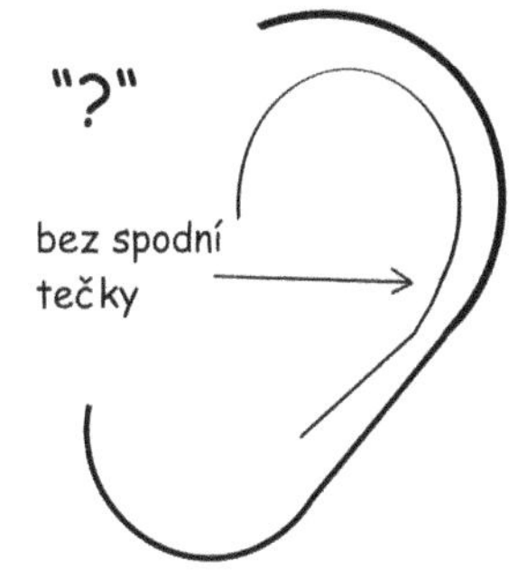

4. Přidejte malý kruh

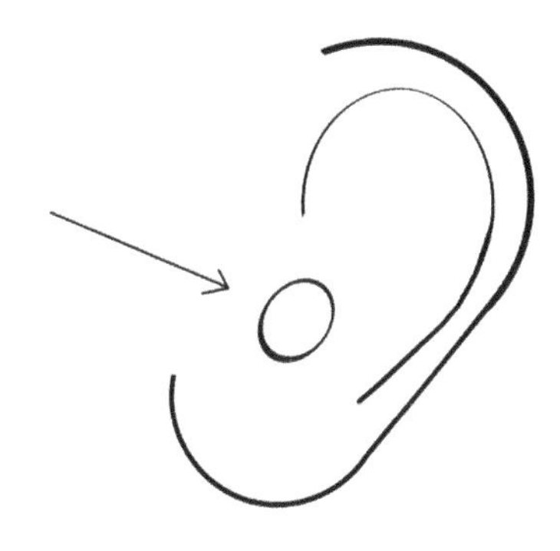

5. Přidejte další, jak je vidět níže...

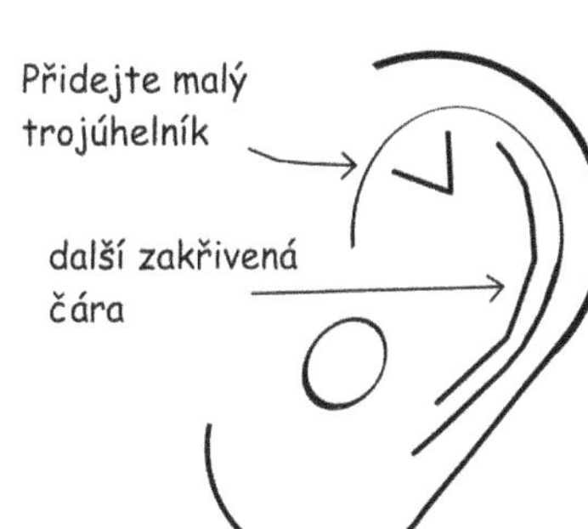

6. Přidejte několik dalších údajů

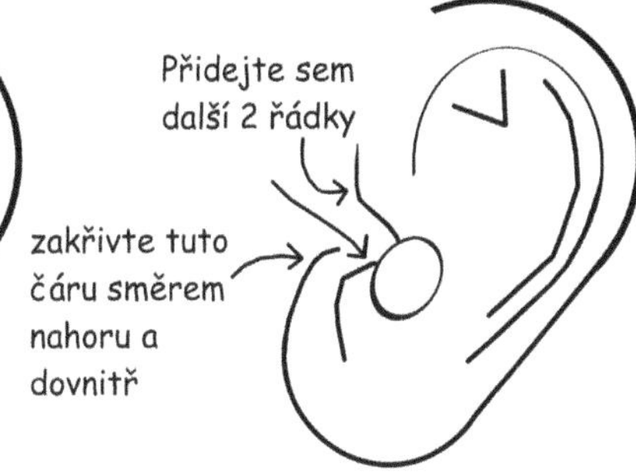

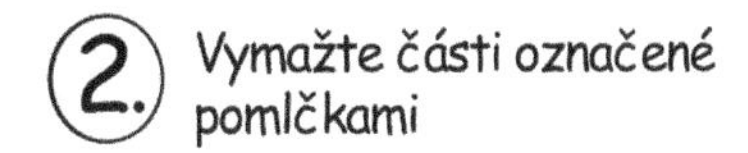

7. Vytvořte tyto 2 tvary a vytvarujte je do

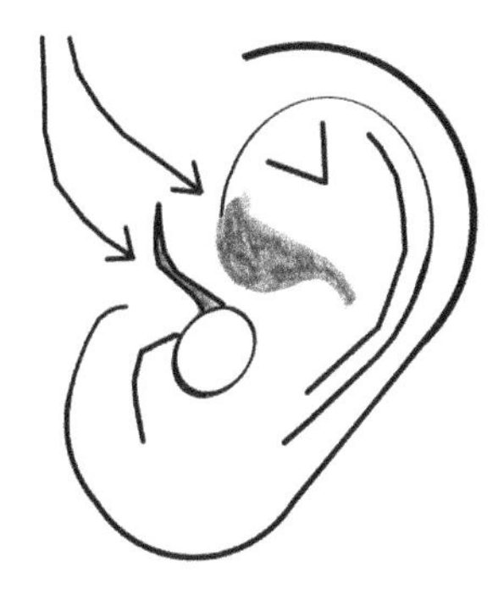

8. Vyplňte oblasti, jak je vidět níže

9. Stín

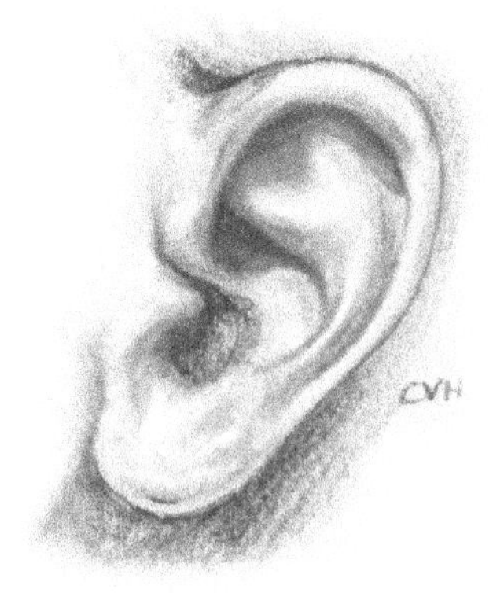

LIDSKÁ HLAVA

VĚDĚT:
Jednoduché kroky k vytvoření lidské tváře

ROZUMĚT:
- Použití proporcí k vytvoření hlavy a obecných rysů
- Jemné rozdíly ve tvaru a velikosti určitých rysů nás činí jedinečnými.
- Vystupující objekty (nos, rty atd.) vytvářejí stíny.
- Lidskou hlavu lze změřit/vytvořit na mřížce.

UDĚLAT:
- Procvičte si kresbu obecného lidského obličeje/hlavy pomocí navržených technik.
- Začněte vodicími liniemi, umístěte prvky, stínujte
- Postupujte podle "Kontrolního seznamu obličeje"

POZDĚJI . . .
Samoportréty - Začněte se základní mřížkou obličeje a poté si pomocí zrcadla prohlédněte tvar a velikost jednotlivých rysů. Zaměřte se na identitu a individualitu - právě tyto malé odchylky od obecného obličeje nás činí jedinečnými!

SLOVÍČKA:
Proporce - Srovnatelné rozměry a umístění jednoho dílu s druhým

KONTROLNÍ SEZNAM PRO OBLIČEJ

HLAVA:
Stínujte pod obočím, krkem, nosem, spodním rtem, bradou a případně lícními kostmi (v závislosti na zdroji světla).

RTY:
- U většiny lidí je horní ret menší (a o něco tmavší) než spodní
- Vymažte místo na spodním rtu, abyste získali "lesk"
- Kreslení zaoblených obrysových čar pro vyznačení tvaru

OČI:
- Barva zornice je černá, duhovka světlejší
- Nakreslete "paprsky" vyzařující ze zornice pro detail
- Ponechání bílého zvýraznění někde v duhovce
- Horní část oka (linie řas) by měla být tmavší než spodní.
- Řasy jsou kratší, protože rostou směrem ke středu obličeje

NOS:
- Stínovaná strana nosu (bez obrysů)
- Pozor na "prasečí" nos

V NEPOSLEDNÍ ŘADĚ . . .
- Pokyny pro vymazání
- Vytvoření obočí, řas a účesu

POZNÁMKA: Vlasy mají u většiny lidí obvykle tmavší odstín než kůže. Nejtmavší stíny na papíře by měly být: vlasy, oční bulvy (duhovka/zornice) a obočí. To platí pro většinu obličejů, ale existuje několik výjimek.

TIP: Při kreslení vlastního obličeje držte zrcadlo přímo před sebou. Někteří studenti se dívají do zrcadla a mají pohled přímo nahoru na nos! Vznikne tak nelichotivý autoportrét.

Základní Lidská Tvář

1.

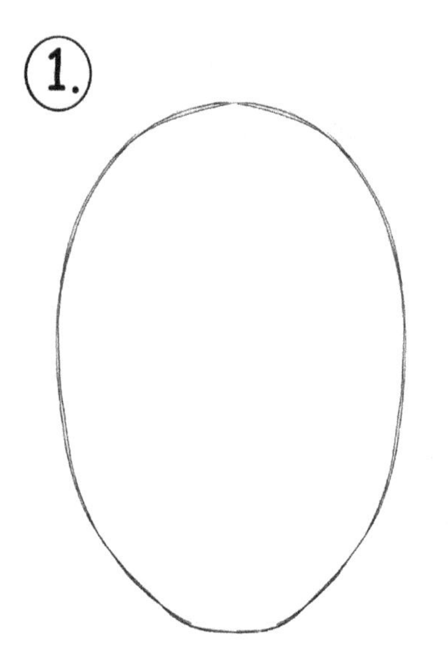

Začněte s oválným nebo obráceným tvarem vejce. Horní část by měla být o něco plnější.

2.

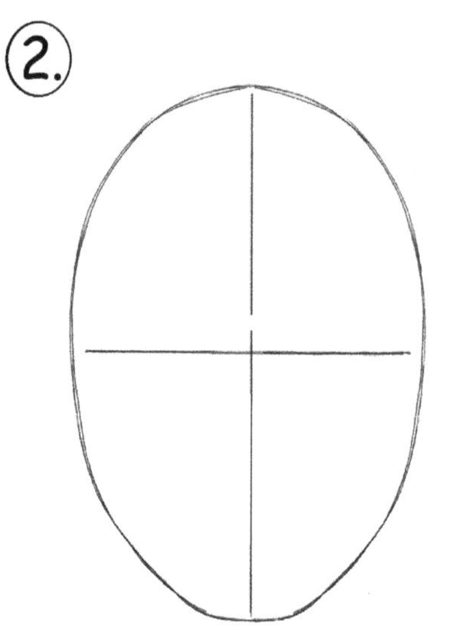

Uprostřed obličeje vytvořte malé písmeno "t".

3.

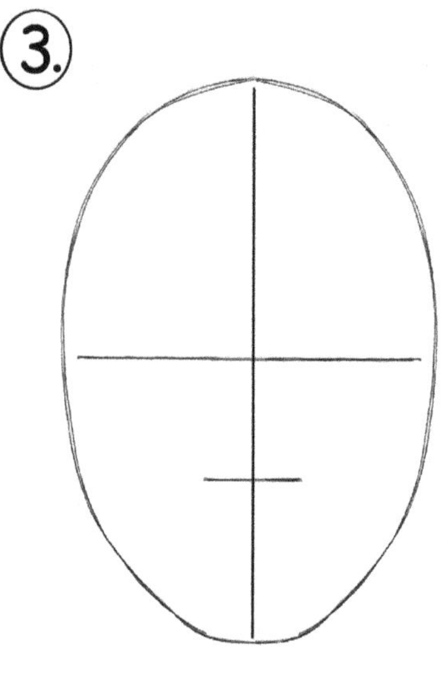

Položte prst doprostřed písmene "t" a druhý prst na bradu. Najděte střed a nakreslete tam čáru. To bude spodní část nosu.

4.

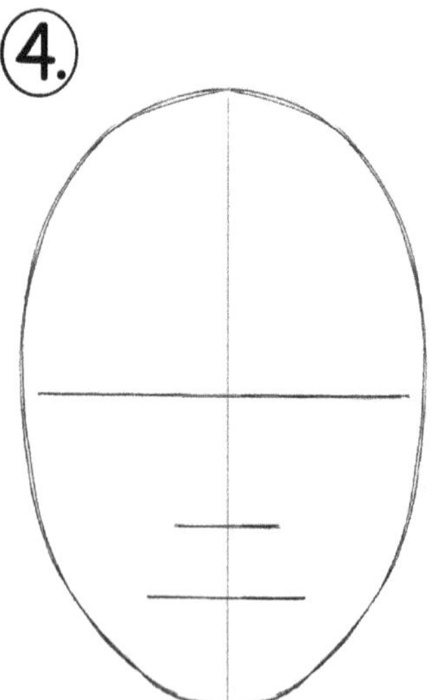

Položte prst doprostřed čáry, kterou jste právě udělali, a druhý prst na bradu. Najděte střed a udělejte poslední čáru. To budou ústa.

5.

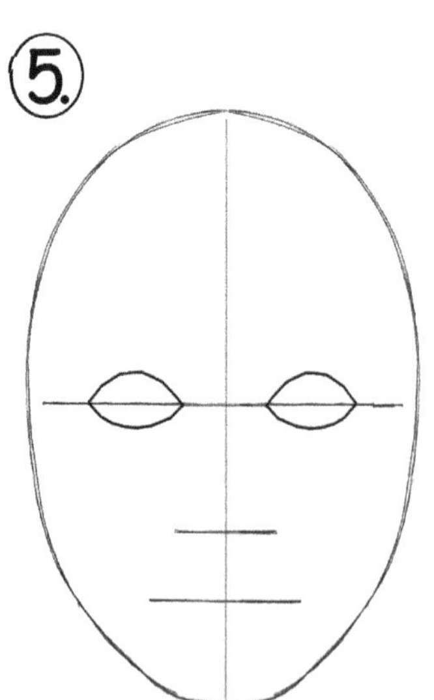

Na horní linku nakreslete 2 mandle/footbalové míčky pro oči.
TIP: Vzdálenost mezi vašima očima je přibližně na šířku jednoho oka.

6.

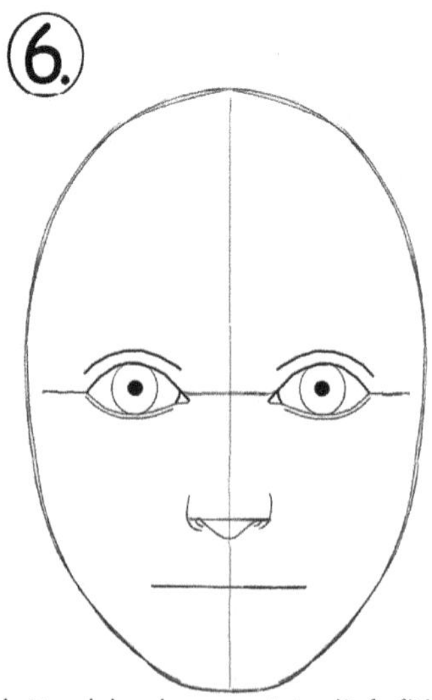

Přidejte duhovku, zornici, oční víčka atd. Na druhou čáru nakreslete spodní část nosu.
Tip: Šířka spodní části nosu je přibližně stejná jako šířka mezi očima.

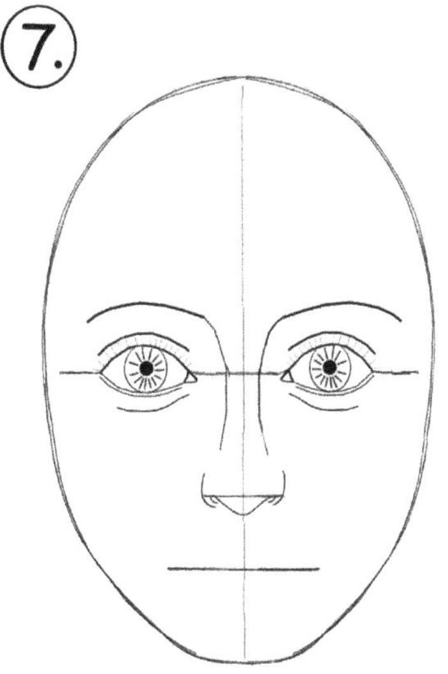

Přidejte "paprsky" v duhovce a linky na obočí a po stranách nosu. Tip č. 1: Nejtlustší část nosu je základna, nejtenčí část je mezi obočím. (myslete na trojúhelníkový tvar)

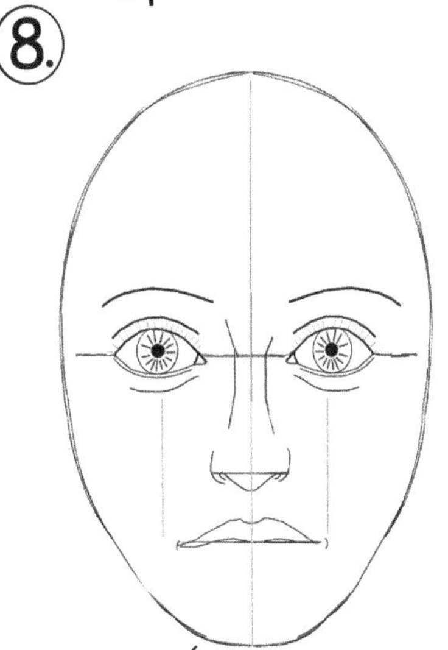

Začněte rty. Ústa jsou obvykle stejně široká jako vzdálenost mezi zornicemi. Tip: Nezapomeňte přidat "Amorův luk": malou rýhu v horní části horního rtu.

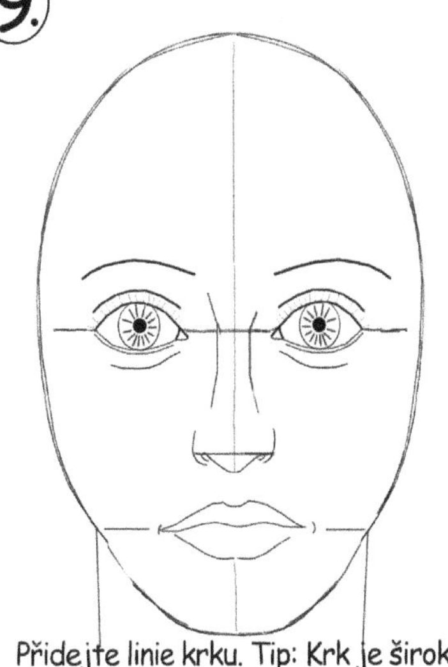

Přidejte linie krku. Tip: Krk je široký přibližně jako okraje linie úst. Přidejte spodní ret.
Tip: Spodní ret je u VĚTŠINY lidí obvykle plnější než horní.

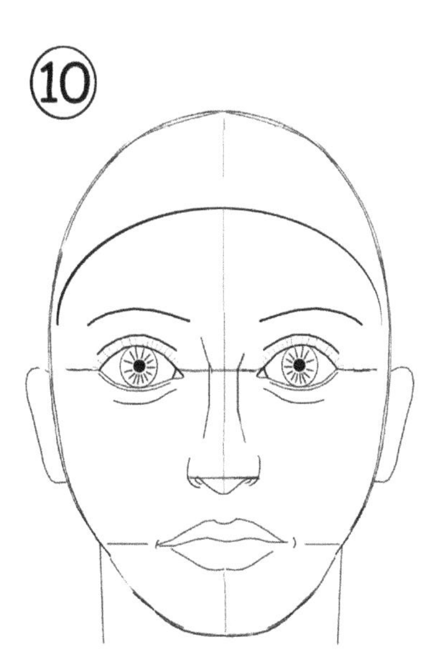

Přidejte linii vlasů (vypadá jako plavecká čepice). Přidejte uši.
Tip: Horní část ucha se zarovná s linií očí, spodní část ucha se zarovná se spodní částí nosu,

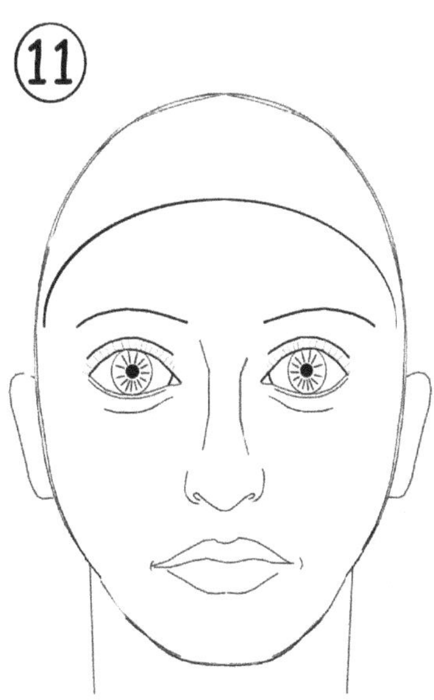

Vymažte vodicí čáry.

Přidejte vlasy a stín.

LIDSKÁ LEBKA

VĚDĚT:
- Jednoduché kroky k vytvoření lidské lebky
- Hlavní kosti hlavy

ROZUMĚT:
- Základy proporcí pro vytvoření lebky
- Znaky lidské hlavy lze měřit/vytvářet na mřížce.

UDĚLAT:
- Procvičte si kresbu obecného lidského obličeje/hlavy pomocí navržených technik.
- Začněte vodicími liniemi, umístěte prvky, stínujte

SLOVÍČKA:

Mozkovna - část lebky, která uzavírá mozkovnu
Lidská lebka - podpírá struktury obličeje a tvoří dutinu pro mozek
Čelní čelist - dolní čelistní kost
Proporce - srovnatelná velikost a umístění jedné části vůči druhé.

Nakreslete Lidskou Lebku

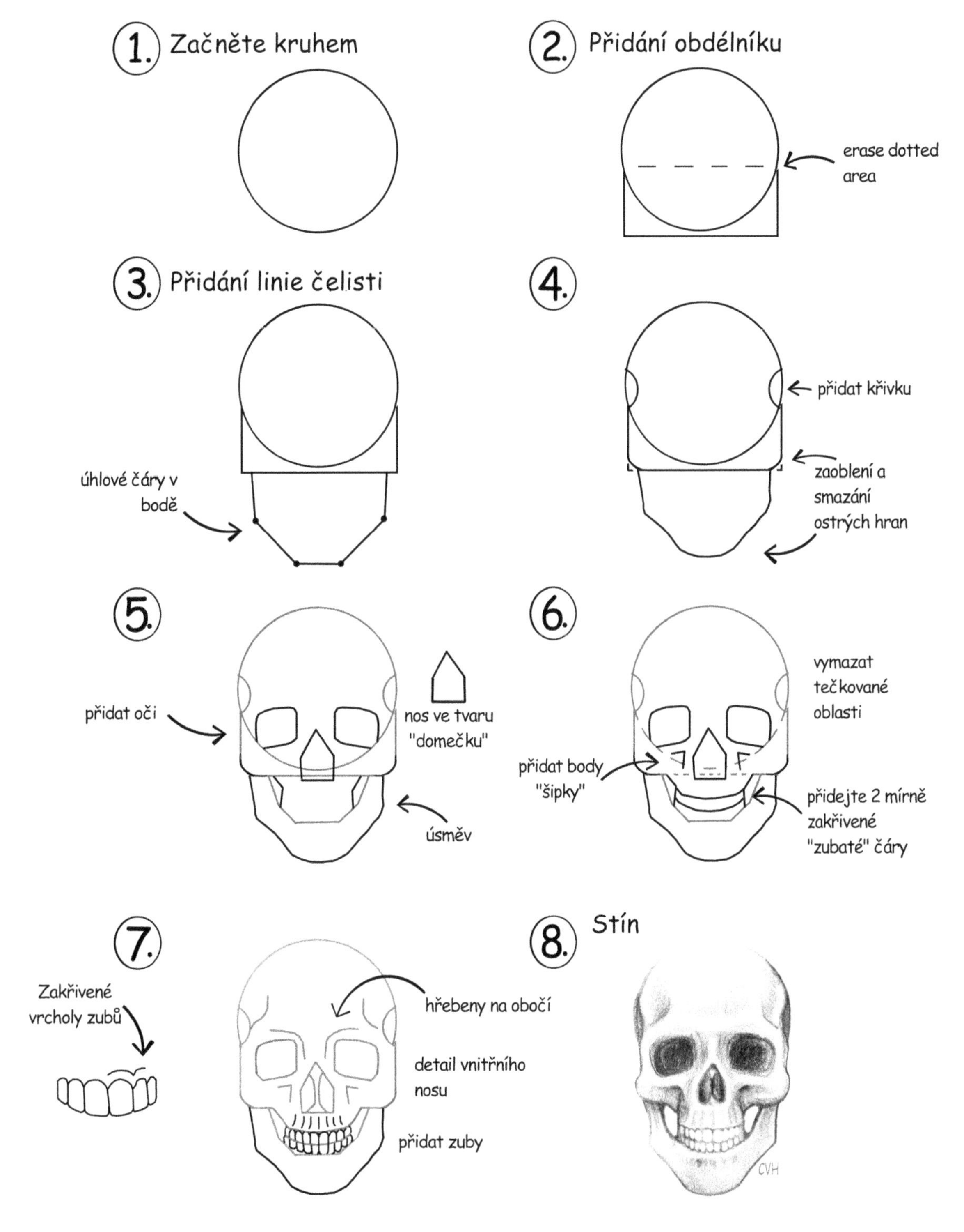
1. Začněte kruhem
2. Přidání obdélníku
erase dotted area
3. Přidání linie čelisti
úhlové čáry v bodě
4.
přidat křivku
zaoblení a smazání ostrých hran
5.
přidat oči
nos ve tvaru "domečku"
úsměv
6.
vymazat tečkované oblasti
přidat body "šipky"
přidejte 2 mírně zakřivené "zubaté" čáry
7.
Zakřivené vrcholy zubů
hřebeny na obočí
detail vnitřního nosu
přidat zuby
8. Stín
CVH

Kapitola 3

Perspektiva

PERSPEKTIVA JEDNOHO BODU

VĚDĚT:
Perspektiva jednoho bodu

ROZUMĚT:
- V lineární perspektivě se zdá, že se všechny linie setkávají v **jednom** bodě na horizontu.
- Ubíhající linie vytvářejí rovné hrany, které se zdánlivě vracejí do prostoru.

UDĚLAT:
- Vytvoření originálního uměleckého díla pouliční scény s použitím linie horizontu, mizícího bodu a ustupujících čar k vytvoření iluze 3D.

INCLUDE:
- Nejméně 6 budov
- Silnice
- Detaily, jako jsou okna, cihly a dveře.
- "Doplňky" jako auto, dopravní značky nebo billboardy

SLOVÍČKA:
Horizontální linie - linie, kde se zdá, že končí voda nebo pevnina a začíná obloha
Perspektiva jednoho bodu - forma lineární perspektivy, při níž se zdá, že se všechny linie setkávají v jediném bodě na horizontu
Odstupující linie - linie, které se pohybují dozadu nebo pryč od popředí
Ztrácející se bod - bod na linii horizontu, kde se zdá, že se linie mezi blízkými a vzdálenými objekty setkávají, aby se vytvořila iluze hloubky.

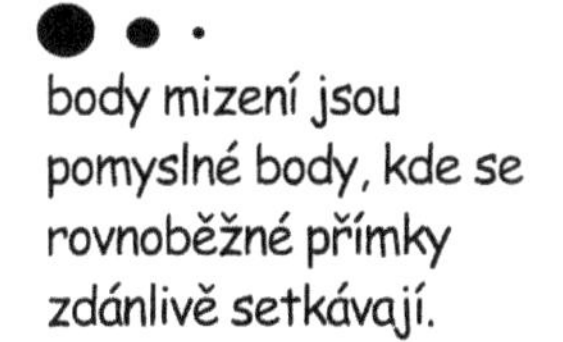

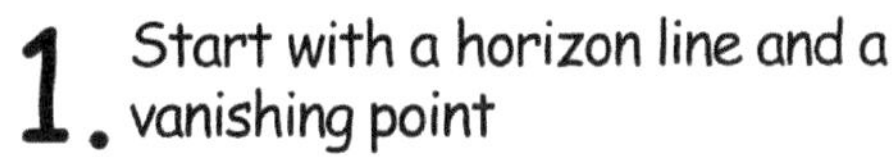

2. Draw a rectangle. This is your first building.

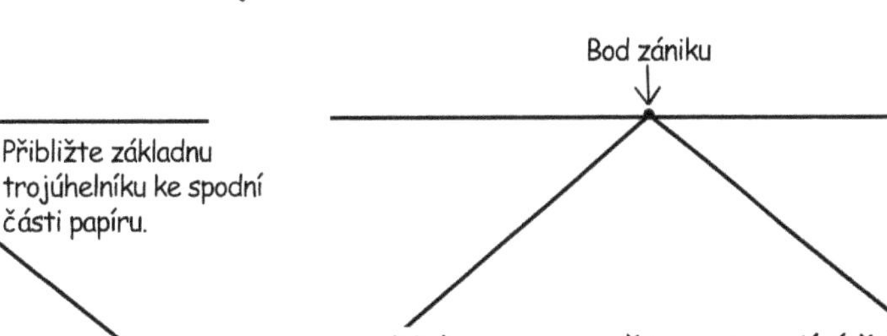

3. Nakreslete čáru z rohů obdélníku do bodu zmizení. To jsou ustupující čáry.

4. Nakonec vymažte ustupující čáry od "vzdáleného konce" na vrcholu bodu mizení. (vymažte tečkovanou oblast)

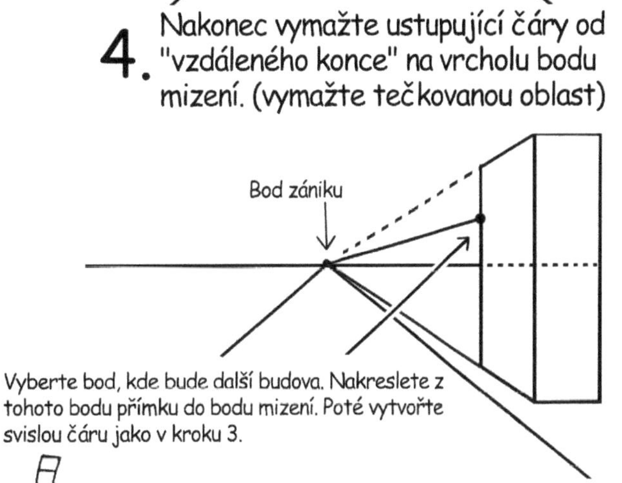

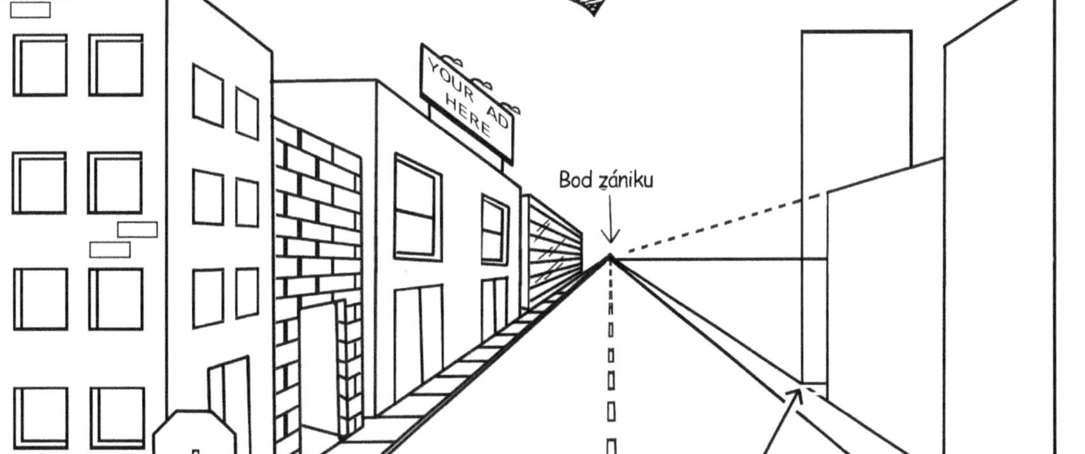

PERSPEKTIVA DVOU BODŮ

VĚDĚT:
Perspektiva dvou bodů

ROZUMĚT:
- V lineární perspektivě se zdá, že se všechny linie setkávají v jednom ze dvou bodů na horizontu
- K vytvoření iluze hloubky se používají techniky perspektivy
- Rozdíly mezi velikostmi subjektů
- Překrývání
- Umístění objektů na zobrazeném podkladu jako nižších, pokud jsou blíže, a vyšších, pokud jsou dále

UDĚLAT:
Vytvoření originálního uměleckého díla pouliční scény s použitím čáry horizontu, 2 mizících bodů a ustupujících čar k vytvoření iluze 3D

INCLUDE:
Nejméně 7 budov, 2 silnice, detaily, jako jsou okna, cihly a dveře, a spousta věcí navíc

SLOVÍČKA:
Hloubka - Vzdálenost mezi přední a zadní částí nebo mezi blízkou a vzdálenou částí uměleckého díla
Perspektiva dvou bodů - Forma lineární perspektivy, při níž se všechny linie zdánlivě setkávají v jednom ze dvou bodů na horizontu

Budovy, které kreslíte, mohou spadat pod linii horizontu nebo se nad ni zvedat.

dvoubodový Lineární Perspektiva

použití čáry horizontu, bodu zániku a vzdalujících se čar

použijte pravítko!

1. Začněte s linií horizontu, dvěma mizivými body a svislou čarou pro první budovu.

2. Dále nakreslete obdélník od středové svislé čáry k OBĚMA mizivým bodům.

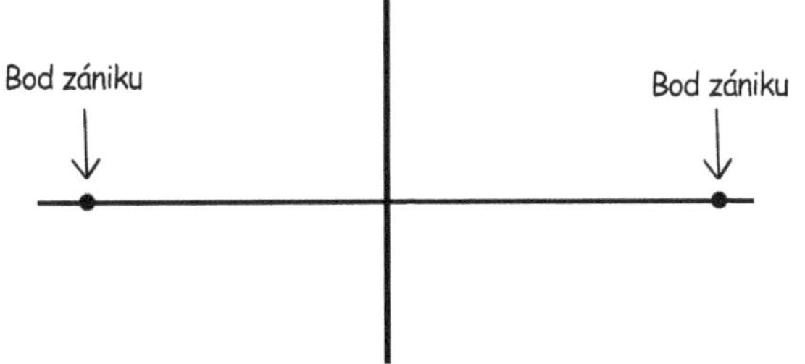

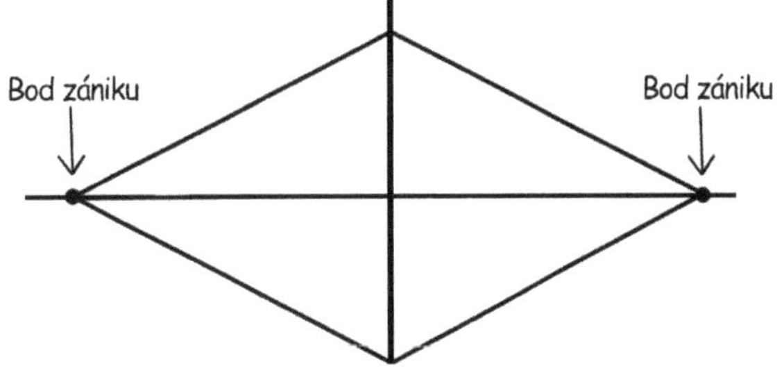

3. Nakreslete další 2 čáry po obou stranách středové svislé čáry. To bude vaše první budova.

4. Vytvořte další, menší budovu. Všimněte si, že vrchol této nové budovy je POD linií horizontu.

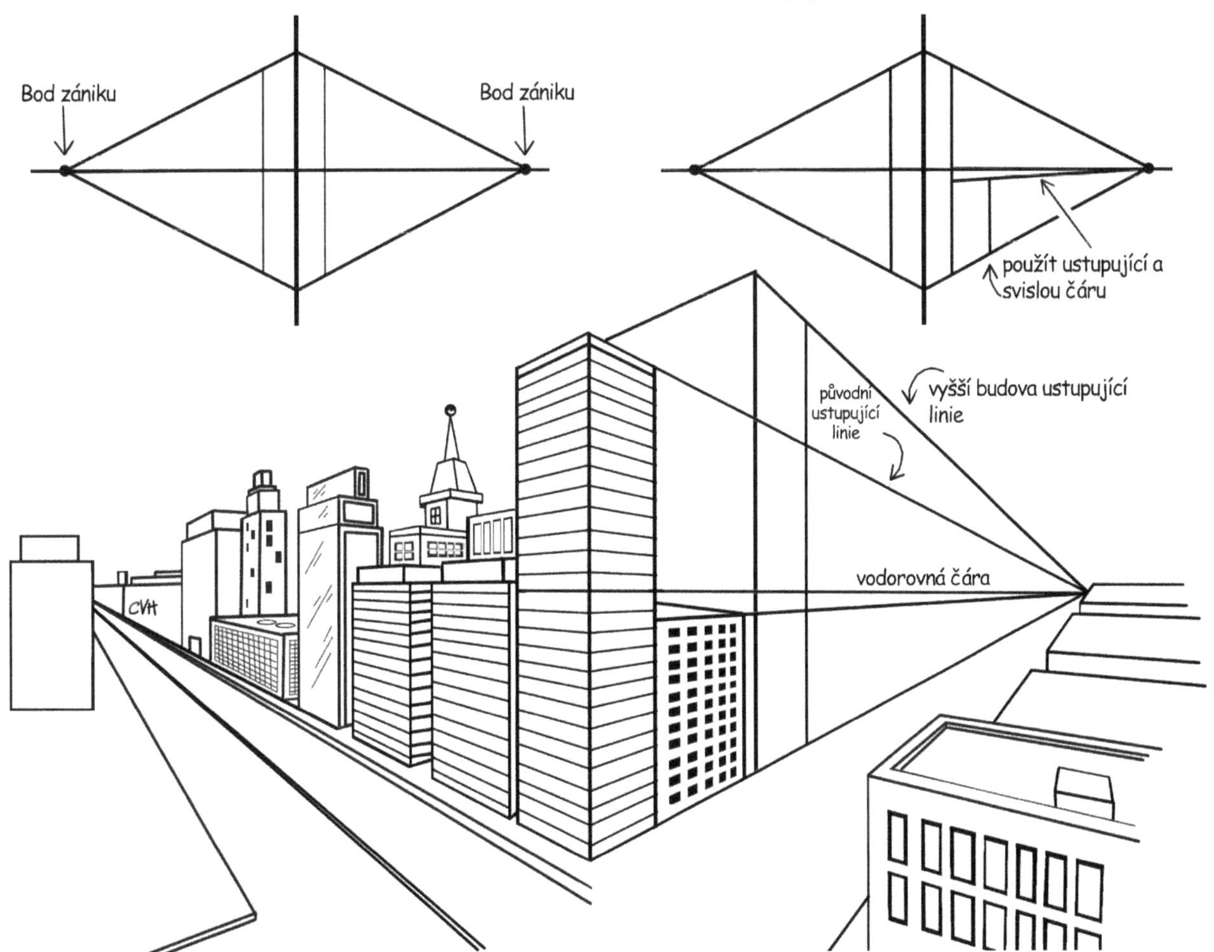

LETECKÝ POHLED

VĚDĚT:
Letecký pohled

ROZUMĚT:
• Techniky používané k vytvoření pohledu z ptačí perspektivy
• Použití ustupujících linií

UDĚLAT:
• Vytvoření originálního pohledu na městskou scénu z ptačí perspektivy pomocí mizícího bodu a ustupujících čar.

INCLUDE:
• Nejméně 8 budov
• Detaily, jako jsou okna, cihly a dveře.
• Stromy, silnice a další "doplňky" kolem základny budov
• Podrobnosti o střeše: Ventilátory, bazény, větrací otvory, vrtulníkové plošinky a další věci, které najdete na střeše.

SLOVÍČKA:
Letecký pohled - Pohled z velké výšky, nazývaný také ptačí perspektiva.
Pohled z ptačí perspektivy - Pohled na objekt shora, z perspektivy, jako by pozorovatel byl pták. Tato technika se často používá při tvorbě plánů, půdorysů a map.

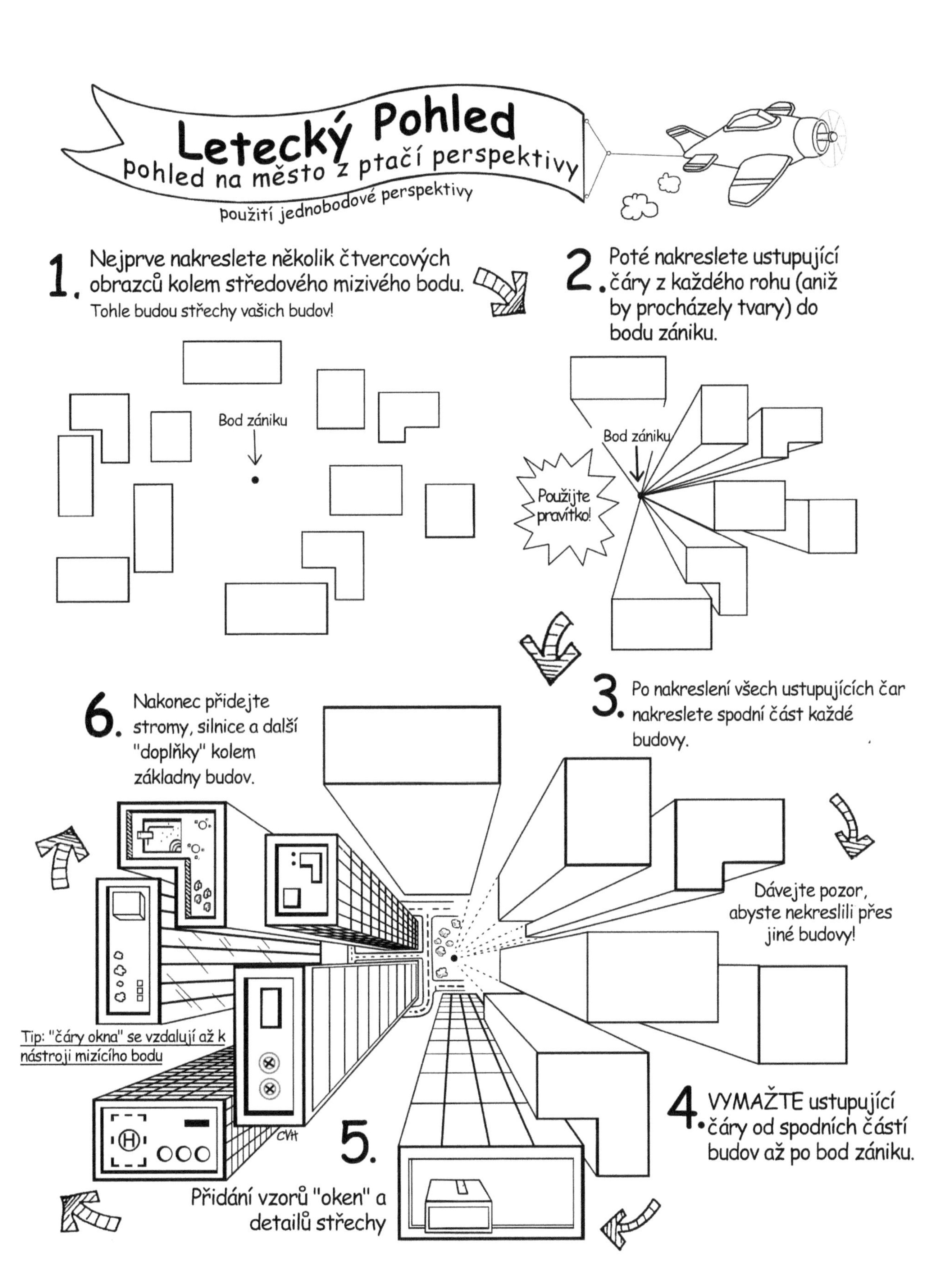

Letecký Pohled
pohled na město z ptačí perspektivy
použití jednobodové perspektivy
1. Nejprve nakreslete několik čtvercových obrazců kolem středového mizivého bodu.
Tohle budou střechy vašich budov!
Bod zániku
2. Poté nakreslete ustupující čáry z každého rohu (aniž by procházely tvary) do bodu zániku.
Bod zániku
Použijte pravítko!
3. Po nakreslení všech ustupujících čar nakreslete spodní část každé budovy.
Dávejte pozor, abyste nekreslili přes jiné budovy!
4. VYMAŽTE ustupující čáry od spodních částí budov až po bod zániku.
5. Přidání vzorů "oken" a detailů střechy
6. Nakonec přidejte stromy, silnice a další "doplňky" kolem základny budov.
Tip: "čáry okna" se vzdalují až k nástroji mizícího bodu
CVH

PERSPEKTIVA BLOKOVÉHO DOPISU

VĚDĚT:
Rozdíly mezi blízkými a vzdálenými objekty ve scéně

ROZUMĚT:
• Iluzi hloubky lze vytvořit pomocí techniky jednobodové perspektivy.

UDĚLAT:
• Podle uvedených technik vytvořte iluzi 3D písma pomocí jednobodové perspektivy, ustupujících čar a blokových písmen pro napsání jména - stínujte a přidejte zkosený okraj.

TIP: Snažte se vytvořit ostré rohy písmen, aby hrany nebyly zaoblené. Se zaoblenými hranami se hůře vytváří perspektiva. Až budete trénovat a zlepšovat se, zkuste používat zaoblená bublinková písmena.

Použijte pravítko!

BLOKOVÁ PÍSMENA: Nakreslete své jméno pomocí perspektivy

1. Nejprve nakreslete jedno políčko pro každé písmeno svého jména. Dbejte na to, aby mezi jednotlivými políčky byla malá mezera.

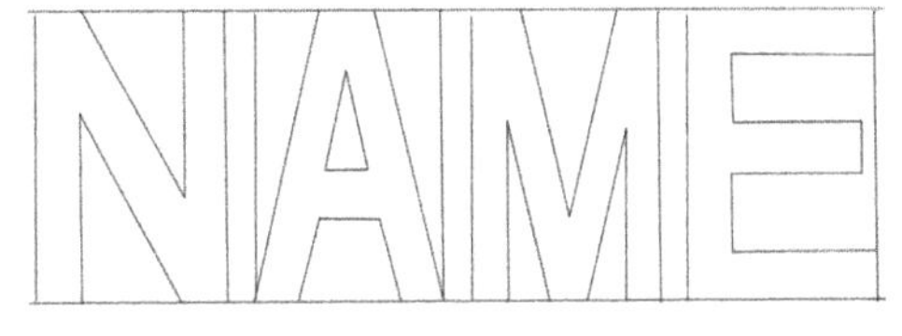

2. Poté z každého políčka "vyřízněte" písmena. Podle potřeby použijte okraje krabice jako součást každého písmene.

3. Vymažte řádky, které nepotřebujete. Vytvořte bod vycentrovaný pod písmeny. To bude váš mizící bod.

4. Pomocí pravítka zarovnejte každý roh každého písmene se zánikovým bodem a nakreslete čáru. Zastavte čáru, jakmile se dotkne jiného písmene. Pomůže, když nejprve uděláte všechny spodní části písmen.

5. Poté nakreslete čáru mírně nad základním bodem a vymažte čáry pod ním. Poté nakreslete čáru odpovídající vzdálenému konci písmene.

6. Vymažte řádky, které nepotřebujete. Spodní část každé ustupující části písmen vystínujte tmavým odstínem.

7. Poté zbývající ustupující části obarvěte světlejším odstínem.

8. Nakonec přidejte zkosenou linku uvnitř každého písmene. Odstín pro "vyřezávaný" vzhled.

Abecední "tahák"

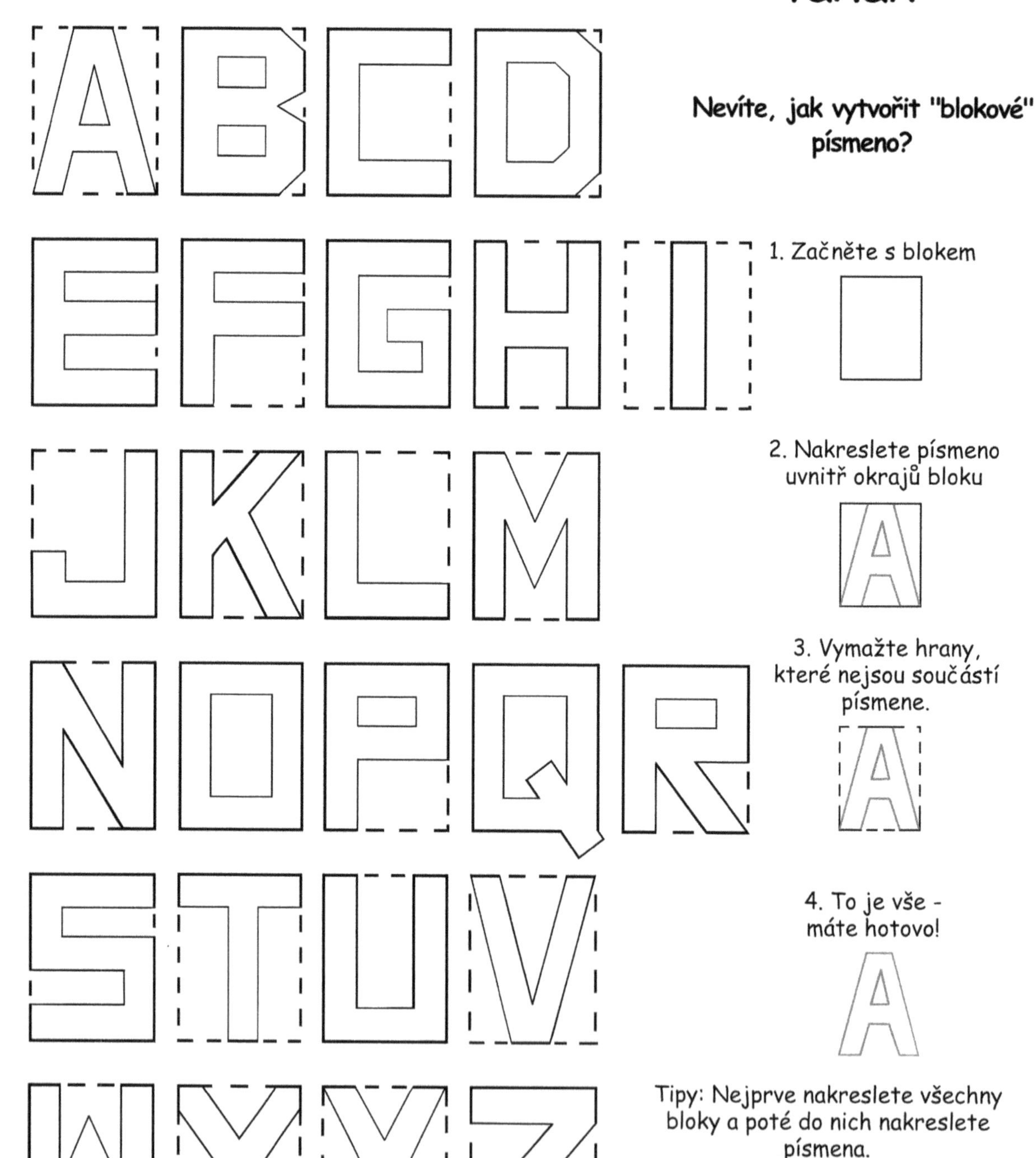

Nevíte, jak vytvořit "blokové" písmeno?

1. Začněte s blokem
2. Nakreslete písmeno uvnitř okrajů bloku
3. Vymažte hrany, které nejsou součástí písmene.
4. To je vše - máte hotovo!

Tipy: Nejprve nakreslete všechny bloky a poté do nich nakreslete písmena.

Při kreslení slova nezapomeňte nechat mezi jednotlivými bloky malou mezeru.

NAKRESLETE LEDOVEC

VĚDĚT:
Jak vytvořit pocit hloubky v uměleckém díle

ROZUMĚT:
• Překrývání a rozdíly ve velikosti objektů ve scéně pomáhají dosáhnout iluze hloubky.
• Kreslené objekty, které se nám zobrazují blízko, jsou velké a obvykle se nacházejí blízko spodního okraje stránky. Objekty, které se na kresbě objevují dále od nás, jsou obvykle malé a nacházejí se výše na stránce.

UDĚLAT:
Vytvořte originální umělecké dílo zobrazující překrývání a hloubku, včetně alespoň 3 ledovců různých velikostí, vodních vln a linie horizontu.

SLOVÍČKA:
Horizontální čára - Čára, kde se zdá, že končí voda nebo pevnina a začíná obloha
Organický tvar - Nepravidelný tvar, který se může vyskytovat v přírodě
Perspektiva - Technika používaná k vytvoření iluze 3D na 2D povrchu
Perspektiva pomáhá vytvořit pocit hloubky nebo vzdalujícího se prostoru.

1. Začněte s organickým tvarem

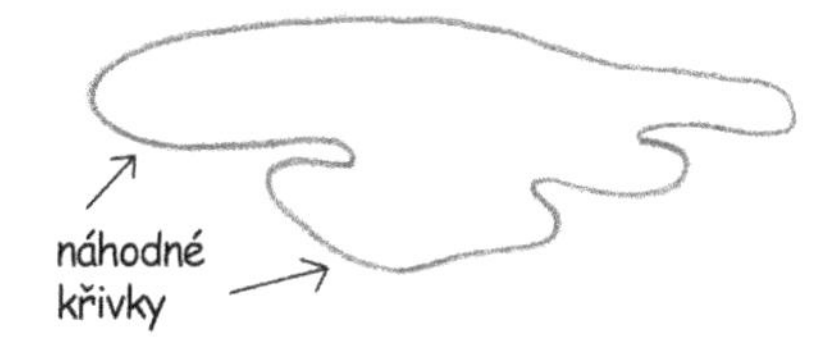

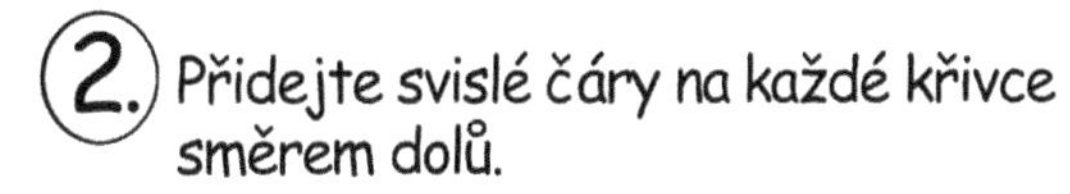

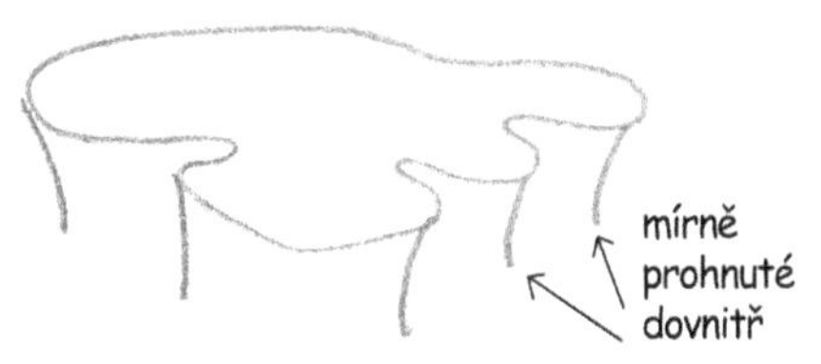

3. Spojte právě vytvořené svislice zakřivenou základnou.

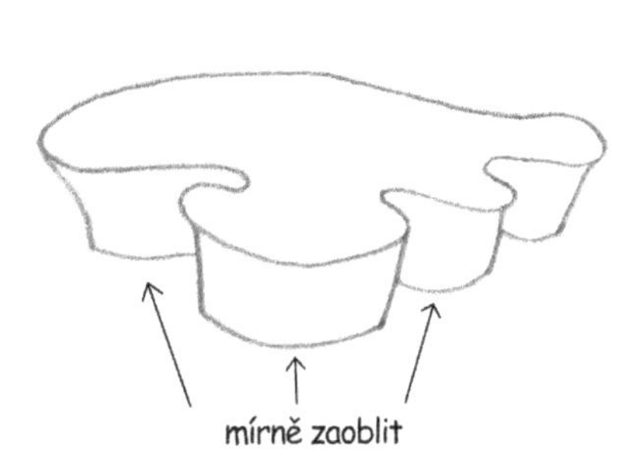

4. Přidání dalších menších organických tvarů výše na stránce

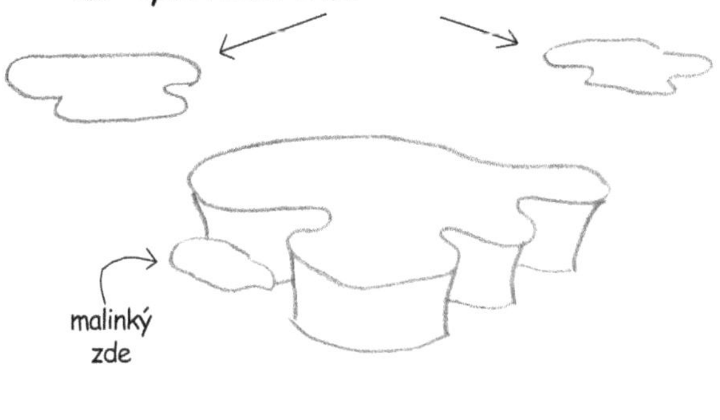

5. Spojte menší tvary svislými čarami

6. Stín

NAKRESLETE 2 GRAMOFONY

VĚDĚT:

Další způsob, jak použít ustupující linie a vytvořit v uměleckém díle pocit hloubky.

ROZUMĚT:

Kreslené objekty, které se nám zobrazují blízko, jsou velké a obvykle se nacházejí blízko spodní části stránky. Objekty, které se na kresbě objevují dále od nás, jsou malé a nacházejí se výše na stránce. I když jednotlivé předměty mohou znázorňovat hloubku, když jsou "bližší" části nakresleny velké a "vzdálenější" části malé.

UDĚLAT:

Vytvořte originální umělecké dílo 2 gramofonových desek, jak je vidět na letáku.

SLOVÍČKA:

Perspektiva - technika používaná k vytvoření iluze 3D na 2D povrchu. Perspektiva pomáhá vytvářet pocit hloubky nebo vzdalujícího se prostoru.

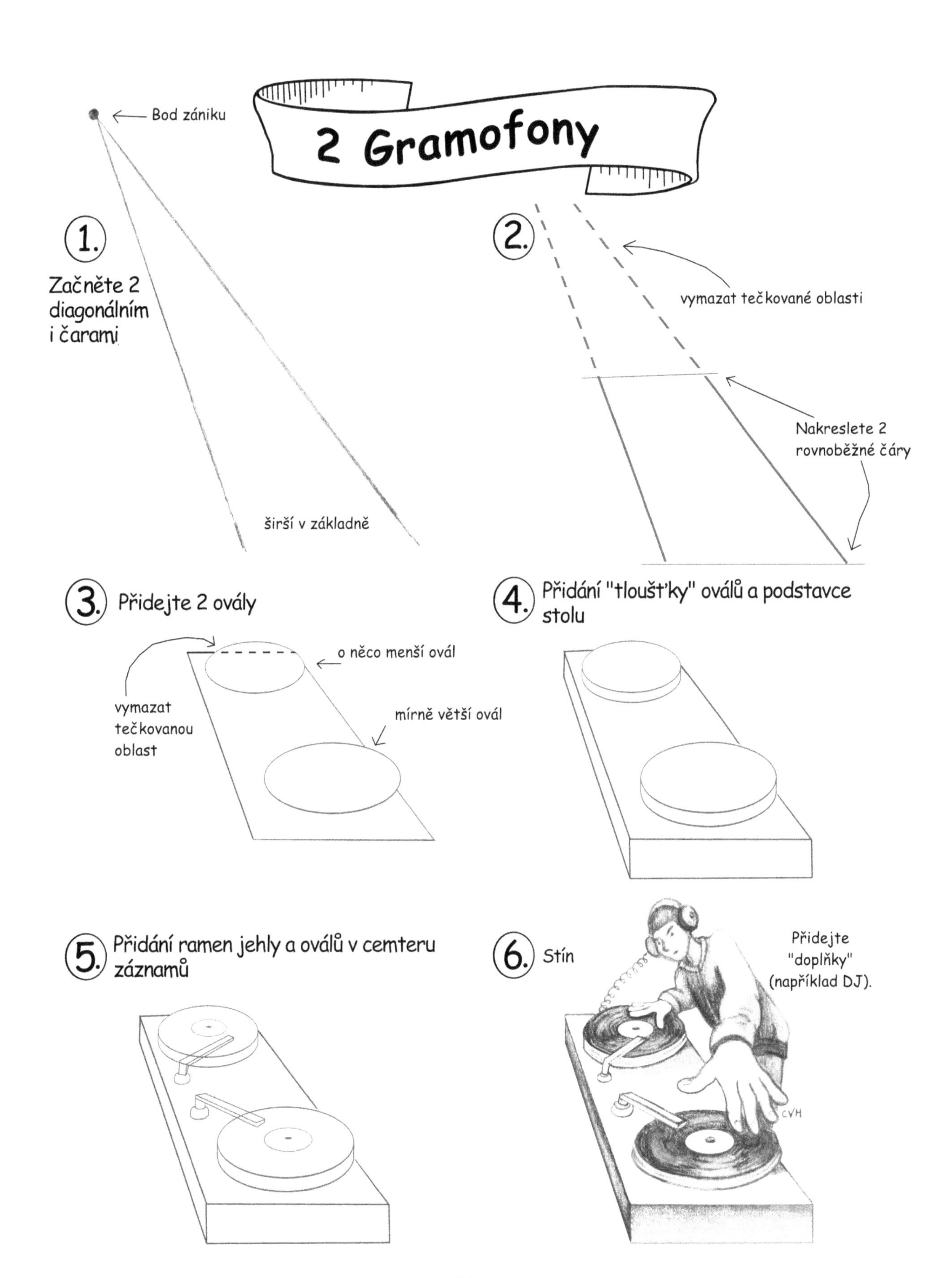
Bod zániku
2 Gramofony
1.
Začněte 2 diagonálním i čarami
širší v základně
2.
vymazat tečkované oblasti
Nakreslete 2 rovnoběžné čáry
3.
Přidejte 2 ovály
o něco menší ovál
vymazat tečkovanou oblast
mírně větší ovál
4.
Přidání "tloušťky" oválů a podstavce stolu
5.
Přidání ramen jehly a oválů v cemteru záznamů
6.
Stín
Přidejte "doplňky" (například DJ).
CVH

OTEVŘENÁ KNIHA

VĚDĚT:
Zmenšující se linie pomáhají vytvořit iluzi hloubky

ROZUMĚT:
- Část nakresleného objektu, která je nejblíže spodní části stránky, se zobrazí větší než zbytek
- Přidání křivky k rovným liniím objektu na kresbě vytváří zajímavost a realističnost

UDĚLAT:
Vytvořte originální výtvarné dílo otevřené knihy pomocí naučených technik. Přidejte "doplňky", jako je svíčka, brkové pero a kalamář nebo text na stránky.

SLOVÍČKA:
Perspektiva - Technika používaná k vytvoření iluze 3D na 2D povrchu. Perspektiva pomáhá vytvářet pocit hloubky nebo ustupujícího prostoru.
Ustupující linie - linie, která se vrací zpět do prostoru

1. Nakreslete úhlovou čáru s tvarem "létajícího ptáka" nahoře podle obrázku.

2. Levé "křídlo" mírně přetněte šikmou čarou.

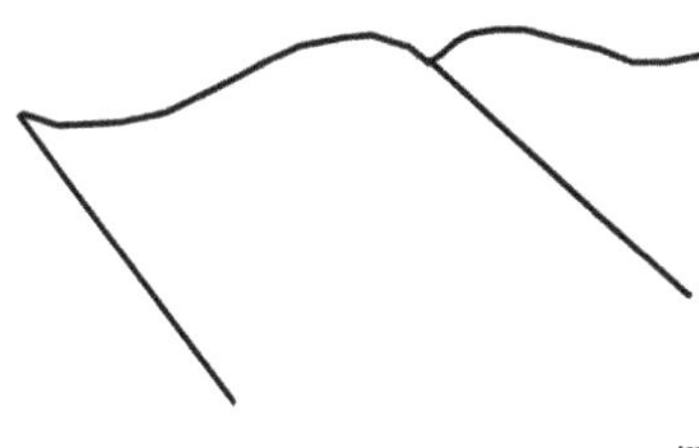

3. Přeměňte čáru, kterou jste nakreslili, na obdélník. Všimněte si, že krátké čáry tohoto tvaru svírají úhel.

make it angled

4. Vytvořte 2 křivky a jednu čáru pro označení "vzdáleného konce" knihy. Na dno přidejte tvar "letícího ptáka", jak jste to udělali v kroku 2.

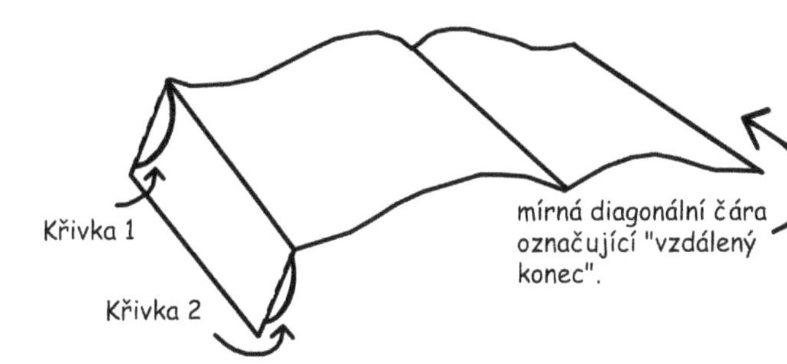

5. Přidejte oblouk na "vzdáleném konci" knihy a promáčknutou čáru na základně, jak je znázorněno na obrázku. Vymažte tečkovanou oblast.

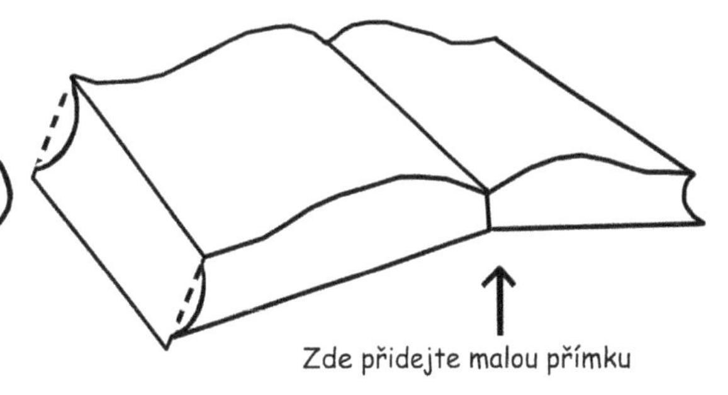

6. Přidání obalu na knihu pod něj

Přidat křivku zde

Nakreslete čáry na okrajích, abyste určili tloušťku obálky knihy

7. Nakonec přidejte řádky pro stránky.
• Přidejte "doplňky", aby byl text zajímavější.

OTEVŘENÉ BRÁNY

VĚDĚT:
Svislé čáry, Rovnoběžné čáry

ROZUMĚT:
Na většině architektonických výkresů jsou všechny svislé čáry rovnoběžné nebo všechny vodorovné čáry rovnoběžné. Málokdy jsou oba typy čar na jednom výkresu dokonale rovnoběžné a rovné. V tomto případě jsou všechny svislé čáry dokonale rovné a rovnoběžné, vodorovné však nikoli.

UDĚLAT:
Vytvořte originální umělecké dílo otevírání brány pomocí naučených technik. Přidejte "něco navíc", jako jsou svitky, mříže, zdivo atd.

SLOVÍČKA:
Architektonické výkresy - Výkresy, které zobrazují budovy vytvořené člověkem
Horizontální - Rovný a plochý napříč, rovnoběžný s horizontem. Opakem je svislice.
Rovnoběžná - Dvě nebo více přímek nebo hran na stejné rovině, které se neprotínají. Rovnoběžné čáry mají stejný směr.
Perspektiva - Technika používaná k vytvoření iluze 3D na 2D ploše. Perspektiva pomáhá vytvářet pocit hloubky nebo ustupujícího prostoru.
Vertikální linie - Směr jdoucí přímo nahoru a dolů.

Otevřené Brány

Pěkné nebo ne

1. Začněte s úhlovým obdélníkem, jako je tento.

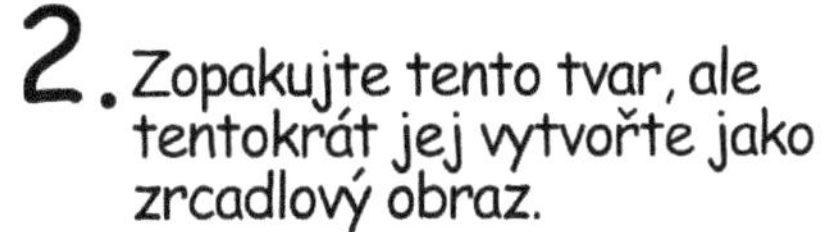

2. Zopakujte tento tvar, ale tentokrát jej vytvořte jako zrcadlový obraz.

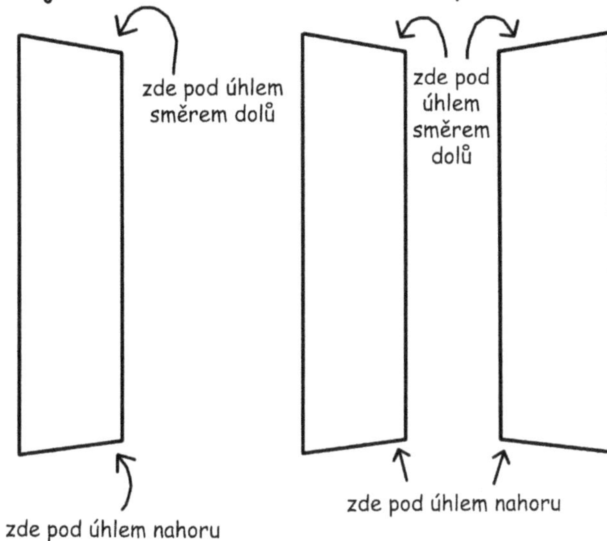

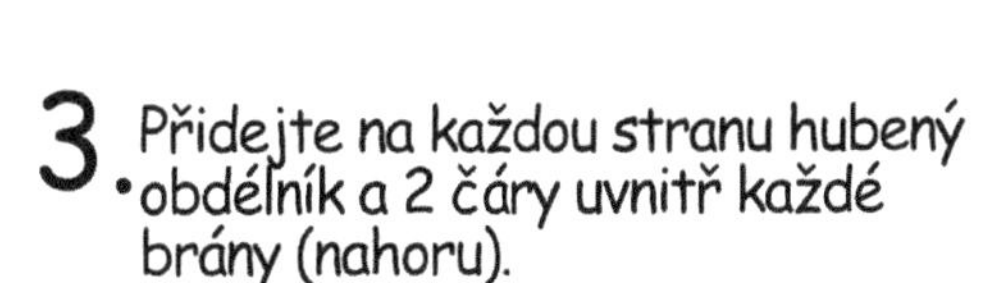

3. Přidejte na každou stranu hubený obdélník a 2 čáry uvnitř každé brány (nahoru).

4. Přidejte rovnoběžné čáry, které jsou blízko sebe uvnitř brány.

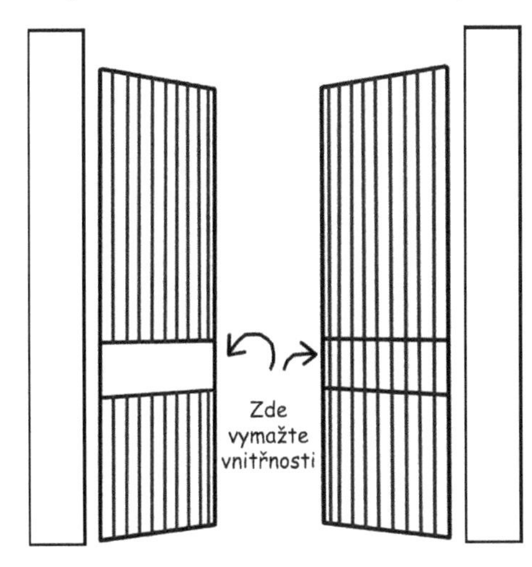

5. Pokud chcete, přidejte svitky famcy uvnitř brány a nahoře.

Využijte svou představivost!

Přidání několika obdélníků pro "cihly" uvnitř pilíře

Prodloužení plotu na obou stranách, pokud máte místo.

Chapter 4

Svátky a Roční Období

VALENTÝNSKÝ SRDCOVÝ ZÁMEK S KLÍČEM

VĚDĚT:

Kreslení objektů z různých úhlů může dílu dodat na zajímavosti.

ROZUMĚT:

- Jak přidat kreslenému objektu hloubku a zajímavost
- Jak používat jednoduché tvary a měnit je na složitější předměty

UDĚLAT:

Vytvoření originálního uměleckého díla zámku ve tvaru srdce se staromódním klíčem

SLOVÍČKA:

Hloubka - Třetí rozměr. Zdánlivá vzdálenost zepředu dozadu nebo z blízka do dálky v uměleckém díle.

Perspektiva - Technika používaná k vytvoření iluze 3D na 2D povrchu. Perspektiva pomáhá vytvářet pocit hloubky nebo vzdalujícího se prostoru.

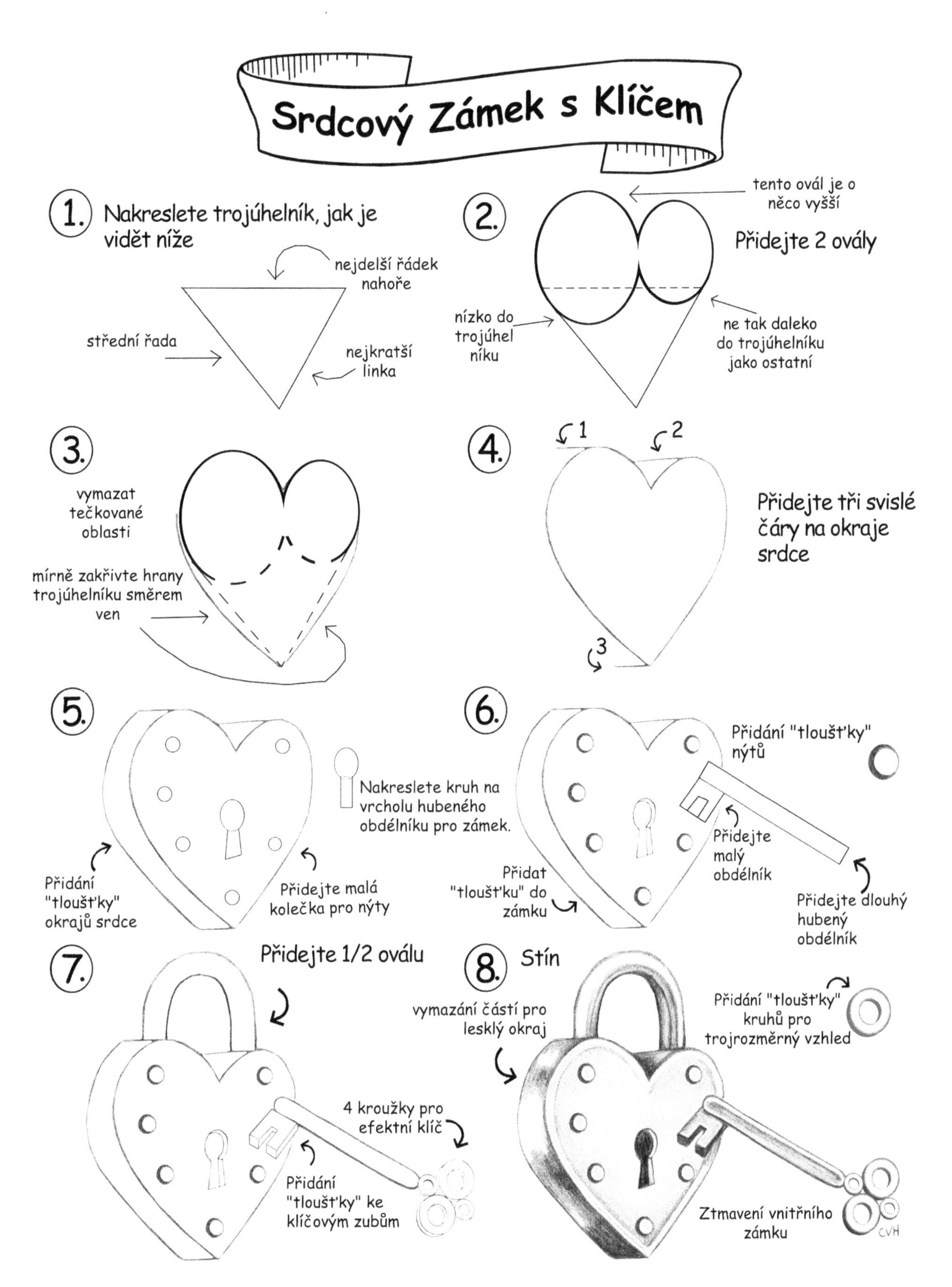
Srdcový Zámek s Klíčem
1.
Nakreslete trojúhelník, jak je vidět níže
nejdelší řádek nahoře
střední řada
nejkratší linka
2.
tento ovál je o něco vyšší
Přidejte 2 ovály
nízko do trojúhel níku
ne tak daleko do trojúhelníku jako ostatní
3.
vymazat tečkované oblasti
mírně zakřivte hrany trojúhelníku směrem ven
4.
1
2
3
Přidejte tři svislé čáry na okraje srdce
5.
Nakreslete kruh na vrcholu hubeného obdélníku pro zámek.
Přidání "tloušťky" okrajů srdce
Přidejte malá kolečka pro nýty
6.
Přidání "tloušťky" nýtů
Přidejte malý obdélník
Přidat "tloušťku" do zámku
Přidejte dlouhý hubený obdélník
7.
Přidejte 1/2 oválu
4 kroužky pro efektní klíč
Přidání "tloušťky" ke klíčovým zubům
8.
Stín
vymazání částí pro lesklý okraj
Přidání "tloušťky" kruhů pro trojrozměrný vzhled
Ztmavení vnitřního zámku
CVH

RŮŽE

VĚDĚT:
Rozdíl mezi geometrickými a organickými tvary

ROZUMĚT:
Spojením řady jednoduchých geometrických tvarů lze vytvořit složitý (organický) objekt

UDĚLAT:
Vytvoření originálního uměleckého díla růže pomocí uvedených technik

SLOVÍČKA:
Asymetrie - Objekt je na obou stranách odlišný
Vyváženost - Princip designu, vyváženost se týká způsobu, jakým jsou umělecké prvky uspořádány, aby v díle vytvářely pocit stálosti
Geometrický tvar - Jakýkoli tvar nebo forma, která má více matematický než organický design.
Geometrické vzory jsou obvykle tvořeny přímkami.
Organický tvar - nepravidelný tvar, který se může vyskytovat v přírodě, spíše než mechanický nebo hranatý tvar.

1. lehce nakreslete malý ovál nad velkým kruhem.

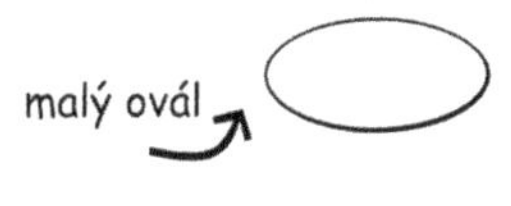

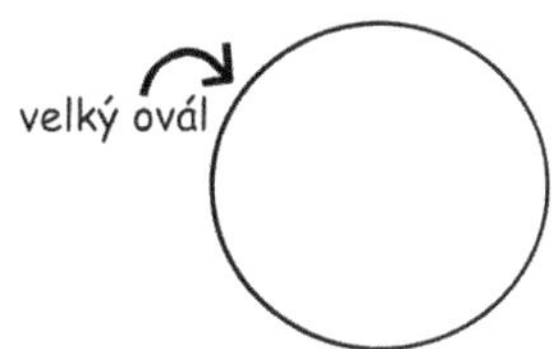

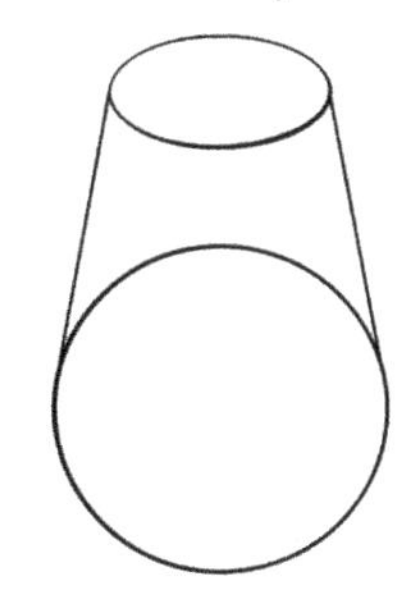

3. Přidejte diagonální / zakřivenou čáru, jak je vidět níže.

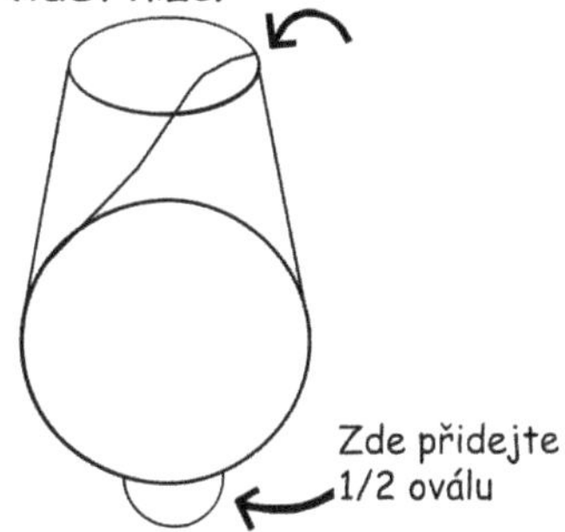

4. Vymazání tečkovaných oblastí

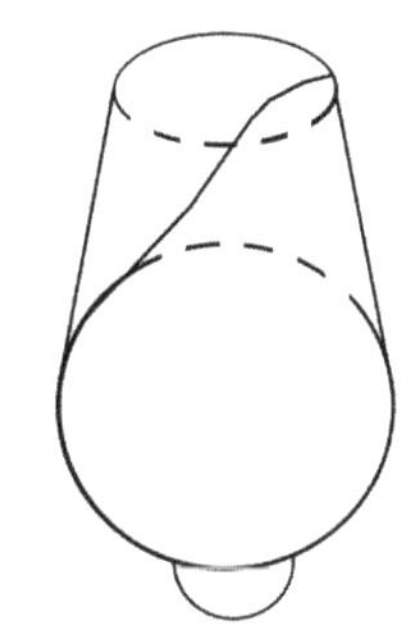

5. Přidat křivku

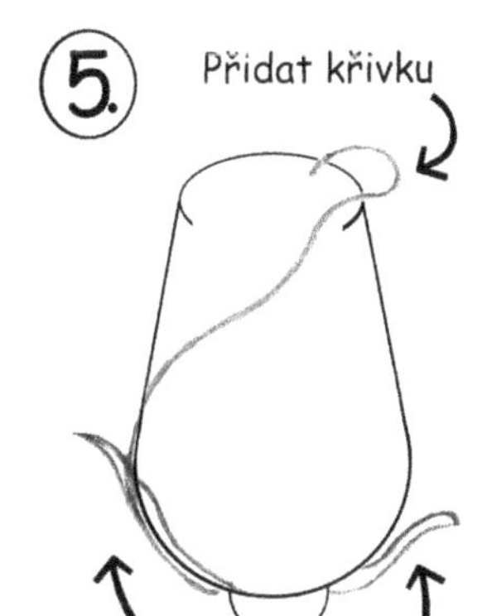

Přidejte 2 základní listy

6. Spojení křivky pomocí 2 čar

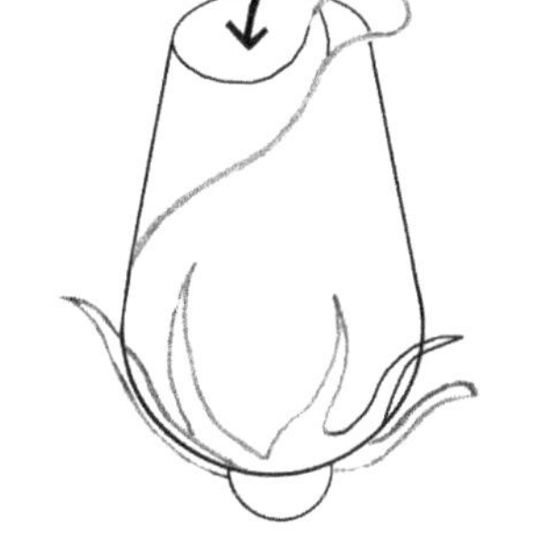

Přidejte další 3 základní listy

7. Zde přidejte malý ovál

8. Přidejte další okvětní lístek

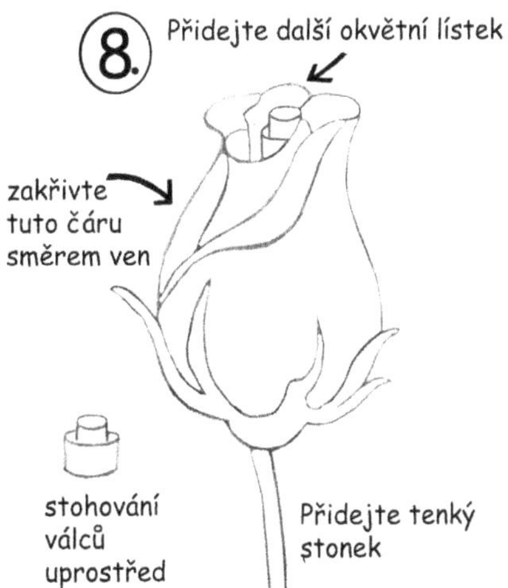

9. Shade

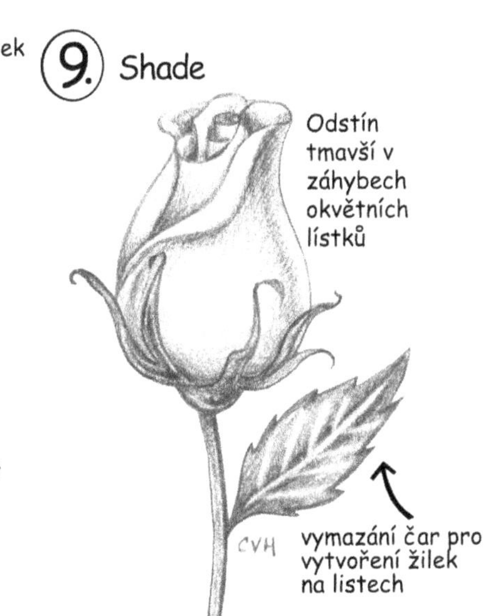

LABUTĚ LÁSKY

VĚDĚT:
Zrcadlová symetrie

ROZUMĚT:
- Zrcadlová symetrie je situace, kdy jsou části obrazu nebo objektu uspořádány tak, že jedna strana kopíruje (zrcadlí) druhou
- Dokonalá symetrie se v přírodě vyskytuje jen zřídka

UDĚLAT:
Studenti se pokusí vytvořit symetrický design "labutí lásky" pomocí jednoduchých tvarů a poskytnutých tipů a triků

SLOVÍČKA:
Zrcadlová symetrie - části obrazu nebo předmětu uspořádané tak, že jedna strana kopíruje nebo zrcadlí druhou. Známá také jako formální vyváženost, jejím opakem je asymetrie nebo asymetrická vyváženost
Symetrie patří mezi deset tříd vzorů

Cokoli uděláte na jedné straně, snažte se to sladit s druhou...

použití zrcadlové symetrie

1. Začněte se 2 oválnými tvary, které se téměř dotýkají.

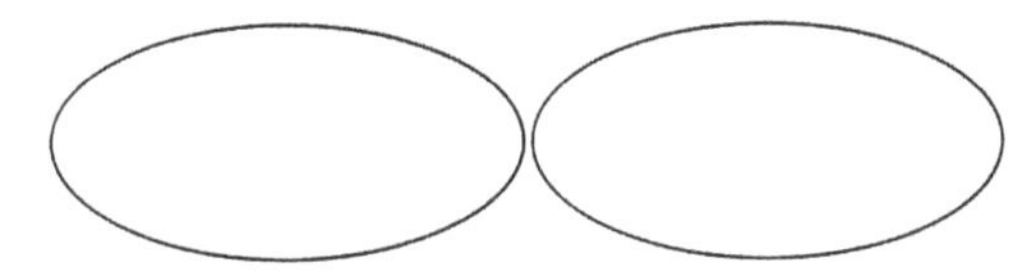

2. Nad 3/2 cesty dolů nakreslete čáru přes ovály.

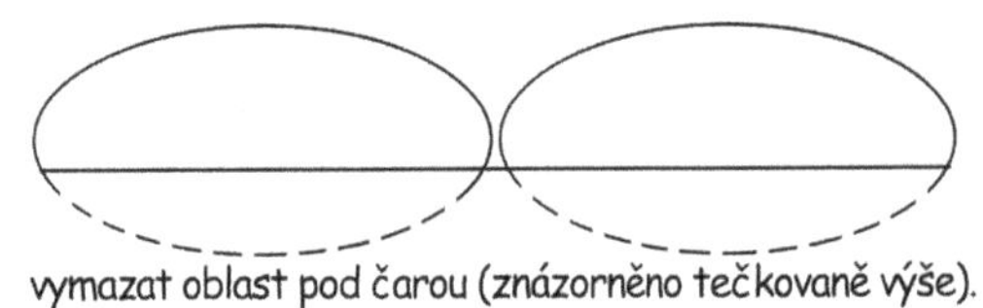

vymazat oblast pod čarou (znázorněno tečkovaně výše).

3. Přidejte trojúhelníkové ocásky na obě strany

zde vytvořte malý trojúhelník

diagonální čára zde

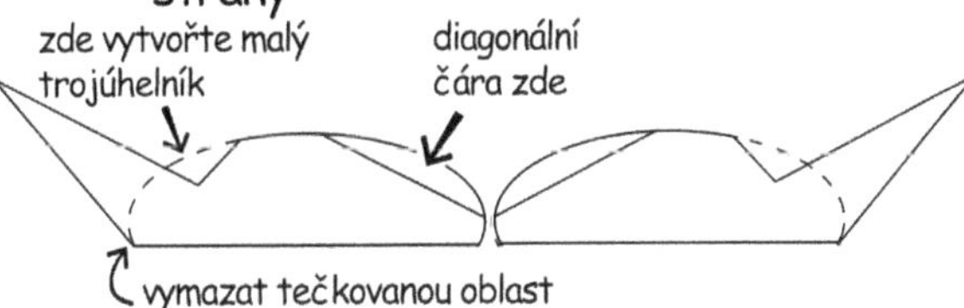

vymazat tečkovanou oblast

4. Nakreslete kružnici, která se dotýká úhlopříček.

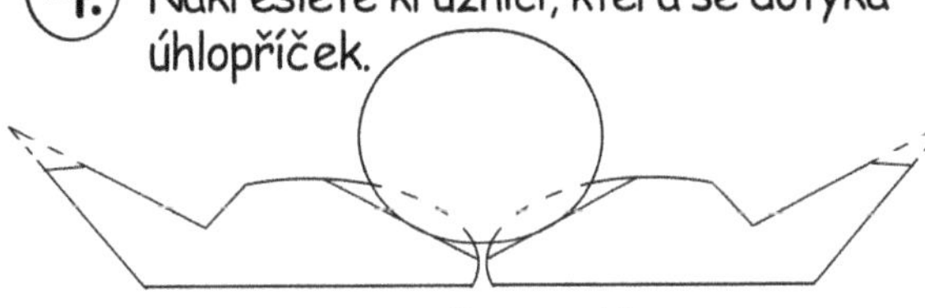

vymazat tečkovanou oblast

5. Nakreslete tvar "racka"

kolem tohoto trojúhelníku

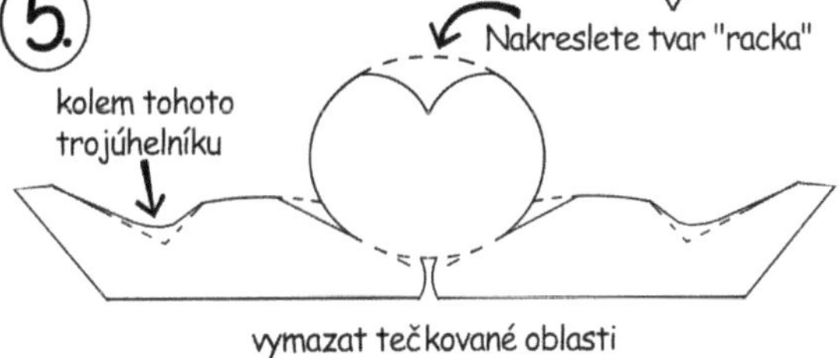

vymazat tečkované oblasti

6. Přidání malého oválu a obdélníku uprostřed

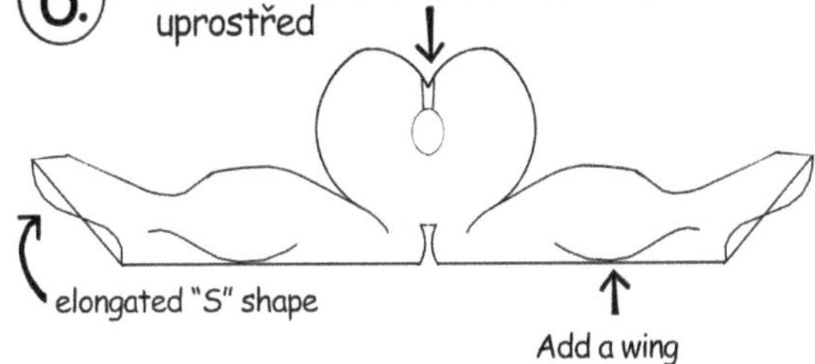

elongated "S" shape

Add a wing

7. vymazat

Nakreslete tvar "srdce" uvnitř oblasti krku

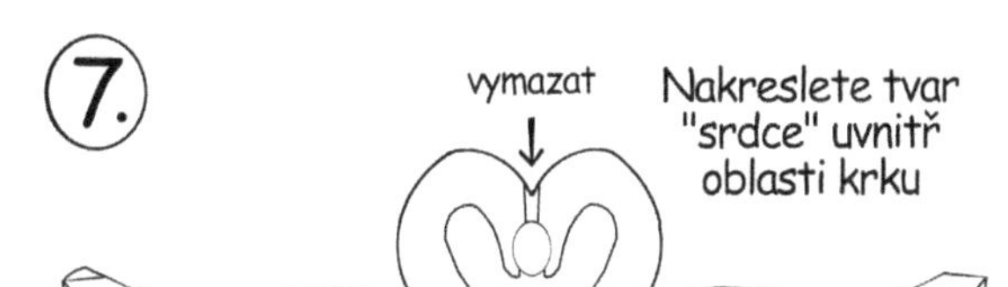

8. Detail zobáku

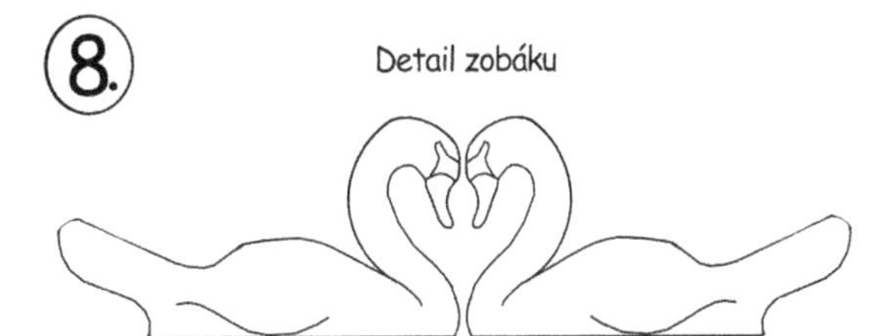

9. Stín

SRDCE Z OSTNATÉHO DRÁTU

VĚDĚT:
Spojením několika jednoduchých geometrických tvarů lze vytvořit složitější objekt

ROZUMĚT:
Použití technik překrývání, aby objekt získal vzhled tvaru

UDĚLAT:
Vytvořte originální kresbu srdce omotaného ostnatým drátem. Použijte zakřivené, překrývající se čáry na vrcholu srdce, abyste vytvořili iluzi "omotání" a hloubky.

SLOVÍČKA:
Forma - umělecký prvek, který je trojrozměrný (na výšku, na šířku a do hloubky) a uzavírá objem
Překrytí - Když jedna věc leží nad něčím jiným a částečně ho zakrývá. Zobrazení tohoto jevu je jedním z nejdůležitějších prostředků pro navození iluze hloubky. (K dalším prostředkům patří různé velikosti a umístění na ustupující rovině spolu s lineární a vzdušnou perspektivou).

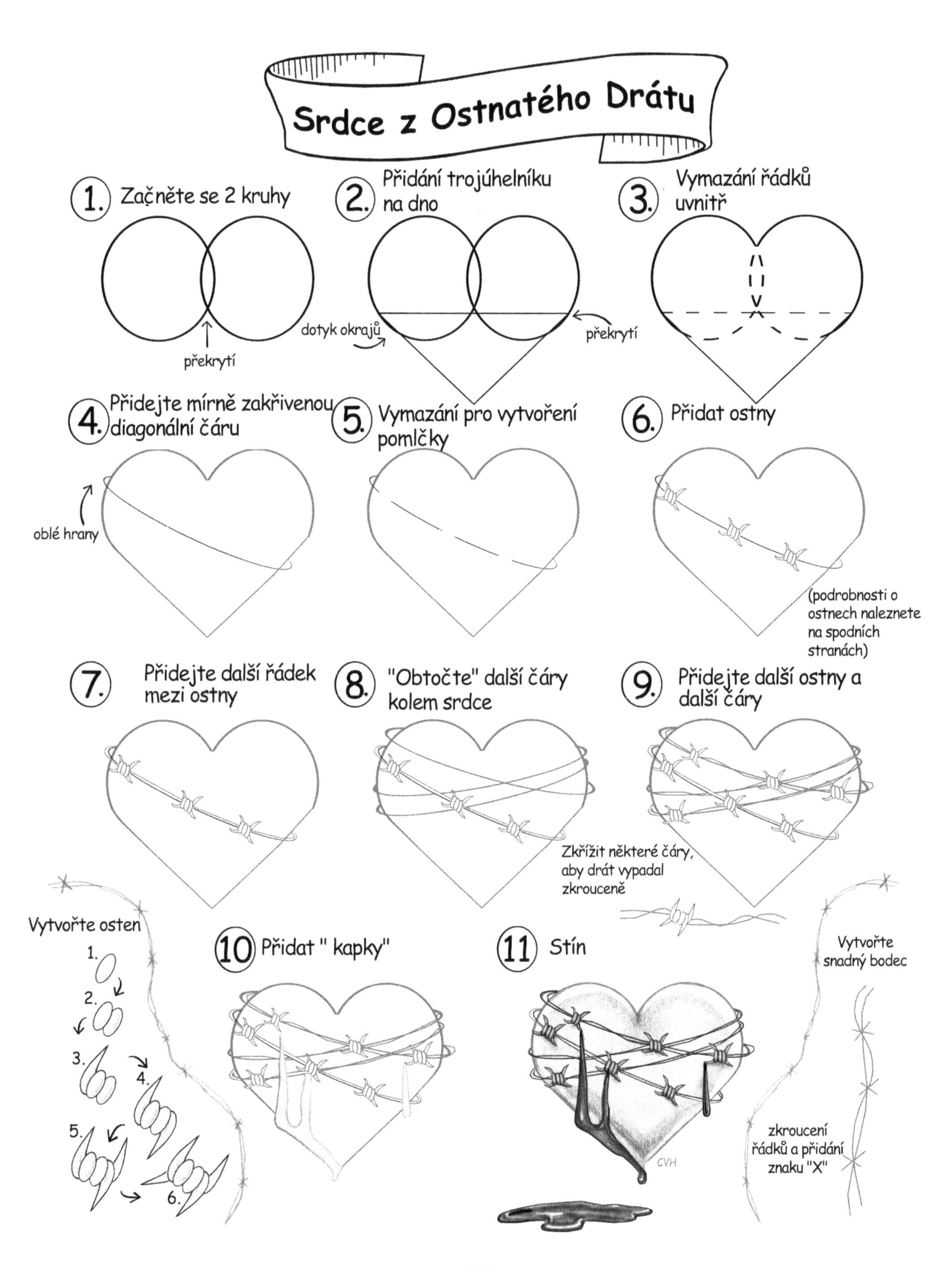
Srdce z Ostnatého Drátu
1. Začněte se 2 kruhy
překrytí
2. Přidání trojúhelníku na dno
dotyk okrajů
překrytí
3. Vymazání řádků uvnitř
4. Přidejte mírně zakřivenou diagonální čáru
oblé hrany
5. Vymazání pro vytvoření pomlčky
6. Přidat ostny
(podrobnosti o ostnech naleznete na spodních stranách)
7. Přidejte další řádek mezi ostny
8. "Obtočte" další čáry kolem srdce
9. Přidejte další ostny a další čáry
Zkřížit některé čáry, aby drát vypadal zkrouceně
Vytvořte osten
1.
2.
3.
4.
5.
6.
10 Přidat " kapky"
11 Stín
CVH
Vytvořte snadný bodec
zkroucení řádků a přidání znaku "X"

SVITEK A RŮŽE

VĚDĚT:

- Spojením řady jednoduchých geometrických tvarů lze vytvořit složitý (organický) objekt.
- Zakřivené čáry naznačují perspektivu prostřednictvím překrývání

ROZUMĚT:

- Překrývání a rozdíly ve velikosti objektů ve scéně pomáhají dosáhnout iluze hloubky
- Vysoce kontrastní stínování vytváří dojem tvaru a 3D

UDĚLAT:

Podle pokynů v přiloženém letáku si vytvořte vlastní verzi transparentu ovinutého kolem květu růže. Na transparent a stínítko přidejte vzkaz.

SLOVÍČKA:

Vysoce kontrastní stínování - Velký rozdíl mezi tmavými a světlými hodnotami v uměleckém díle (méně středních tónů)
Překrývání - Když jedna věc leží přes nebo částečně zakrývá něco jiného

Svitek a Růže

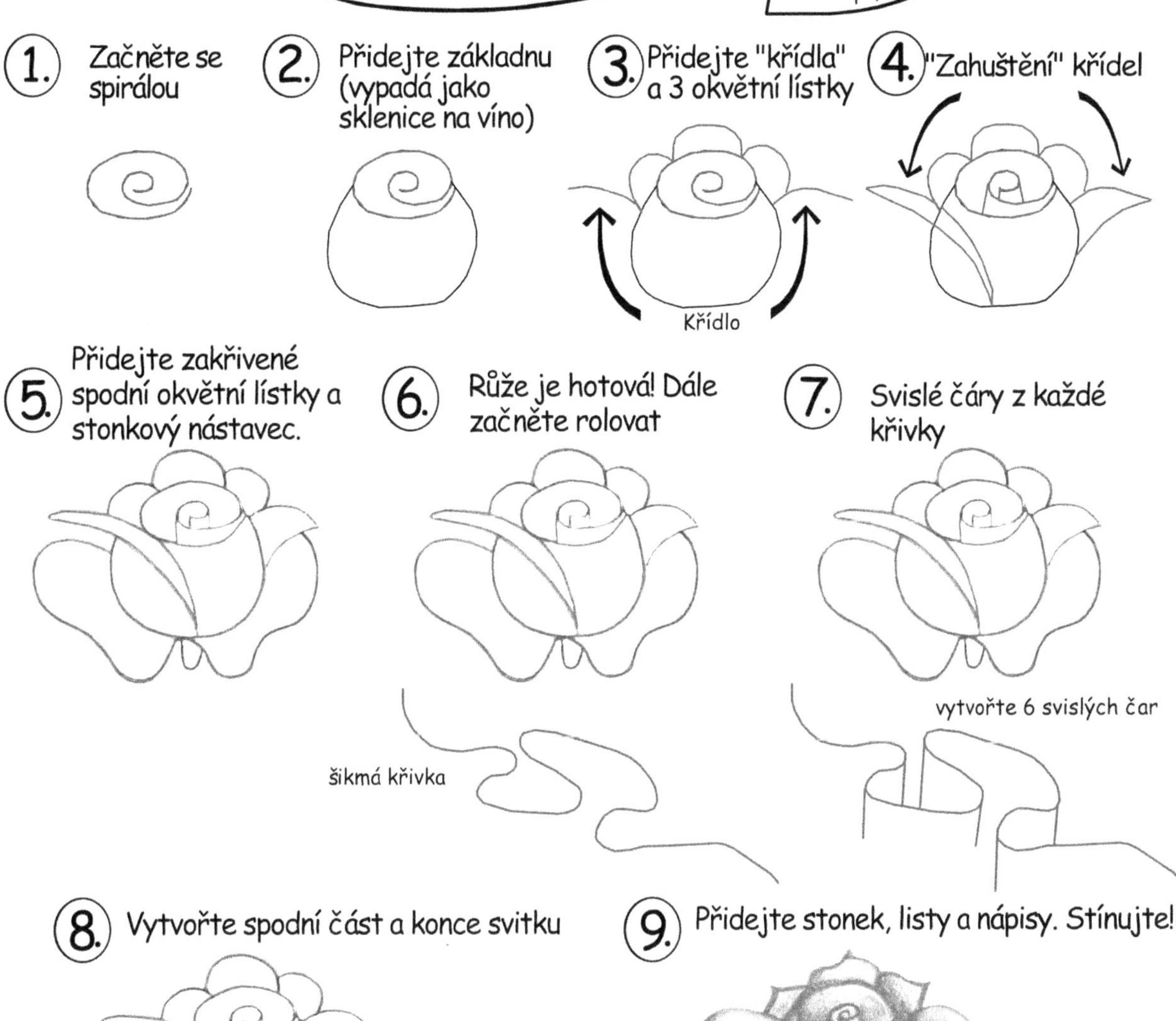
1. Začněte se spirálou
2. Přidejte základnu (vypadá jako sklenice na víno)
3. Přidejte "křídla" a 3 okvětní lístky
Křídlo
4. "Zahuštění" křídel
5. Přidejte zakřivené spodní okvětní lístky a stonkový nástavec.
6. Růže je hotová! Dále začněte rolovat
šikmá křivka
7. Svislé čáry z každé křivky
vytvořte 6 svislých čar

8. Vytvořte spodní část a konce svitku
9. Přidejte stonek, listy a nápisy. Stínujte!
Okraje listů s žlábky
vymazání čar pro vytvoření žilek na listech
Love
to
Draw
CVH

KOTLÍK ZLATA

VĚDĚT:

- Kombinací jednoduchých tvarů lze vytvořit složitější objekty
- Mnoho objektů (vytvořených člověkem i přírodních) je založeno na válci

ROZUMĚT:

- Disky jsou krátké válce
- Použitím principů válce (zaoblená základna a vrchol elipsy) lze při kreslení vytvořit různé tvary

UDĚLAT:

Vytvořte iluzi 3D hrnce naplněného "disky" zlatých mincí. Vystínujte.

SLOVÍČKA:

Válec - trubice, která se jeví jako trojrozměrná
Disk - trojrozměrný ovál
Elipsa - kruh viděný pod úhlem (nakreslený jako ovál)

Kotlík Zlata

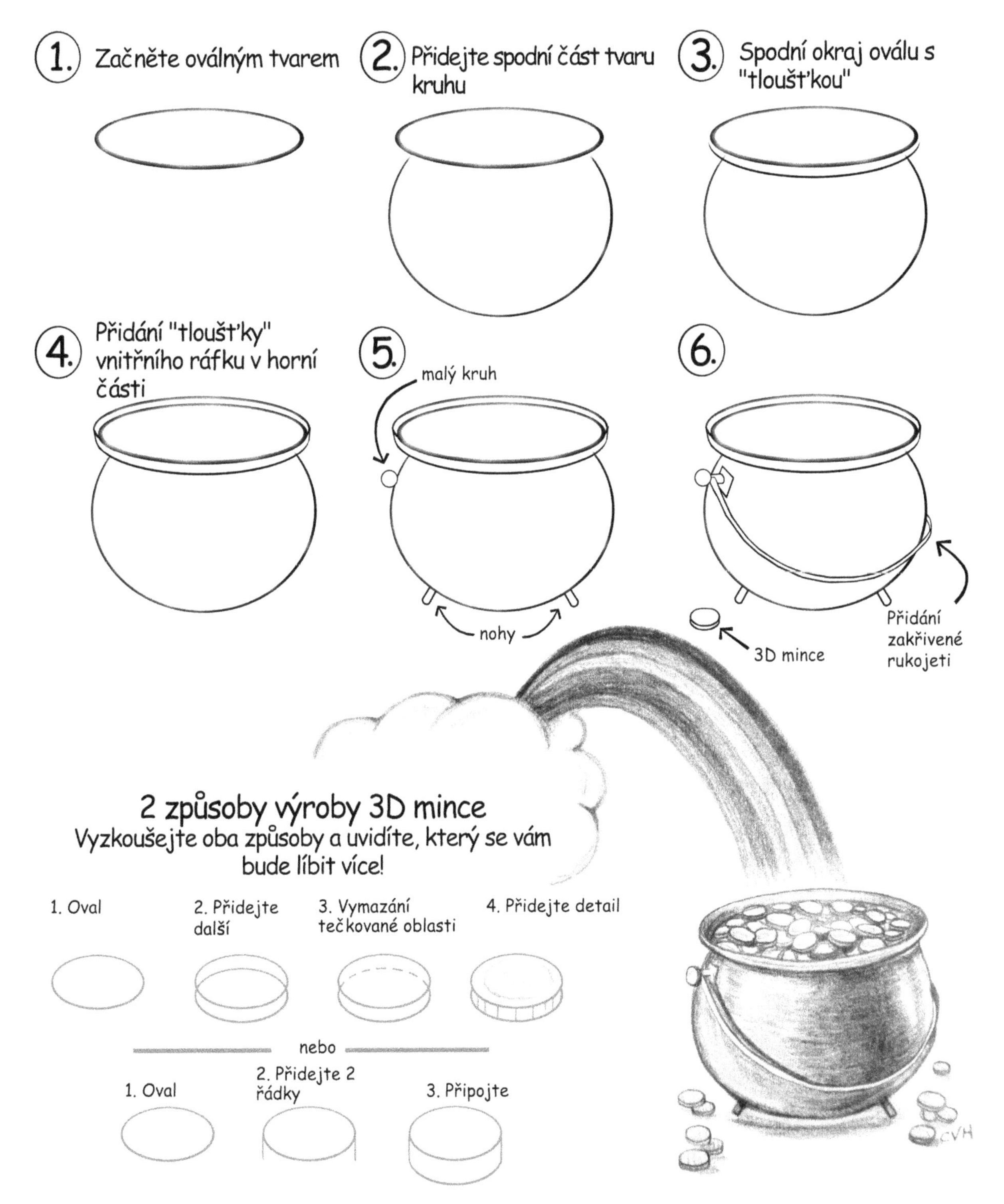
1. Začněte oválným tvarem
2. Přidejte spodní část tvaru kruhu
3. Spodní okraj oválu s "tloušťkou"
4. Přidání "tloušťky" vnitřního ráfku v horní části
5.
malý kruh
nohy
6.
3D mince
Přidání zakřivené rukojeti
2 způsoby výroby 3D mince
Vyzkoušejte oba způsoby a uvidíte, který se vám bude líbit více!
1. Oval
2. Přidejte další
3. Vymazání tečkované oblasti
4. Přidejte detail
nebo
1. Oval
2. Přidejte 2 řádky
3. Připojte
CVH

ROZTOMILÉ VELIKONOČNÍ VĚCI

VĚDĚT:

• Kombinací jednoduchých tvarů lze vytvořit složité objekty
• Průřez kužele může vytvořit nádobu
• Přidání "šrafovacích" čar na vnitřní stranu obkresleného objektu, které mu dodají tvar, objem a stín

ROZUMĚT:

• Technika "šrafování" a "křížového šrafování" pro zobrazení stínu, textury nebo tvaru objektu
• Umělci používají texturu, aby ukázali, jak může něco působit nebo z čeho je to vyrobeno

UDĚLAT:

Vytvořte umělecké dílo, které bude obsahovat předměty uvedené na letáku. Přidejte "extra". Vyzkoušejte šrafování detailů pro texturu a stínování.

SLOVÍČKA:

Kužel - Dvě přímky na okraji elipsy, které se nakonec setkají
Šrafování - Řada těsně vedle sebe umístěných rovnoběžných přímek. Pokud je na těchto čarách umístěno pod úhlem více čar, nazývá se křížové šrafování.
Textura - Způsob, jakým něco vypadá, jak by to mohlo působit v uměleckém díle
Objem - Prostor uvnitř tvaru

Roztomilé Velikonoční Věci

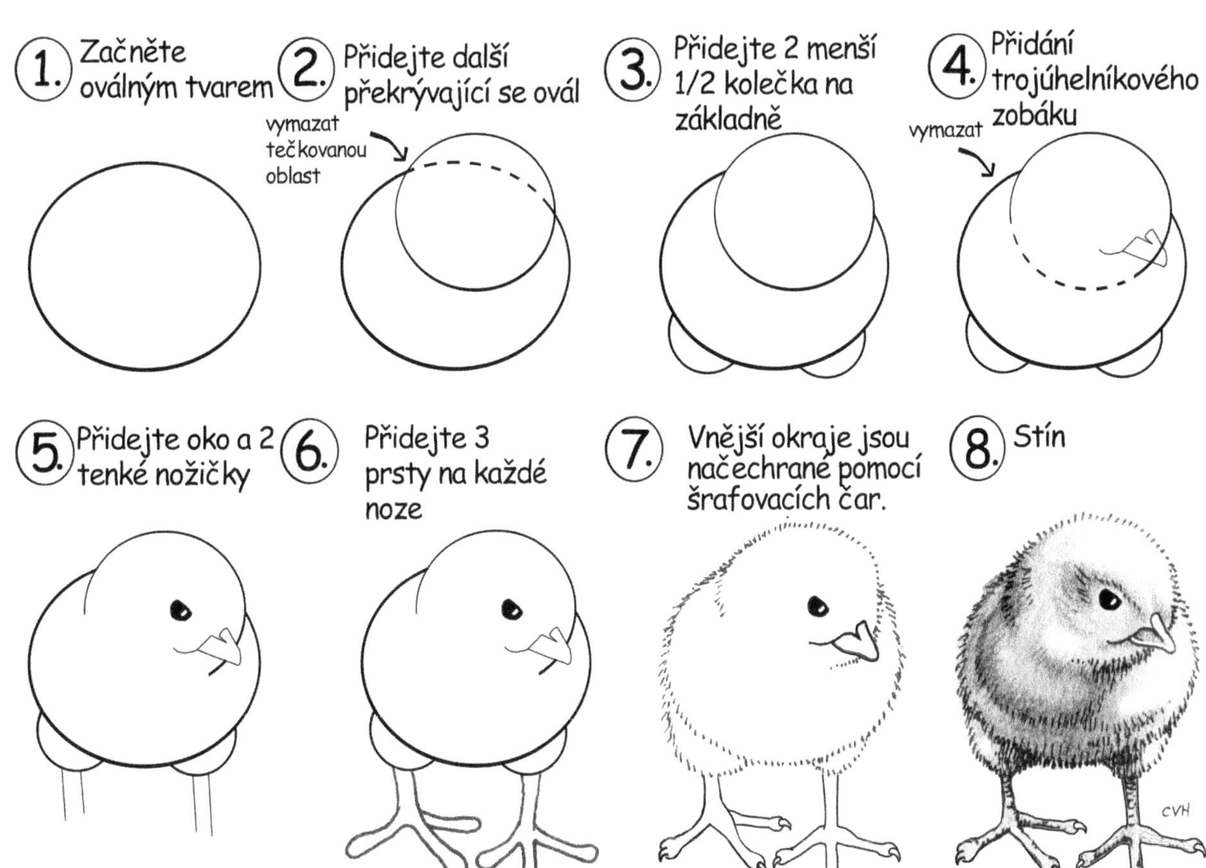
1. Začněte oválným tvarem
2. Přidejte další překrývající se ovál
vymazat tečkovanou oblast
3. Přidejte 2 menší 1/2 kolečka na základně
4. Přidání trojúhelníkového zobáku
vymazat
5. Přidejte oko a 2 tenké nožičky
6. Přidejte 3 prsty na každé noze
7. Vnější okraje jsou načechrané pomocí šrafovacích čar.
8. Stín
CVH

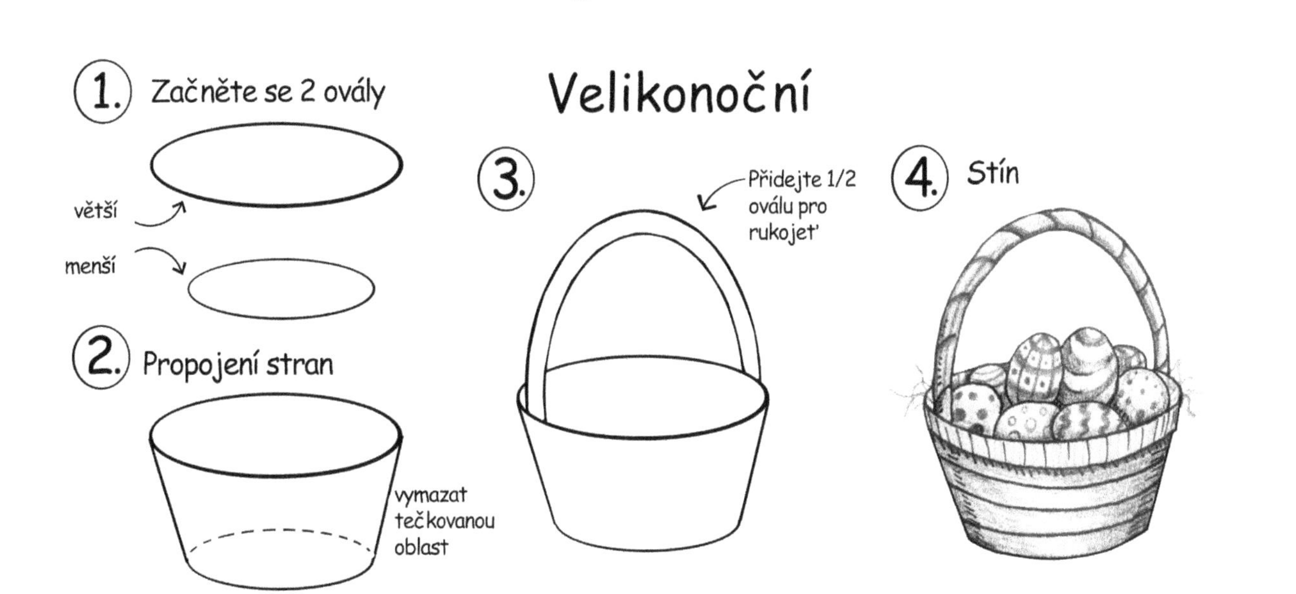
Velikonoční
1. Začněte se 2 ovály
větší
menší
2. Propojení stran
vymazat tečkovanou oblast
3.
Přidejte 1/2 oválu pro rukojeť
4. Stín

VELIKONOČNÍ VAJÍČKA

VĚDĚT:
Převzetí tvaru a jeho přeměna na formu přidáním obrysových čar, vzoru a stínování

ROZUMĚT:
Technika "obtékání" čar a vzoru kolem objektu tak, aby vypadal 3D

UDĚLAT:
Vytvořte originální vzor "omotaný" kolem tvaru a vytvořte slavnostní sváteční vajíčko. Zkuste vytvořit košík vajíček, jak je vidět na letáku

SLOVÍČKA:
Vzor - Opakování tvarů, linií nebo barev v designu
Repetition - Způsob kombinování uměleckých prvků tak, že se stále opakují stejné prvky
Wrap - Vzhled něčeho, co se obtáčí kolem jiného předmětu

1. Začněte základním tvarem vejce

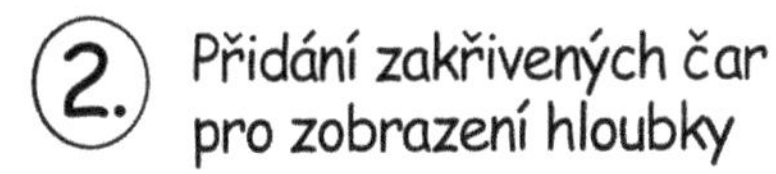

3. Přidání dekorace nebo vzoru

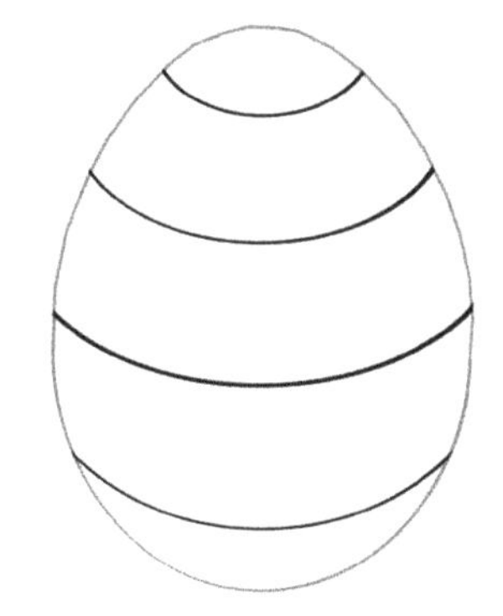

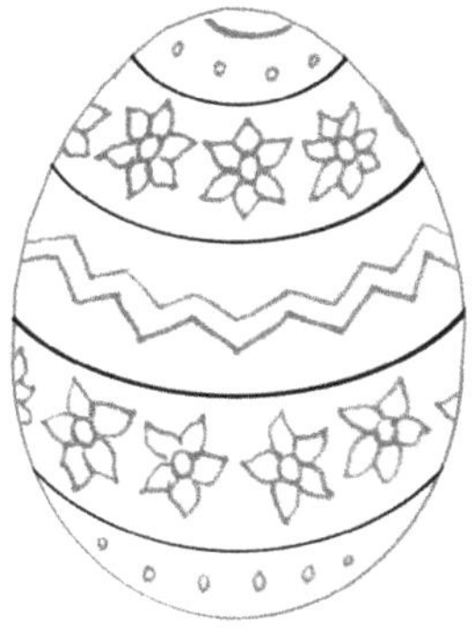

nebo vyzkoušejte tyto

Přidání barvy nebo stínu

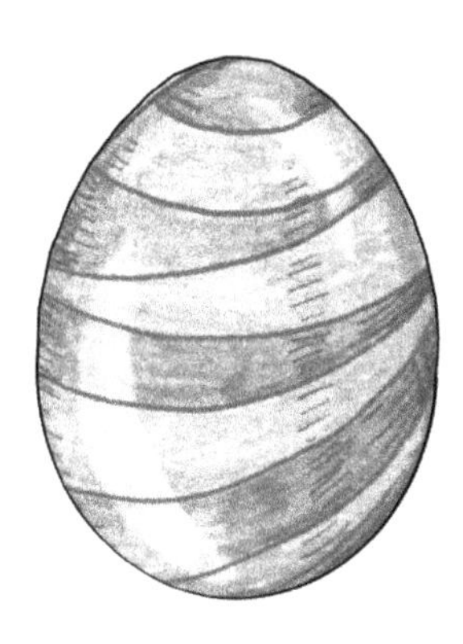

Košík vajec

Začněte s několika vejci

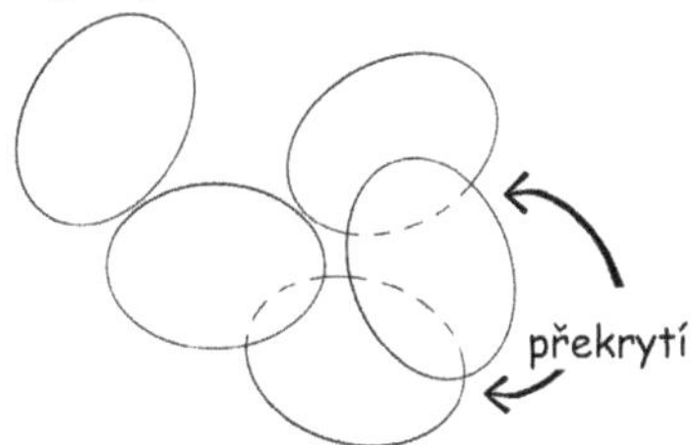

Zdobení a stínění

JARNÍ TULIPÁN

VĚDĚT:

- Spojením řady jednoduchých geometrických tvarů lze vytvořit složitý (organický) objekt
- Rozdíl mezi geometrickými a organickými tvary
- Linie může naznačovat perspektivu prostřednictvím překrývání

ROZUMĚT:

- Překrývání a rozdíly ve velikosti objektů ve scéně pomáhají dosáhnout iluze hloubky
- Vysoce kontrastní stínování vytváří dojem tvaru a 3D

UDĚLAT:

Nakreslete svou verzi jarní kytice tulipánů podle uvedených tipů a triků. Nakreslete alespoň 3 květy. Přidejte něco, co na pracovním listu nevidíte, aby vaše dílo bylo jedinečné (např. vázu, stonky převázané stuhou atd.) Neobkreslujte. Vystínujte.

SLOVÍČKA:

Vysoce kontrastní stínování - Velký rozdíl mezi tmavými a světlými hodnotami v uměleckém díle (méně středních tónů)
Překrývání - Když jedna věc leží přes nebo částečně zakrývá něco jiného

Jarní Tulipán

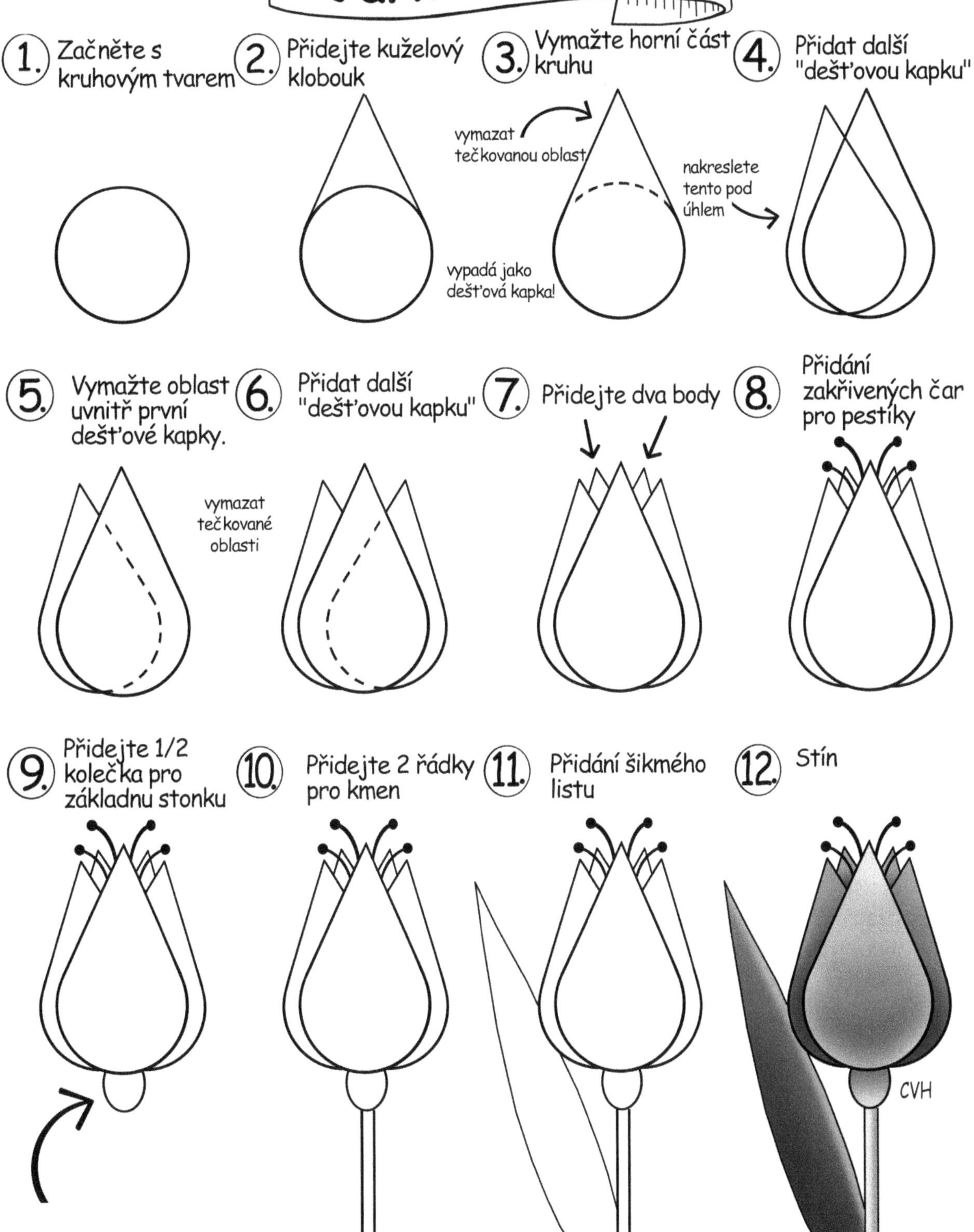

TŘEŠŇOVÝ KVĚT

VĚDĚT:
Rovnováha, Organický tvar, Vzor, Perspektiva, Opakování, Symetrie/Asymetrie

ROZUMĚT:
• Překrývání jednoduchých tvarů může být prvním krokem k vytvoření složitých forem
• Zjednodušení uměleckého díla spočívá v rozdělení hlavních částí objektu na jednoduché tvary. Po objevení jednoduchých tvarů lze přidat další detaily.

UDĚLAT:
• Podle uvedených kroků vytvořte originální kresbu zátiší s třešňovými květy
• Začněte s obrysovými liniemi a jednoduchými geometrickými tvary a podle potřeby je překrývejte, abyste dosáhli realističnosti
• Stínujte tužkou (nebo akvarelovými tužkami a použijte je podle návodu)

SLOVÍČKA:
Organický - Nepravidelný tvar, který se může vyskytovat v přírodě, spíše než pravidelný mechanický tvar
Perspektiva - Technika používaná k vytvoření iluze 3D na 2D povrchu. Perspektiva pomáhá vytvářet pocit hloubky nebo ustupujícího prostoru.
Zátiší - Kresba, malba nebo fotografie neživých předmětů umístěných na stole (tradičně nádoby, ovoce, zelenina atd.)
Symetrie - Předmět, který je na obou stranách stejný

1. Začněte klikatým písmenem "Z" dozadu.
2. Přidejte malá kolečka na každém ohybu
3. "Zahustěte" tyčinku přidáním čar na obou stranách.
4. Vymazání tečkovaného středu (původní vodítka)

Nakreslete to zlehka. Je to vodítko a nakonec bude vymazáno.

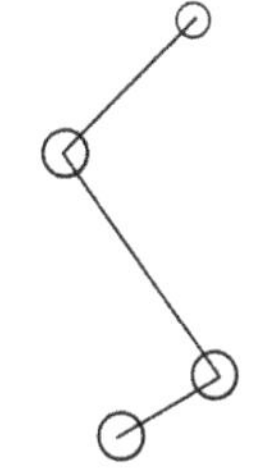

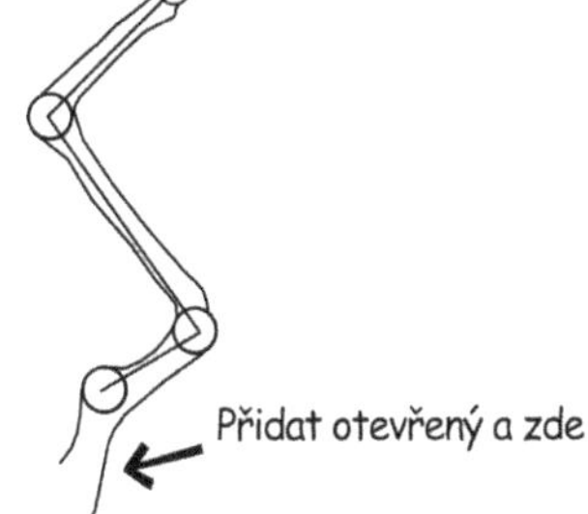

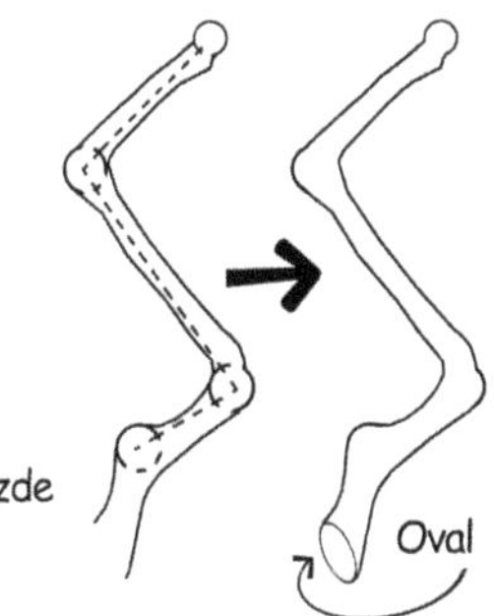

5. Přidejte orientační kruh pro 1. květ.
6. Přidání detailů okvětních lístků

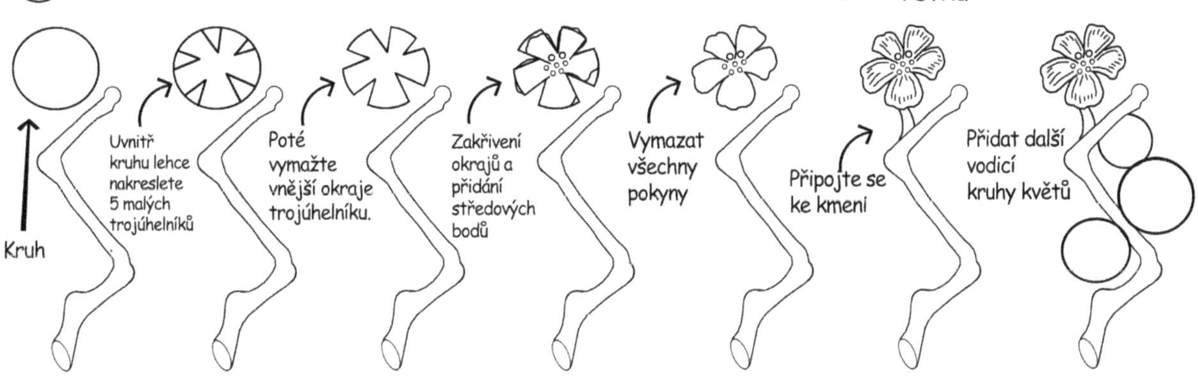

7. Proměňte kruhy v květy
8. Přidejte poupata na koncích
9. Stín

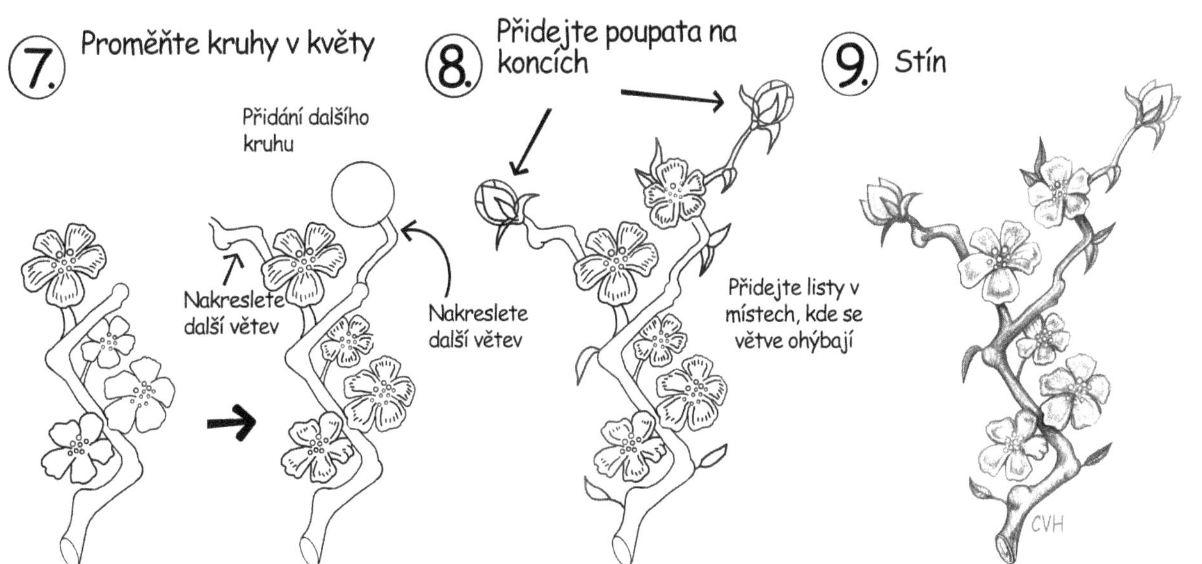

HALLOWEENSKÁ STVOŘENÍ

VĚDĚT:

Pomocí jednoduchých geometrických tvarů můžete vytvořit jednoduché a originální tvory v kresleném stylu

ROZUMĚT:

- Aby bylo dílo originální, musí mít prvky, které nejsou kopírovány nebo napodobovány
- Expresivní rysy v kresbě dodávají postavě pocit, náladu nebo myšlenku

UDĚLAT:

Procvičte si tvorbu originální kreslené postavičky ve stylu Halloweenu podle přiložených geometrických vzorů. Kreslete lehce, abyste mohli v případě potřeby vodítka vymazat. Podle potřeby přidejte nebo změňte některé prvky, aby byla postava jedinečná. Pokuste se vytvořit postavu, která NENÍ uvedena na letáku. Využijte svou fantazii a přidejte spoustu "navíc".

SLOVÍČKA:

Kreslený film - Obvykle jednoduchá kresba, která má lidi přimět k zamyšlení, rozčílení, smíchu nebo jinému pobavení. Kreslený vtip má obvykle jednoduché linie, používá základní barvy a vypráví příběh v jednom nebo sérii obrázků zvaných rámečky nebo panely.

Výrazové vlastnosti - Pocity, nálady a myšlenky sdělované divákovi prostřednictvím uměleckého díla

Originál - Jakékoli dílo, které je považováno za autentický příklad umělcova díla, nikoli za reprodukci, napodobeninu nebo kopii

Halloweenská Stvoření

ale hlavně roztomilé!

1. Začněte s tělesem z jednoduchých tvarů

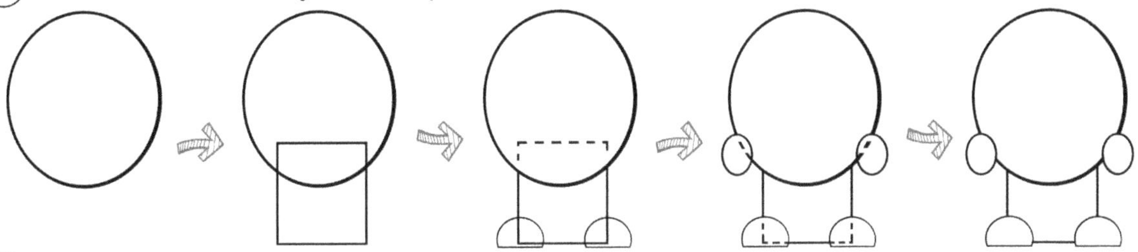

2. Dále si vyberte výrazné oči...

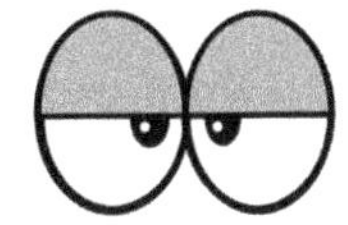

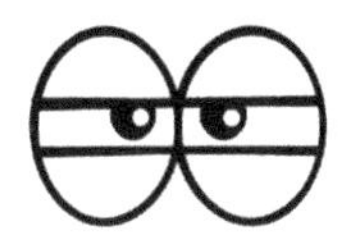

3. Nakonec přidejte tolik detailů, kolik potřebujete, abyste vytvořili jedinečnou a zajímavou postavu.

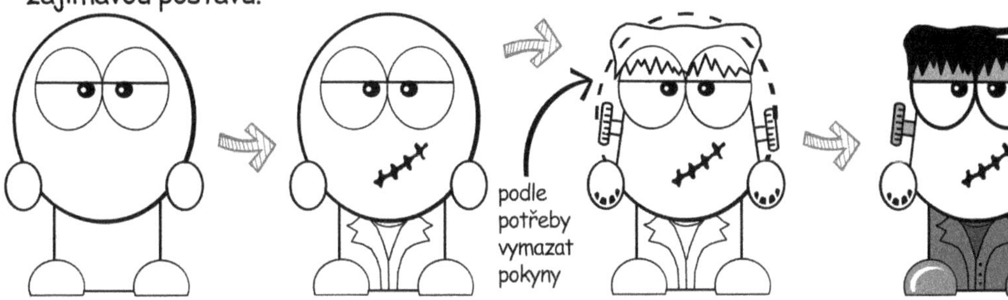

PODZIMNÍ LIST

VĚDĚT:
Organický tvar, symetrie, asymetrie

ROZUMĚT:
Překrývání jednoduchých tvarů může být prvním krokem k vytvoření složitých forem

UDĚLAT:
- Postupujte podle uvedených kroků (nebo umístěte vybrané listy ze života) a vytvořte originální kresbu zátiší
- Začněte s obrysovými čarami a jednoduchými geometrickými tvary a podle potřeby je překrývejte, abyste vytvořili vodicí linie
- Stínujte tužkou (nebo akvarelovými tužkami a použijte je podle návodu)

SLOVÍČKA:
Organický - nepravidelný tvar, který se vyskytuje v přírodě, spíše než pravidelný, mechanický tvar

Zátiší - kresba, malba nebo fotografie neživých předmětů umístěných na stole (tradičně nádoby, ovoce, zelenina atd.)

Symetrie - (nebo symetrická rovnováha) - části obrazu nebo předmětu uspořádané tak, že jedna strana kopíruje nebo zrcadlí druhou. Známá také jako formální rovnováha, jejím opakem je asymetrie nebo asymetrická rovnováha.

Symetrie patří mezi deset tříd vzorů.

Máte k dispozici skutečný list? Obkreslete jeho obrys a přejděte ke kroku 6.

Podzimní List

1. Začněte tvarem slzy

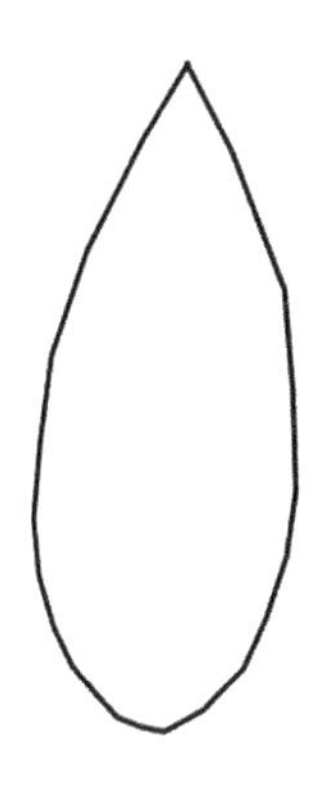

2. Přidejte další 2 tvary slzy rozložené po stranách.

3. Nakreslete body kolem tvarů slzy, jak je vidět níže.

4. Vymažte původní tvar slzy znázorněný tečkovaně.

5. Mělo by to vypadat podobně jako níže uvedený organický tvar

6. Nakreslete "žíly" od velkých bodů dolů ke středové základně.

7. Přidejte několik menších žilek

8. Přidejte další žíly a stonek

9. Stín

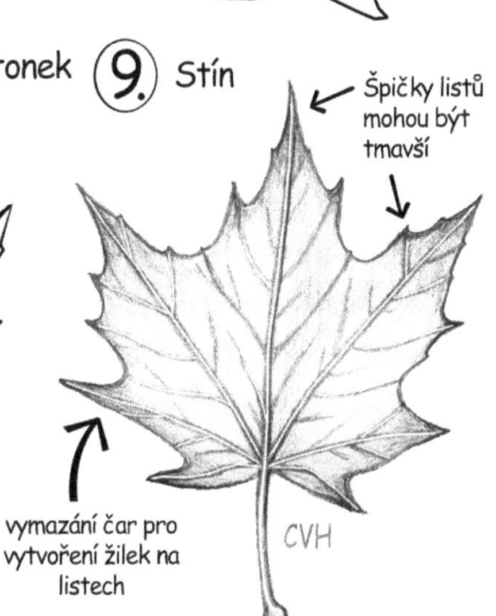

ZÁTIŠÍ NA DEN DÍKŮVZDÁNÍ

VĚDĚT:

Obrysová linie, překrývání, perspektiva, "Zátiší"

ROZUMĚT:

- Překrývání jednoduchých tvarů je prvním krokem k vytváření složitých forem
- Velké objekty by měly být na stránce nakresleny níže, aby vypadaly blízko. Malé předměty by měly být nakresleny výše na stránce, aby se zdály být dále (ovoce v míse)

UDĚLAT:

- Prohlédněte si a prodiskutujte příklady překrývání a obrazů, které mají blízké a vzdálené prvky, a zaměřte se na to, jak překrývání a rozdíl ve velikosti pomáhají dosáhnout iluze hloubky
- Podle uvedených kroků (nebo podle vybraných druhů ovoce a zeleniny ze života) vytvořte originální kresbu zátiší s tématem "Díkůvzdání"
- Začněte s obrysovými čarami a jednoduchými geometrickými tvary a podle potřeby je překrývejte, abyste vytvořili vodicí linie
- Stínujte tužkou nebo akvarelovými tužkami (podle návodu)

SLOVÍČKA:

Obrysová linie - Linie, které obklopují a vymezují okraje předmětu
Překrytí - Když jedna věc leží přes druhou, částečně zakrývá něco jiného, aby vyjádřila hloubku nebo iluzi
Stínování - Zobrazení změny od světla ke tmě nebo od tmy ke světlu v obraze
Tvar - Uzavřený prostor
Zátiší - Kresba, malba nebo fotografie neživých předmětů umístěných na stole (tradičně nádoby, ovoce, zelenina atd.)

Zátiší je kresba nebo malba neživých předmětů.

Tipy na zátiší:
Lehce nakreslete Velká kresba Začněte krok 1 na pravé straně papíru.

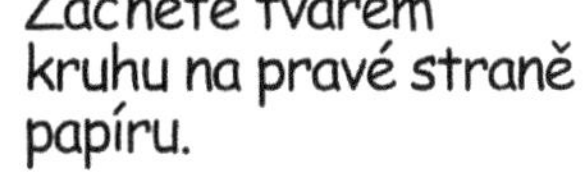

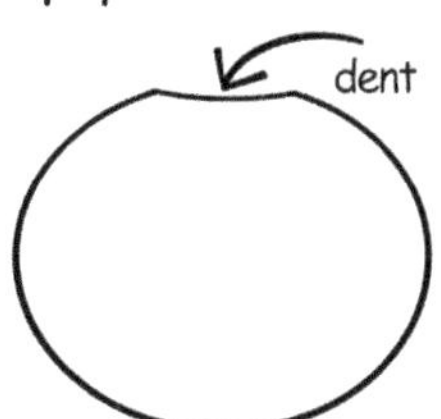

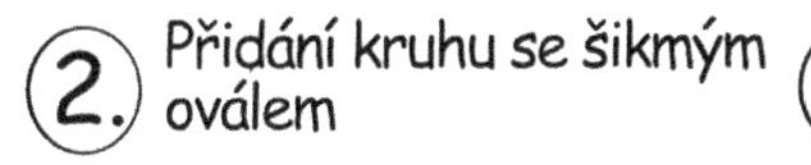

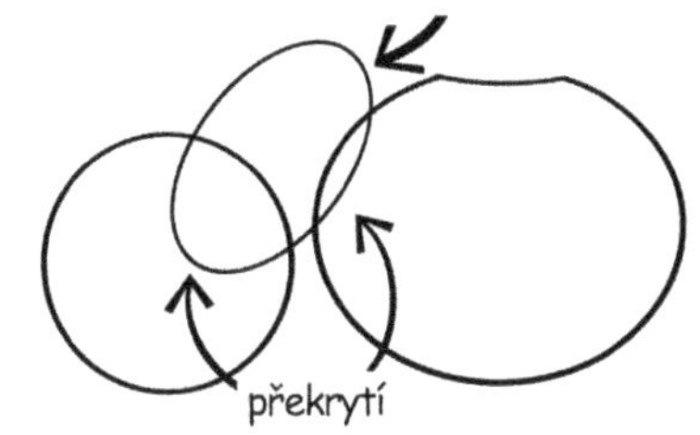

3. Přidání dalšího kruhového tvaru

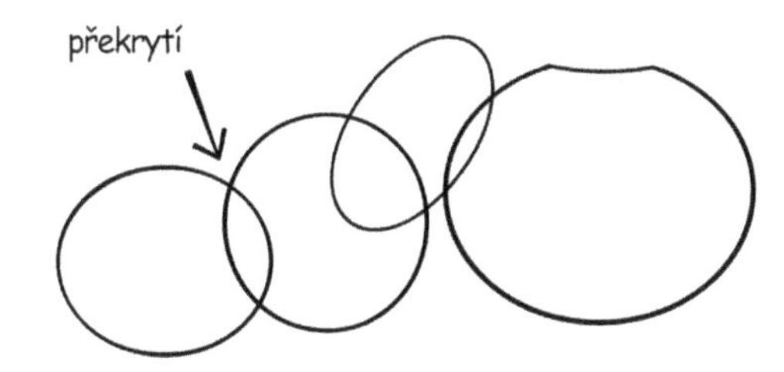

4. Vymažte oblasti označené přerušovanou čarou.

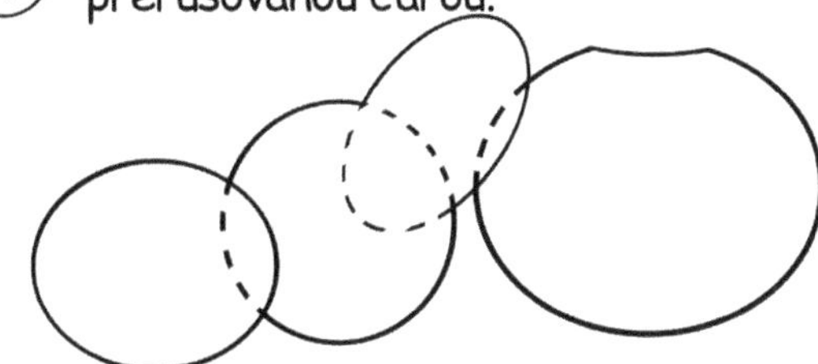

5. Přidejte stonky

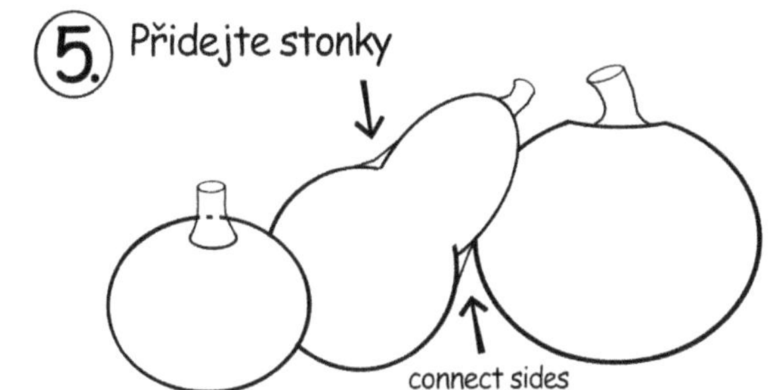

6. Přidání oválu

7. Vymazání tečkovaných oblastí

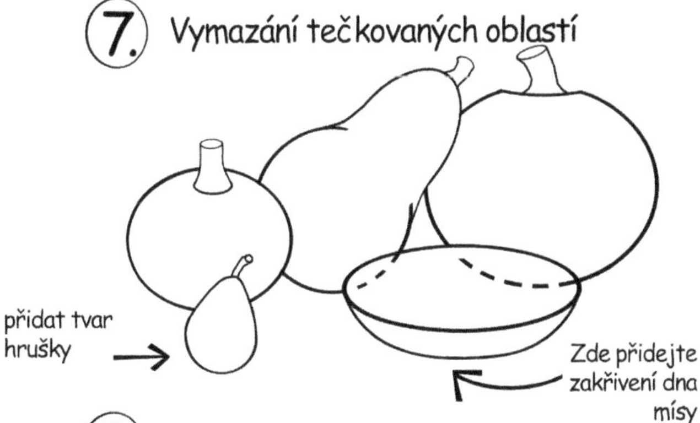

8. Naplňte misku oválnými/kroužkovými tvary.

9. Stínování barevnými tužkami

PLECHOVKA CRANU...

VĚDĚT:

Válce, pop umění

ROZUMĚT:

• Válce v umění působí dojmem 3D kruhové trubice
• Warhol v roce 1962 učinil obraz Campbellova rajčatová polévka ikonou pop-artu

UDĚLAT:

Vytvořte válcovitou plechovku ve stylu Warholova pop-artu. Plechovku "obtočte" štítkem a textem, abyste ji označili jako 3D. Vystínujte.

SLOVÍČKA:

Andy Warhol - (6. srpna 1928 - 22. února 1987) byl americký umělec, který byl vůdčí osobností výtvarného hnutí známého jako pop art. Jeho díla zkoumají vztah mezi uměleckým vyjádřením, kulturou celebrit a reklamou, která vzkvétala v 60. letech 20. století.

Válec - trubka, která se zdá být trojrozměrná

Ovál - dvourozměrný tvar, který vypadá jako kruh, který byl natažen, aby byl delší

Pop umění - umělecké hnutí, které zaměřuje pozornost na známé obrazy populární kultury, jako jsou billboardy, komiksy, reklamy v časopisech a na výrobky ze supermarketů

Plechovka Cranu...

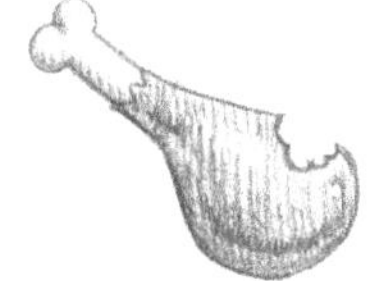

1. Začněte oválným tvarem

2. Přidejte další ovál

3. Připojte 2 vodorovné čáry

4. Nakreslete tenký ovál uvnitř oblasti horního víka, abyste naznačili "tloušťku".

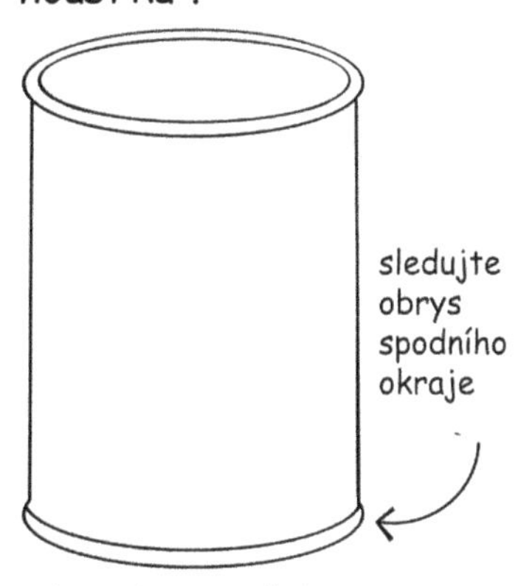

5. Vyplňte víko řadou štíhlých oválů.

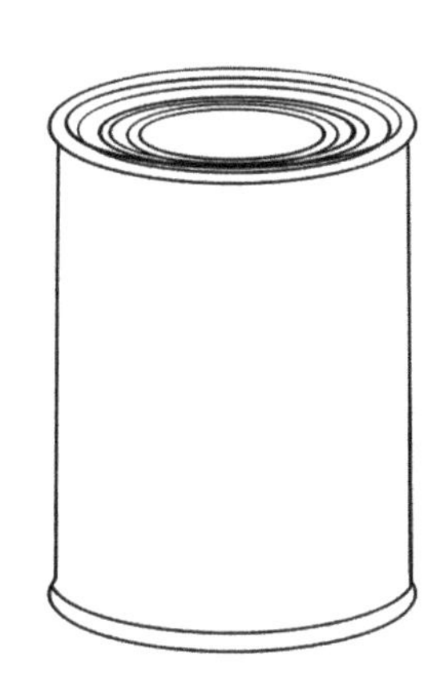

6. Nakreslete zaoblenou čáru pro vyznačení oblasti štítků.

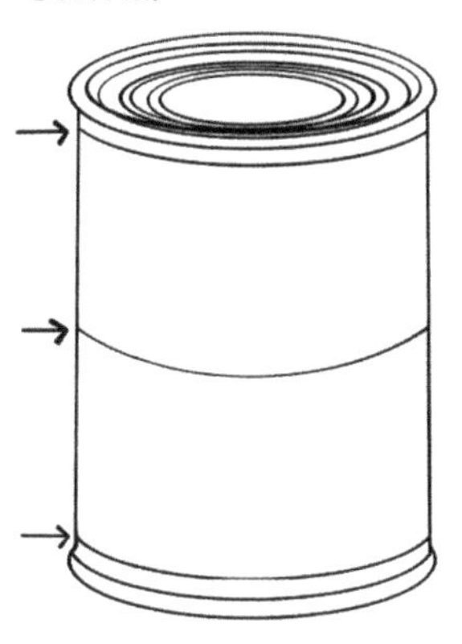

7. Nakreslete světlou zakřivenou čáru, která označuje místo, kde budou vaše slova.

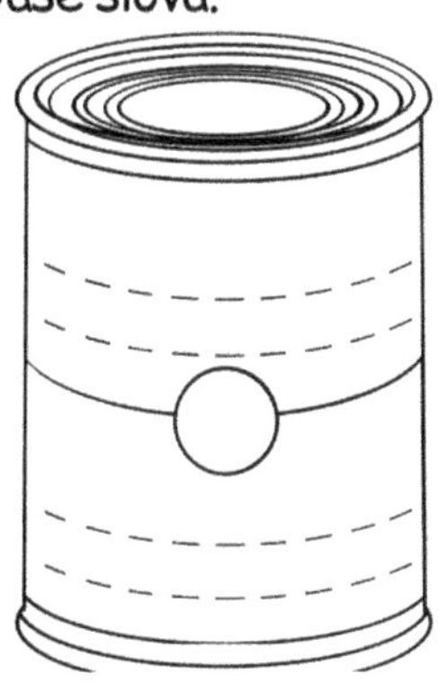

8. Načrtněte si text

9. Stín

DÝNĚ

VĚDĚT:

Stínování, vrstvení, zkracování, překrývání

ROZUMĚT:

- Hodnota přidaná k tvaru (2D) při kreslení vytváří tvar (3D)
- Světlost nebo tmavost hodnoty označuje zdroj světla na objektu

UDĚLAT:

Nakreslete svou verzi dýně podle uvedených tipů a triků. Střed dýně by měl být na stránce níže a boky by měly jakoby ustupovat dozadu, aby bylo vidět zkrácení. Dýni neobkreslujte. Vystínujte.

SLOVÍČKA:

Směs - Sloučení tónů nanesených na plochu tak, aby nevznikla ostrá čára označující začátek nebo konec jednoho tónu

Zkrácení - Způsob znázornění objektu tak, aby vyvolával iluzi hloubky a působil dojmem, že se posouvá dopředu nebo se vrací zpět do prostoru. Úspěch předsazení často závisí na úhlu pohledu nebo perspektivě, v níž jsou velikosti blízkých a vzdálených částí předmětu značně kontrastní.

Překrývání - Když jedna věc leží přes druhou a částečně zakrývá něco jiného

Vystínování - Zobrazení změny světla na tmavé nebo tmavé na světlé na obrázku

Nakreslete Dýni

1. Začněte dlouhým oválným tvarem

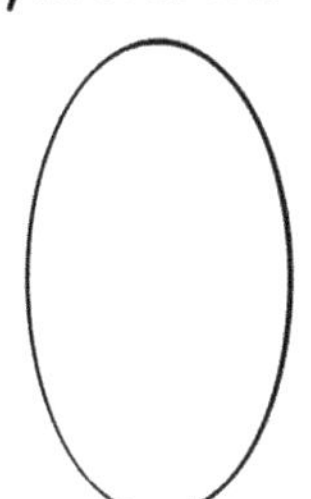

2. Přidejte další dva ovály vedle a za něj.

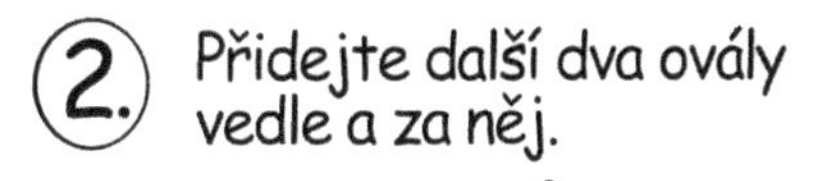

vymazat tečkované

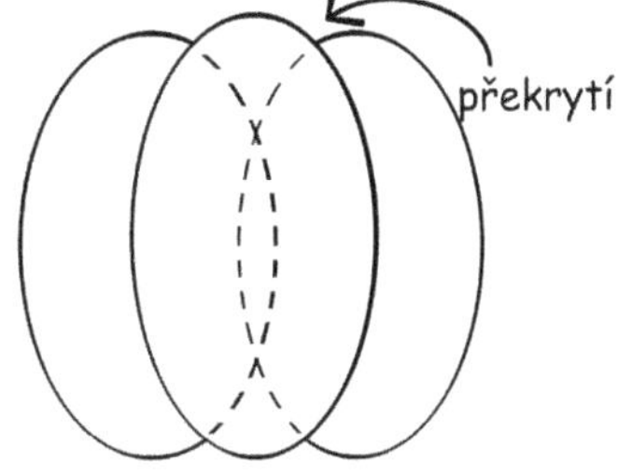

překrytí

3. Přidejte další dva ovály na každé straně, jak je znázorněno na obrázku.

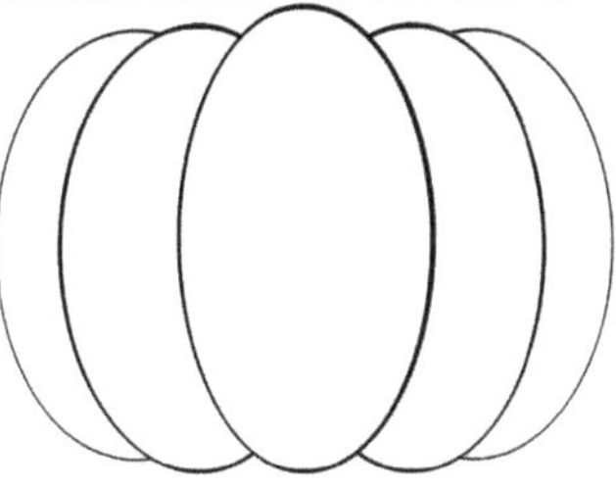

4. Přidání stonku

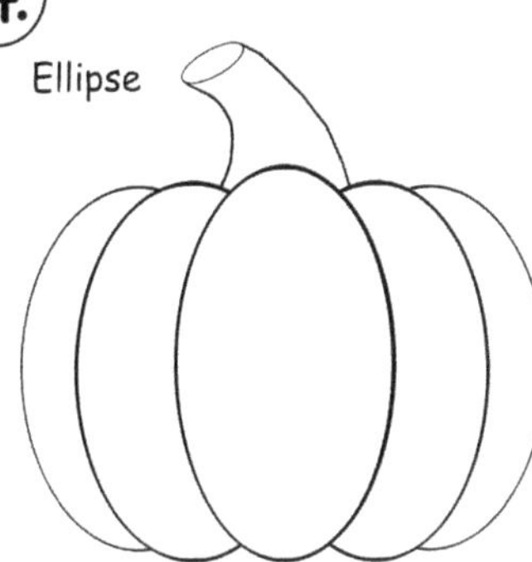

5. Přidat podrobnosti

6. Barva nebo odstín

tmavší v záhybech

nebo zkuste toto...

1. Začněte s oválným/kruhovým tvarem

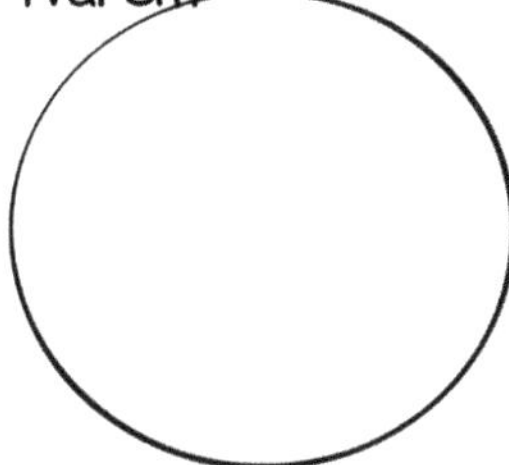

2. Přidejte malý ovál do středu horní oblasti.

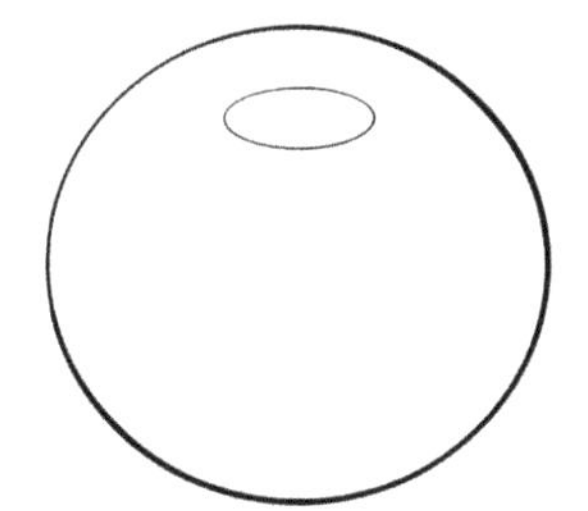

3. Nakreslete zakřivené čáry ( ) vycházející z oválu

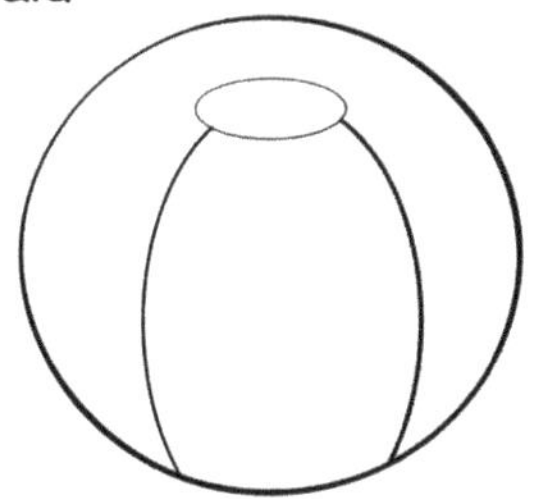

4. Přidání dalších dvou křivek

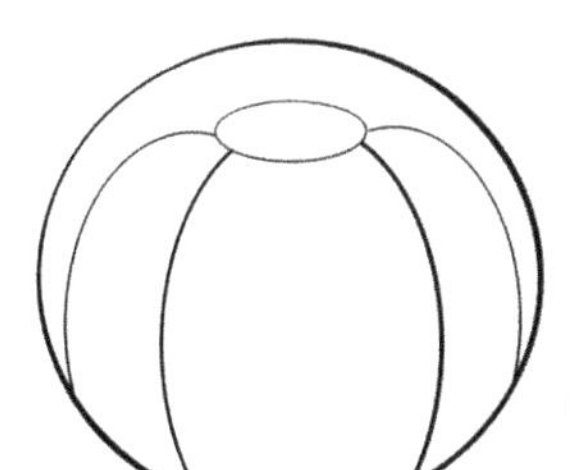

5. Pokračujte v obloucích po celém obvodu

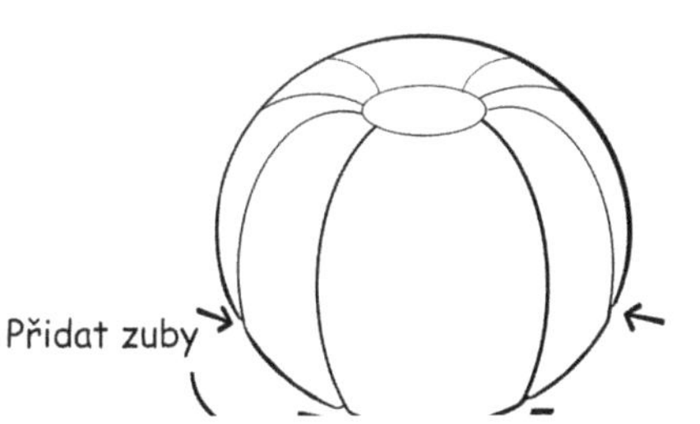

6. Přidejte stonek u oválu a stínítko

ZÁŘÍCÍ DÝNĚ

VĚDĚT:

Rovnováha, forma, 3D

ROZUMĚT:

- Přidání vzoru a stínování dodá objektu tvar a rozměr
- Použití ustupujících linií pro zobrazení perspektivy

UDĚLAT:

Začněte se základní dýní a poté na ni "vyřežte" design pomocí uvedených tipů a triků. Přidejte spoustu "doplňků" a dbejte na to, aby všechny "vyřezané" části byly spojené - žádné plovoucí kousky! Buďte originální! Neobkreslujte. Vystínujte.

SLOVÍČKA:

Balance - Způsob uspořádání uměleckých prvků v uměleckém díle, který vytváří pocit stability, příjemného uspořádání nebo poměru částí v kompozici
Forma - Trojrozměrný tvar (výška, šířka a hloubka), který uzavírá objem
Trojrozměrné - Má výšku, šířku a hloubku nebo se tak jeví

Zářící Dýně

1. Začněte se základním obrysem dýně

2. Nakreslete obrys očí, nosu a úst.

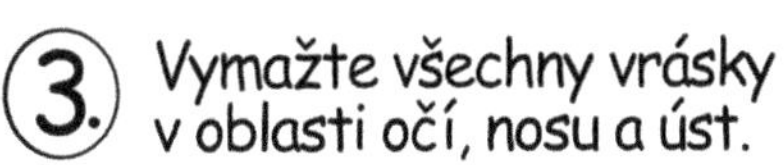

3. Vymažte všechny vrásky v oblasti očí, nosu a úst.

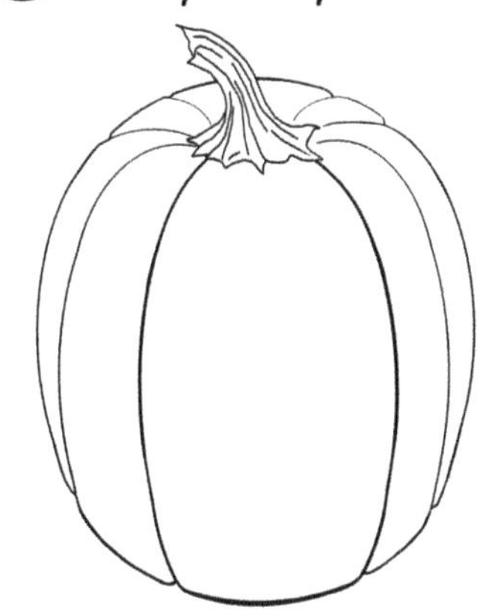

4. Nakreslete krátké šikmé čáry v koutcích očí, nosu a úst.

5. Spojení s úhly pro vytvoření "tloušťky"

6. Stín

Nejsvětlejší hodnoty by měly být ve "vyřezaných" otvorech, aby bylo vidět, že v dýni je svíčka!

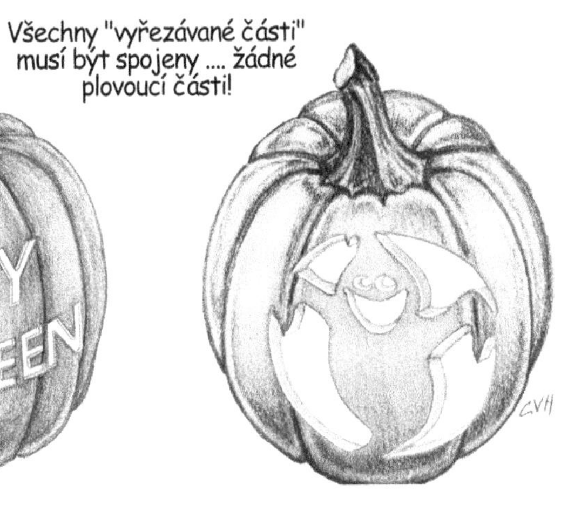

VÁNOČNÍ STODOLA

VĚDĚT:

Jednoduché kroky k vytvoření ¾ pohledu na dům

ROZUMĚT:

Jeden ze způsobů, jak vytvořit vzhled 3D domu v perspektivě ¾ pohledu

UDĚLAT:

Vytvořte originální prázdninovou stodolu v krajinné scéně s perspektivou. Přidejte stromy a stín.

SLOVÍČKA:

Krajina - umělecké dílo, které zobrazuje krajinu. Obvykle je ve scéně obloha.
Perspektiva - Iluze 3D na 2D ploše, která vytváří pocit hloubky a vzdalujícího se prostoru
Tříčtvrteční (3/4) pohled - Pohled na obličej nebo jiný předmět, který je v polovině vzdálenosti mezi plným a bočním pohledem

Vánoční Stodola

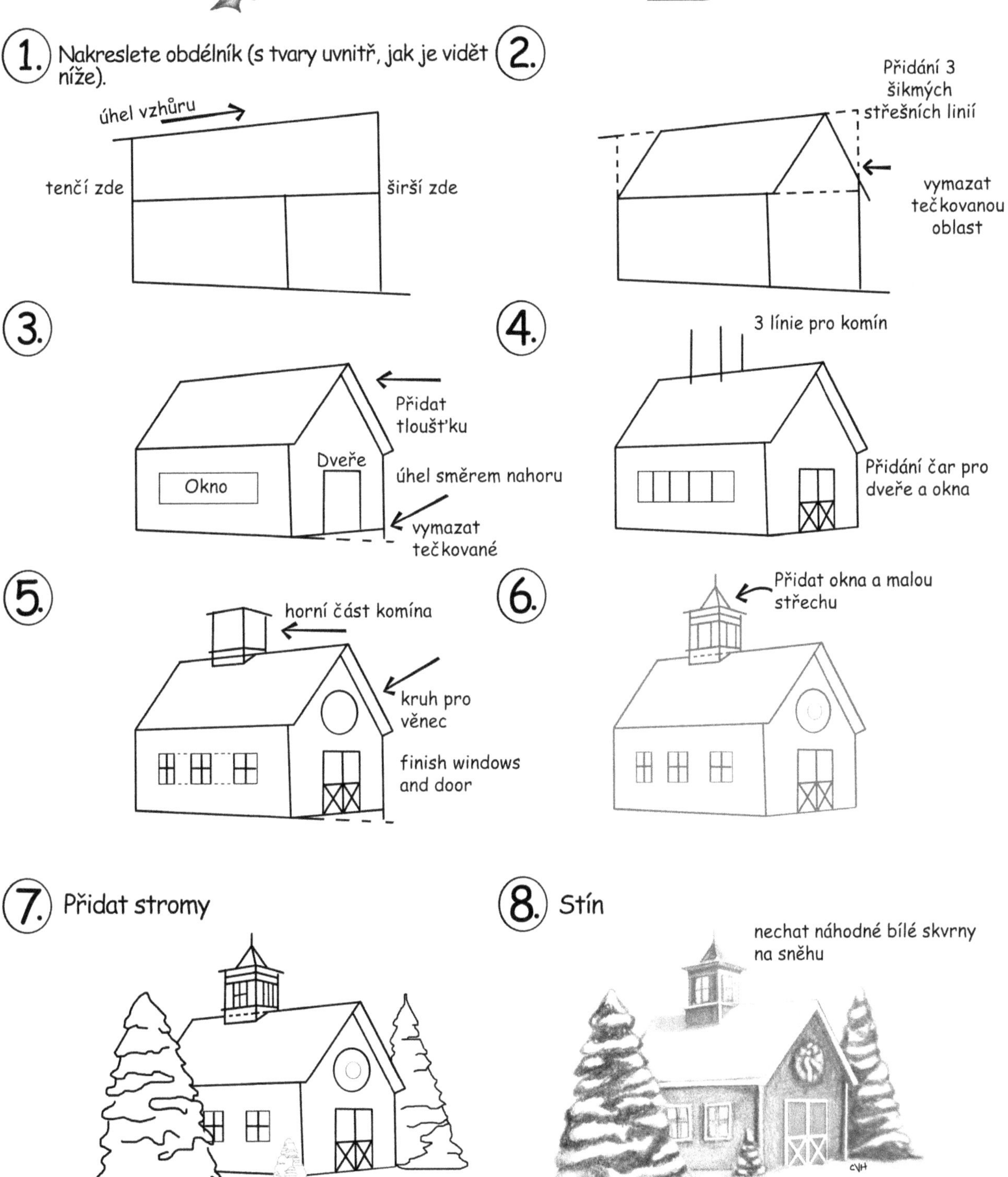
1.
Nakreslete obdélník (s tvary uvnitř, jak je vidět níže).
úhel vzhůru
tenčí zde
širší zde
2.
Přidání 3 šikmých střešních linií
vymazat tečkovanou oblast
3.
Přidat tloušťku
Dveře
Okno
úhel směrem nahoru
vymazat tečkované
4.
3 línie pro komín
Přidání čar pro dveře a okna
5.
horní část komína
kruh pro věnec
finish windows and door
6.
Přidat okna a malou střechu
7.
Přidat stromy
8.
Stín
nechat náhodné bílé skvrny na sněhu
CVH

VÁNOČNÍ OZDOBY

VĚDĚT:
Geometrické tvary, Zvýraznění, Opakování, Textura

ROZUMĚT:
• Rozdíl mezi tvarem a formou
• Jak uspořádat prvky v uměleckém díle tak, aby působily symetricky nebo stejně vyváženě
• Jak vytvořit efektivní design pomocí jednoduchých tvarů
• Jak vytvořit vzhled textury

UDĚLAT:
• Postupujte podle uvedených kroků a vytvořte originální kulový ornament, který začíná jednoduchým kruhem spojeným do složitého tvaru
• Použití naučených 3D technik, které se soustředí na překrývání a stínování pro navození iluze hloubky

SLOVÍČKA:
Rovnováha - princip designu, rovnováha označuje způsob, jakým jsou umělecké prvky uspořádány tak, aby v díle vytvářely pocit stability; příjemné nebo harmonické uspořádání či poměr částí nebo ploch v návrhu nebo kompozici.

Opakování - Pokračování vzoru stále dokola

Textura - Technika, kterou umělec používá k tomu, aby objekt vypadal, že působí určitým způsobem

1. Začněte kruhem

2. Přidejte malý ovál přímo nad něj

3. Přidání svislých čar klesajících od oválných okrajů

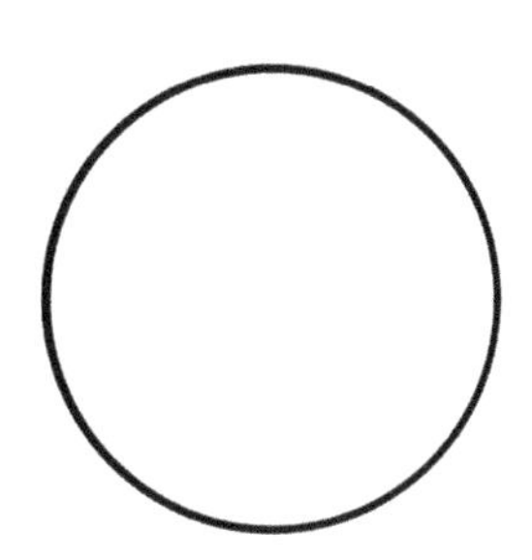

4. Přidejte smyčku do středu oválu.

5. Add vertical lines on cap to show texture

6. Přidání háčku

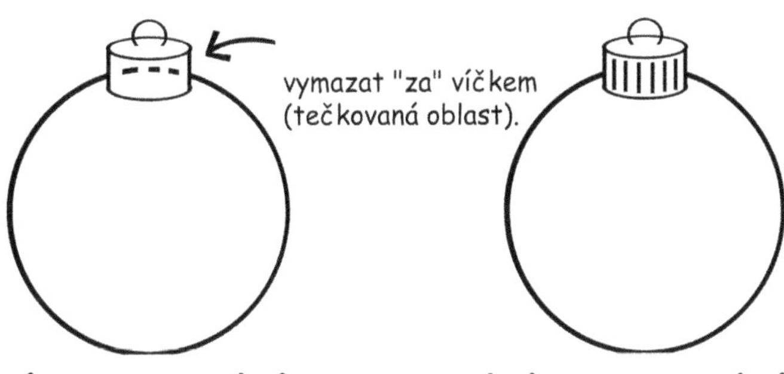

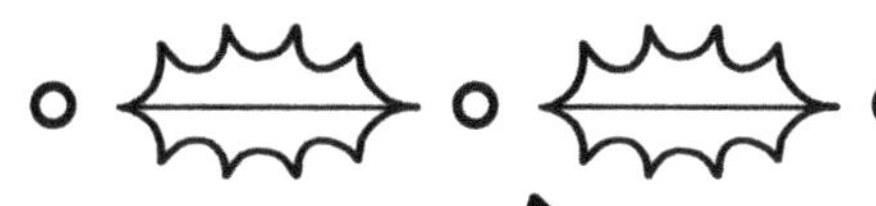

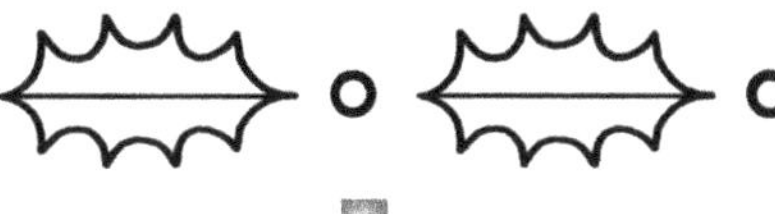

Tip:
Listy cesmíny jsou zelené a bobule červené.

JEDNODUCHÁ SNĚHOVÁ VLOČKA

VĚDĚT:
Úhly 45 a 90 stupňů, opakování, rotační symetrie

ROZUMĚT:
• Žádné dvě sněhové vločky nejsou stejné
• Různé velikosti objektů při jejich kreslení vytvářejí zajímavost a hloubku
Volitelné: Ve výtvarném umění je ohniskem zájmu určitá část uměleckého díla

UDĚLAT:
• Podle uvedených kroků vytvořte originální design sněhové vločky se zaměřením na rotační symetrii
• Žák zkombinuje různé styly a velikosti sněhových vloček a vytvoří zimní scénu
Volitelně: Přidejte ústřední bod pomocí minimální barvy (barevné tužky) na jedno nebo dvě místa scény, abyste vytvořili zajímavost

SLOVÍČKA:
Ústřední bod - část kompozice uměleckého díla, na kterou se soustředí zájem nebo pozornost. Ústřední bod může být nejzajímavější z několika důvodů: může na něj být kladen formální důraz, jeho význam může být kontroverzní, nesourodý nebo jinak přesvědčivý.

Rotační symetrie - Objekt, který vypadá stejně po určitém kruhovém pohybu kolem středu tohoto objektu

Symetrie - Objekt, který je z obou stran stejný

1. Použijte pravítko a nakreslete symetrický kříž.

2. Přes kříž nakreslete menší písmeno "X".

3. Nakreslete čáru přes každý konec kříže a čáry "X".

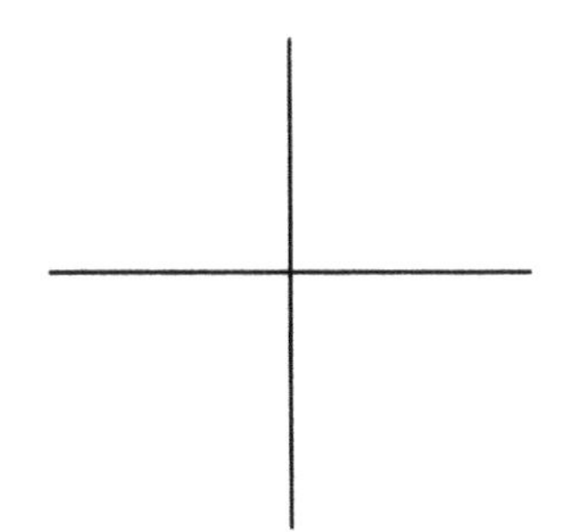

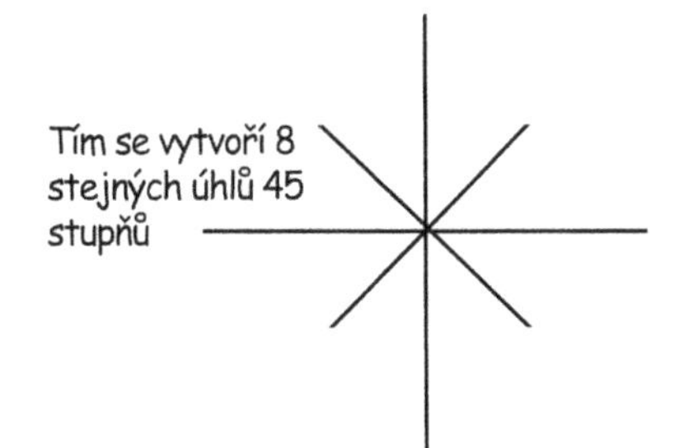

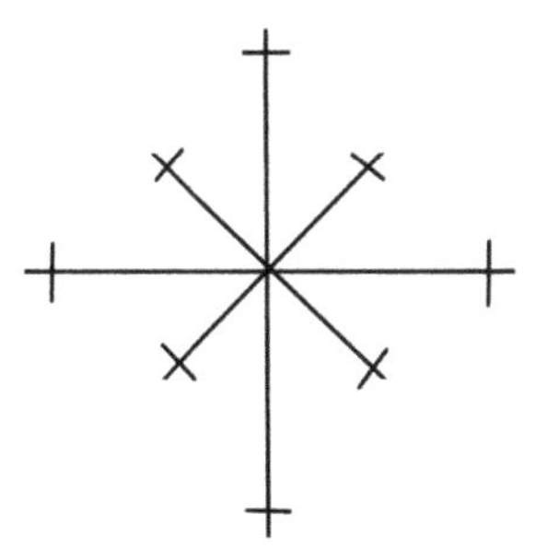

4. Nakreslete malé kolečko na konci každé čáry "X".

5. Přidejte druhou, delší čáru přes konce křížku a čáry "X".

6. Přidejte malý kruh uprostřed

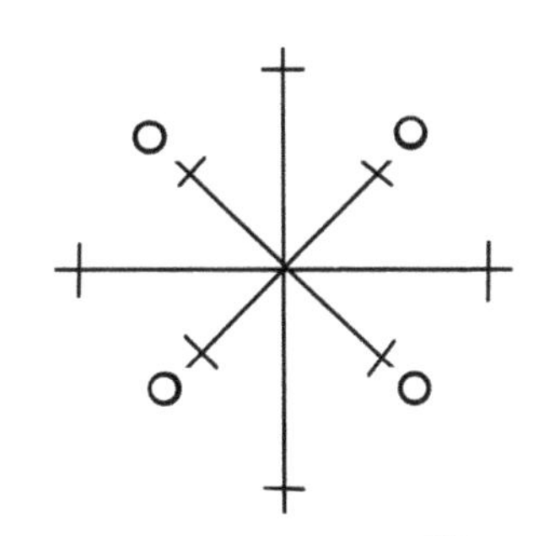

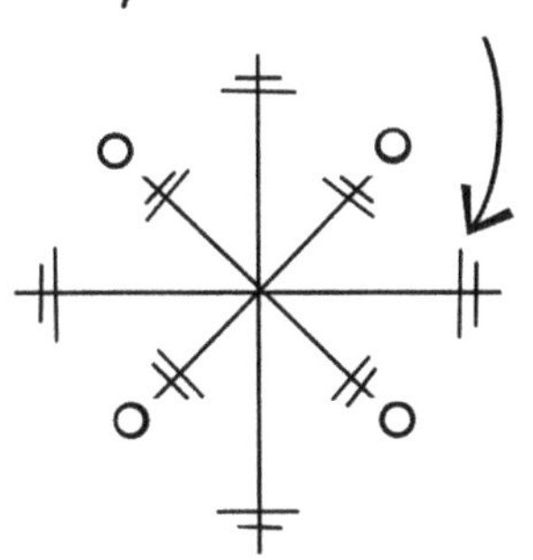

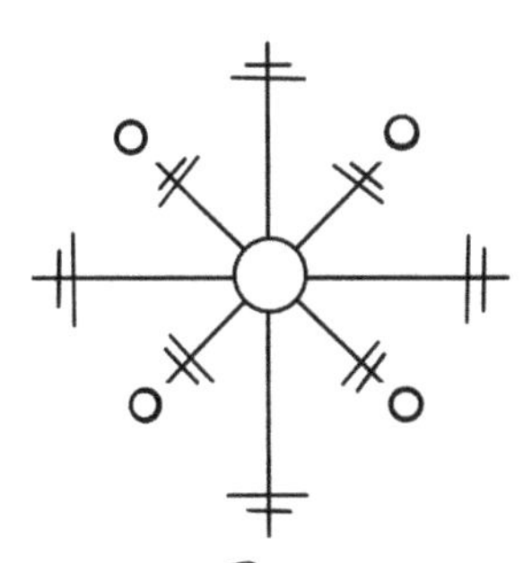

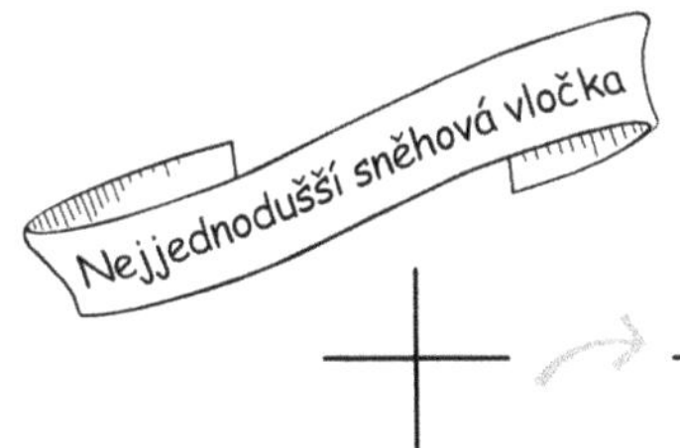

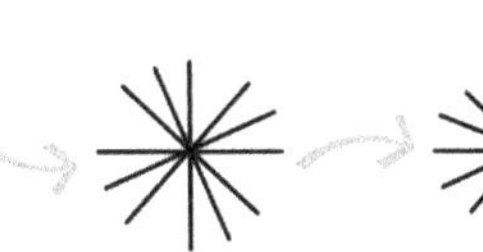

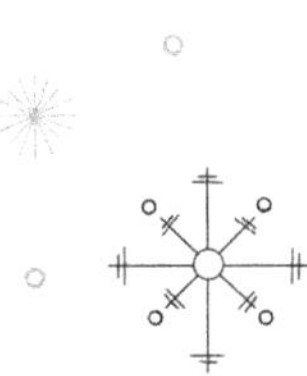

Kapitola 5

KRESLENÁ ZVÍŘATA

VĚDĚT:

Pomocí uvedených kroků můžete vytvořit téměř jakoukoli originální kreslenou bytost

ROZUMĚT:

Základní, obecné kroky, které lze změnit nebo doplnit, aby vznikla ORIGINÁLNÍ kreslená postava

UDĚLAT:

Vytvořte čelní a boční pohled na postavu, která není na obrázku. Použijte svou fantazii a přidejte spoustu "doplňků".

SLOVÍČKA:

Karikatura - Obvykle jednoduchá kresba, která má lidi přimět k zamyšlení, rozzlobit, rozesmát nebo jinak pobavit. Karikatura má obvykle jednoduché linie, používá základní barvy a vypráví příběh v jednom nebo sérii obrázků zvaných rámečky nebo panely.

Originál - Jakékoli dílo považované za autentickou ukázku umělcova díla, nikoli za reprodukci nebo napodobeninu

Podle těchto pokynů si můžete vytvořit čelní pohled na téměř jakéhokoli tvora z kartonu!

Výrazné Oči

Start → Stín → Přidejte 2 kruhové tváře → Přidejte 2 oválné oči → Dejte očím "výraz"

Podle následujících kroků vytvoříte boční pohled na téměř jakoukoli kreslenou bytost.

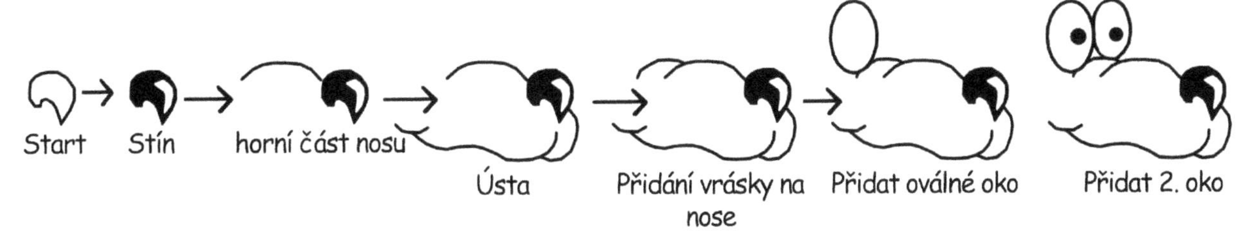

KACHNÍ RODINA

VĚDĚT:

- Jak vytvořit pocit hloubky v uměleckém díle
- Jak z několika jednoduchých tvarů a jejich kombinací vytvořit rozpoznatelnou kachnu

ROZUMĚT:

- Překrývání a rozdíly ve velikosti a umístění objektů ve scéně mohou pomoci dosáhnout iluze hloubky
- Linie, tvary, textury a stíny mohou být nakresleny tak, aby naznačovaly pocit pohybu v uměleckém díle

UDĚLAT:

Vytvoření originálního uměleckého díla kachní rodinky zahrnujícího alespoň 1 velkou kachnu, 4 malé kachny a vodní vlny, které znázorňují pohyb v krajině

SLOVÍČKA:

Krajina - Umělecké dílo, které zobrazuje krajinu. Obvykle je ve scéně obloha.
Perspektiva - Technika používaná k vytvoření iluze 3D na 2D ploše. Perspektiva pomáhá vytvářet pocit hloubky nebo vzdalujícího se prostoru.

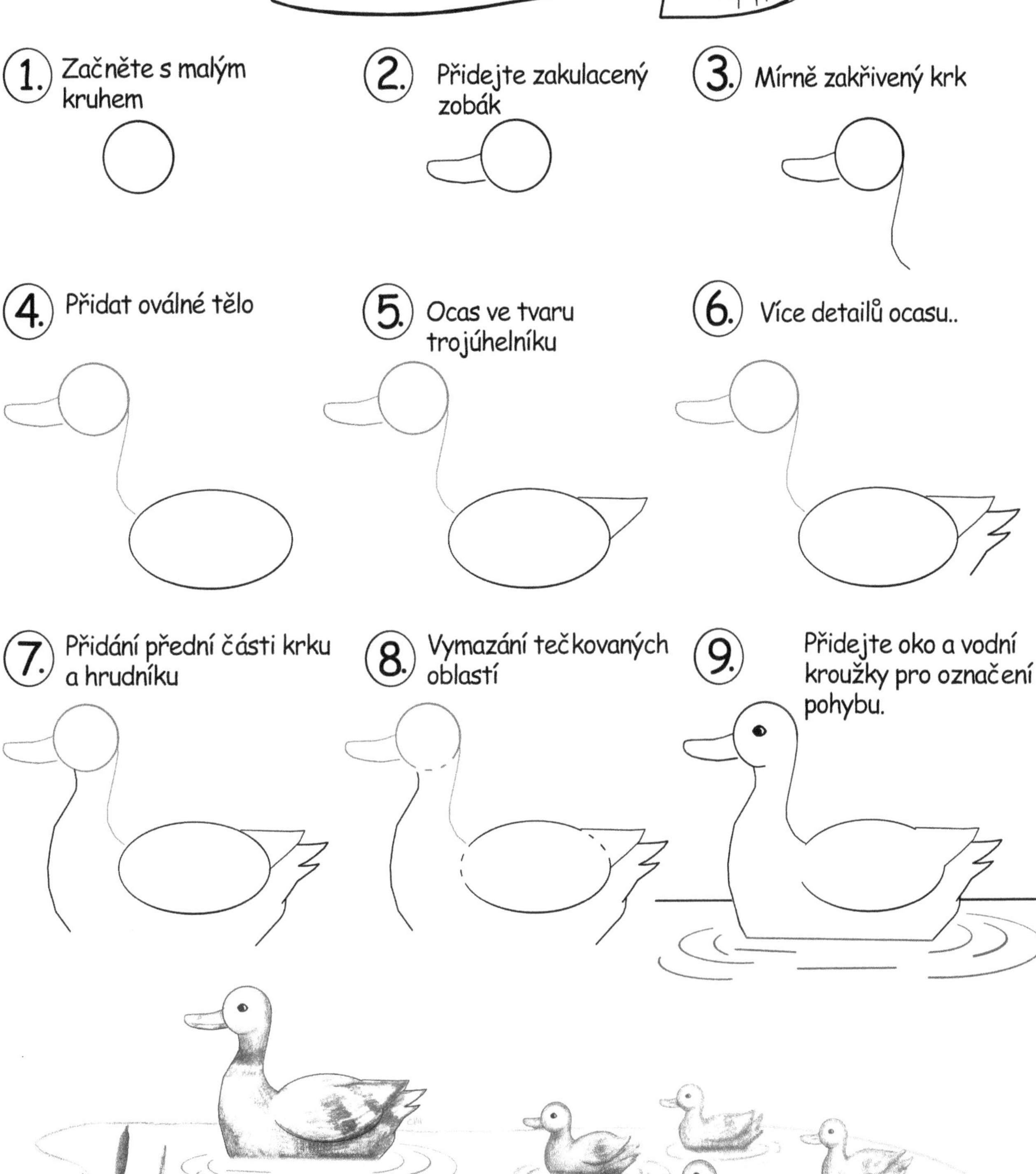

Zadání:

Nakreslete 1 velkou kachnu a 4 menší kachny v rybníce

KRÁLÍČEK

VĚDĚT:
Textura

ROZUMĚT:
Techniky, které umělec používá, aby v uměleckém díle ukázal, jak něco může působit nebo z čeho se skládá

UDĚLAT:
Vytvořte originální umělecké dílo králíčka s "chlupatou" texturou a krátkými šrafovanými čarami. Vystínujte.

SLOVÍČKA:
Šrafování - Úzce rozmístěné rovnoběžné čáry
Textura - Způsob, jakým něco vypadá v uměleckém díle. Simulované textury navrhuje umělec různými tahy štětce, liniemi tužky atd.

Mezi slova popisující různé textury patří: plochý, hladký, lesklý, lesklý, třpytivý, sametový, péřový, měkký, mokrý, mazlavý, chlupatý, písečný, kožovitý, popraskaný, pichlavý, drsný, chlupatý, hrbolatý, zvlněný, nadýchaný, rezavý, slizký atd.

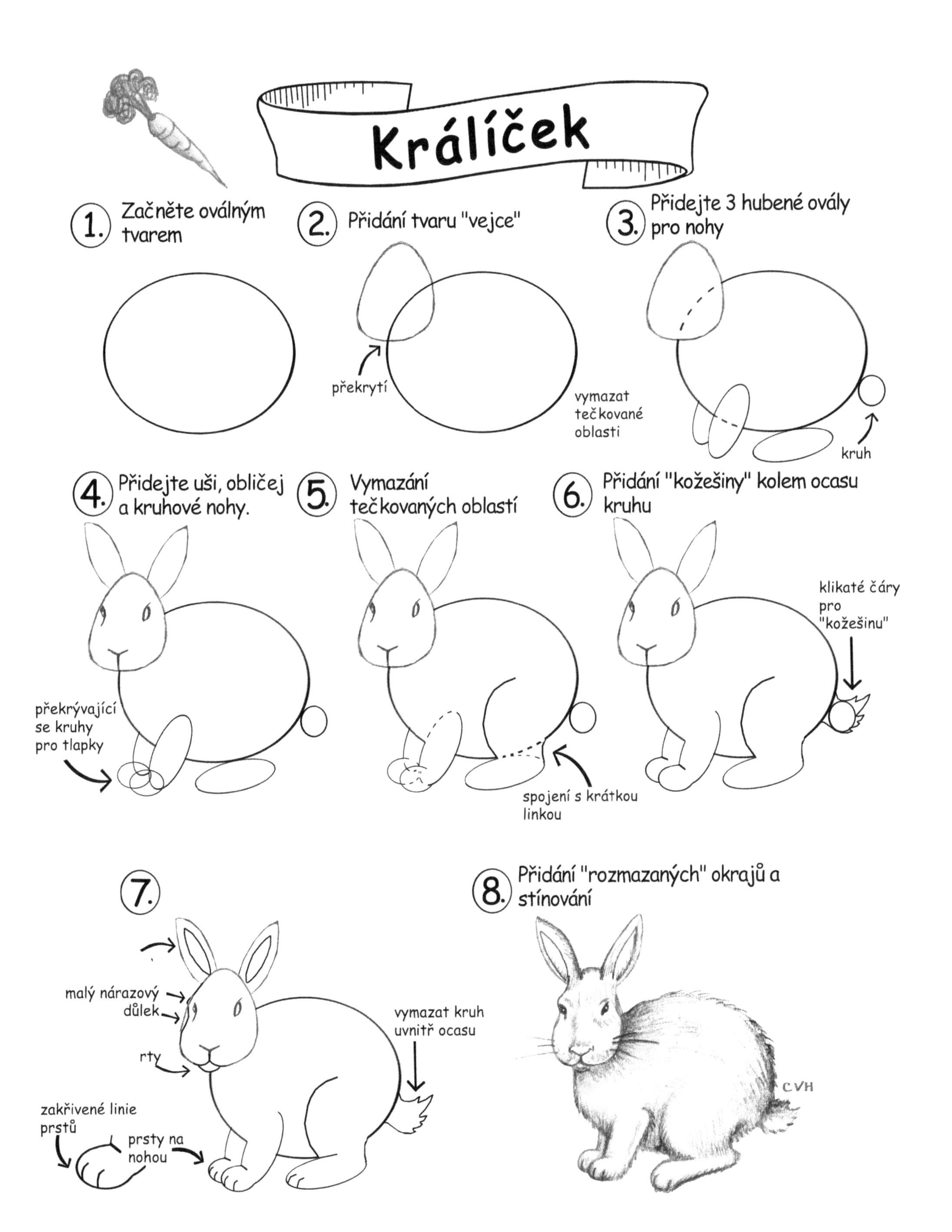
Králíček
1. Začněte oválným tvarem
2. Přidání tvaru "vejce"
překrytí
vymazat tečkované oblasti
3. Přidejte 3 hubené ovály pro nohy
kruh
4. Přidejte uši, obličej a kruhové nohy.
překrývající se kruhy pro tlapky
5. Vymazání tečkovaných oblastí
spojení s krátkou linkou
6. Přidání "kožešiny" kolem ocasu kruhu
klikaté čáry pro "kožešinu"
7.
malý nárazový důlek
rty
vymazat kruh uvnitř ocasu
zakřivené linie prstů
prsty na nohou
8. Přidání "rozmazaných" okrajů a stínování
CVH

NAKRESLETE TUČŇÁKA

VĚDĚT:

• Kombinací jednoduchých tvarů lze vytvořit složitější objekty
• Přidáním dalších prvků do kresby můžete vytvořit zajímavost, vyprávět příběh a detail (viz kapitola "Perspektiva", kde najdete návod na ledovec)

ROZUMĚT:

Překrývání a vrstvení položek pomáhá vytvářet pocit hloubky a realističnosti

UDĚLAT:

Vytvořte originální umělecké dílo tučňáka podle uvedených kroků. Umístěte ho "na vrchol" ledovce a umístěte ho do scény

SLOVÍČKA:

Detail - Část celku. Výrazný rys předmětu nebo scény, který je nejzřetelněji vidět zblízka.
Vrstva - Něco, co je umístěno na jiném povrchu
Překrytí - Když jedna věc leží na něčem jiném a částečně ho zakrývá

Nakreslete Tučňáka

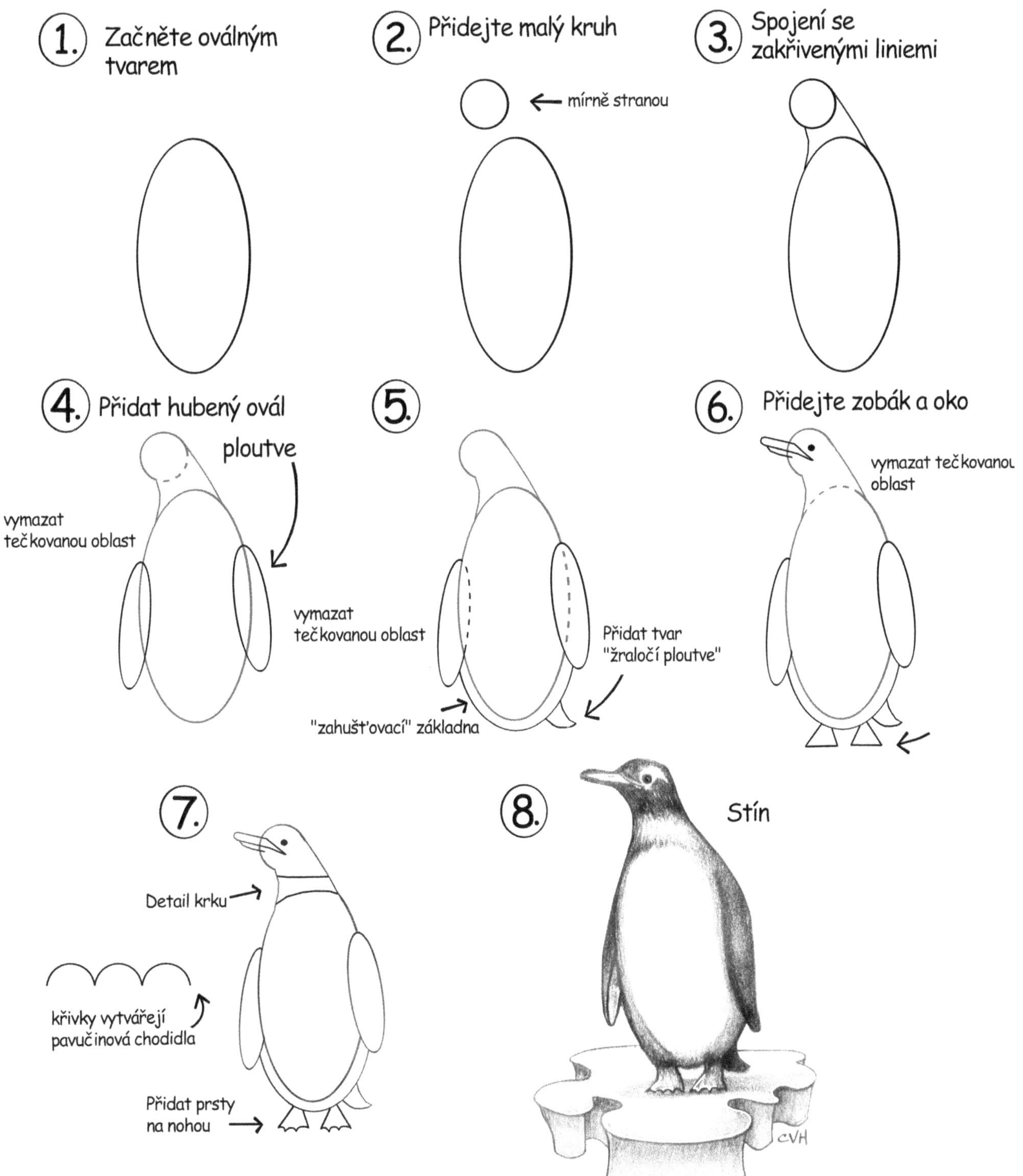
1. Začněte oválným tvarem
2. Přidejte malý kruh
mírně stranou
3. Spojení se zakřivenými liniemi
4. Přidat hubený ovál
ploutve
vymazat tečkovanou oblast
vymazat tečkovanou oblast
5.
Přidat tvar "žraločí ploutve"
"zahušťovací" základna
6. Přidejte zobák a oko
vymazat tečkovanou oblast
7.
Detail krku
křivky vytvářejí pavučinová chodidla
Přidat prsty na nohou
8.
Stín
CVH

KRESLENÍ KŘÍDEL

VĚDĚT:
Symetrie a asymetrie

ROZUMĚT:
Vyváženost pomáhá vytvářet zajímavost nebo design uměleckého díla. Symetrie a asymetrie představují dva druhy rovnováhy.

UDĚLAT:
- Procvičte si symetrii nakreslením tvora s křídly, která mají na obou stranách stejný tvar, s využitím uvedených nápadů

NEBO

- Procvičte si asymetrii nakreslením tvora s křídly, která jsou na obou stranách v různých polohách, s využitím uvedených nápadů
- Přidejte "doplňky", jako je svatozář, rohy nebo vidle

SLOVÍČKA:
Asymetrie - Objekt je na obou stranách odlišný
Vyváženost - Princip designu, vyváženost se týká způsobu, jakým jsou umělecké prvky uspořádány, aby vytvářely pocit stability díla
Symetrie - Jedna strana objektu je stejná jako druhá

Kreslení křídel

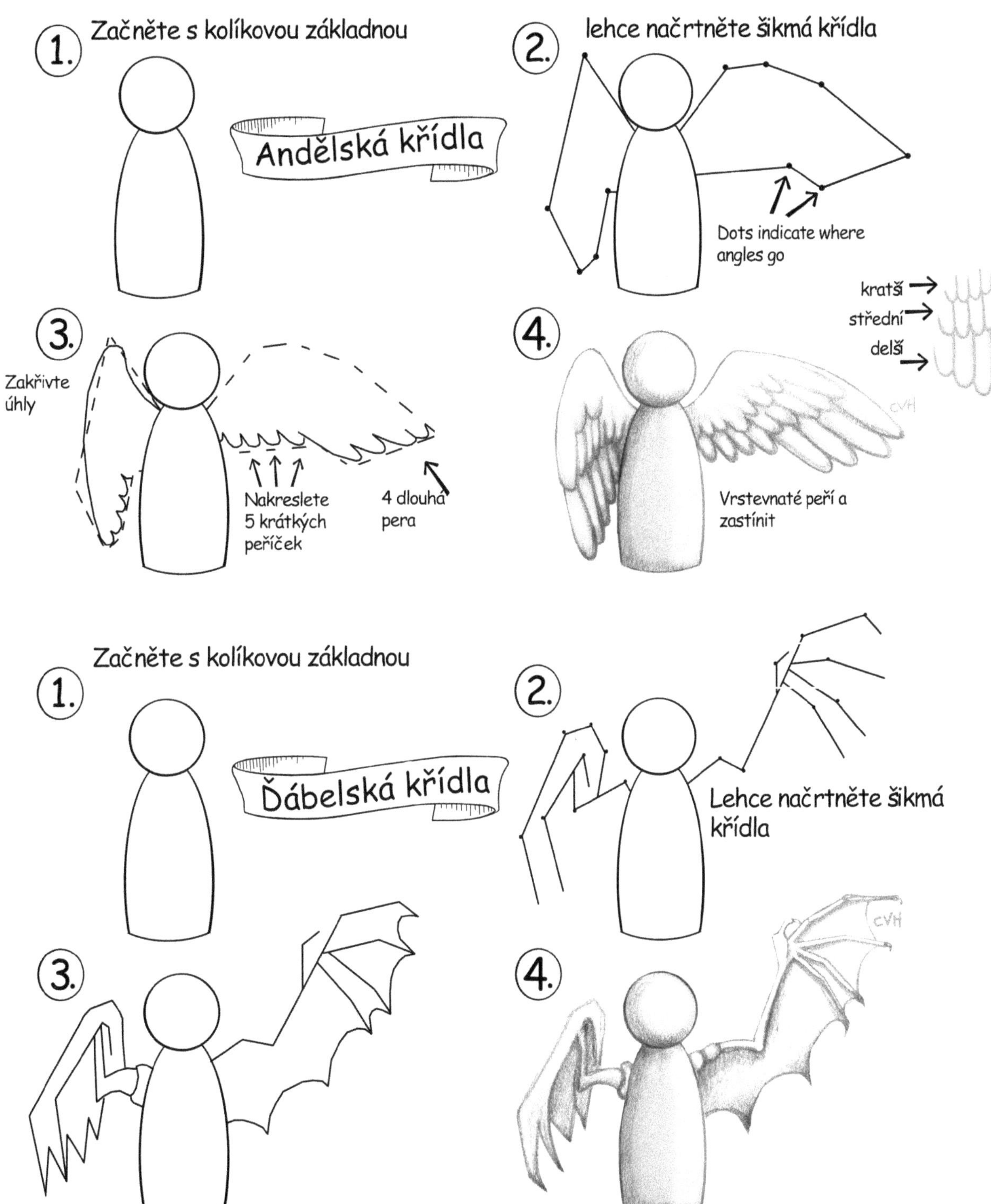
1.
Začněte s kolíkovou základnou
Andělská křídla
2.
lehce načrtněte šikmá křídla
Dots indicate where angles go
3.
Zakřivte úhly
Nakreslete 5 krátkých peříček
4 dlouhá pera
4.
kratší
střední
delší
Vrstevnaté peří a zastínit
CVH
1.
Začněte s kolíkovou základnou
Ďábelská křídla
2.
Lehce načrtněte šikmá křídla
3.
4.
CVH

PTÁCI V LETU

VĚDĚT:
Silueta a obrys

ROZUMĚT:
- Siluety mají detailní obrysy, ale uvnitř nemají žádné detaily - jen jednolitý barevný blok.
- Jak vytvořit rozpoznatelnou siluetu

UDĚLAT:
Vytvořte originální krajinnou scénu se zaměřením na alespoň 3 siluety ptáků v letu. Ujistěte se, že je u každého ptáka detailní obrys včetně detailů peří, hlavy, těla nebo ocasu.

TIP: Vaše silueta byla nakreslena dobře, pokud ostatní lidé vidí, co to je!!

SLOVÍČKA:
Obrys - obrys a další viditelné hrany nakresleného objektu
Silueta - detailní obrys vyplněný plnou barvou, obvykle černou na bílém podkladu, nejčastěji u portrétu

Ptáci v Letu

Silueta je detailní obrys

Níže jsou uvedeny tři ukázky mnoha typů siluet ptáků, které můžete nakreslit.

1. Začněte širokým tvarem písmene "V"

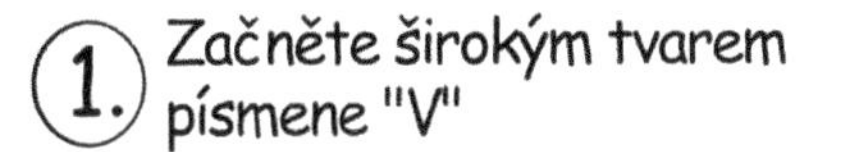

2. Přidejte malé kolečko do středu spodního písmene "V".

3. Přemýšlejte o písmenu "V" a přidejte malý trojúhelníkový ocásek.

4. Vyplňte jednobarevnou barvou a přidejte na okraje křídel detail "peří".

1. Začněte širokým tvarem písmene "W"

2. "zahustit" písmeno "W"

3. Přidejte kruhovou hlavu a trojúhelníkový ocas

4. Vyplnění pevných ploch a přidání detailů peří

1. Začněte širokým tvarem písmene "V"

2. Přemýšlejte o písmenu "V" a uzavřete strany šikmými čarami.

3. Přidání tvaru žraločí ploutve na hlavě a trojúhelníkového ocasu

4. Vyplnění pevných ploch a přidání detailů peří

NAKRESLETE PITBULLA

VĚDĚT:
Kombinací jednoduchých tvarů lze vytvořit složitější objekty

ROZUMĚT:
Každý složitý objekt lze zjednodušit na řadu propojených geometrických a organických tvarů

UDĚLAT:
Vytvořte originální umělecké dílo psa plemene pitbull. Pomocí obrysových čar a stínování naznačte svalové pruhy. Stínujte.

SLOVÍČKA:
Komplexní - Způsob, jakým se kombinují prvky umění, aby se vytvořily složité a komplikované vztahy. Obraz složený z mnoha tvarů různých barev, velikostí a textur by se nazýval složitý.
Obrysové linie - Obrys a další viditelné hrany hmoty, postavy nebo předmětu

Nakreslit Pitbulla

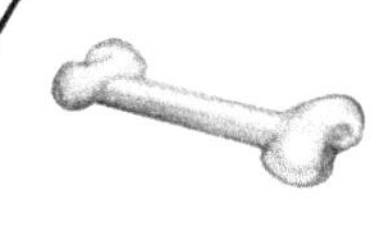

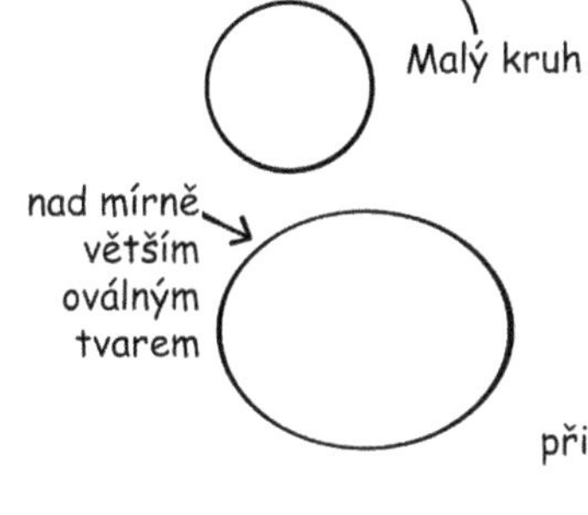

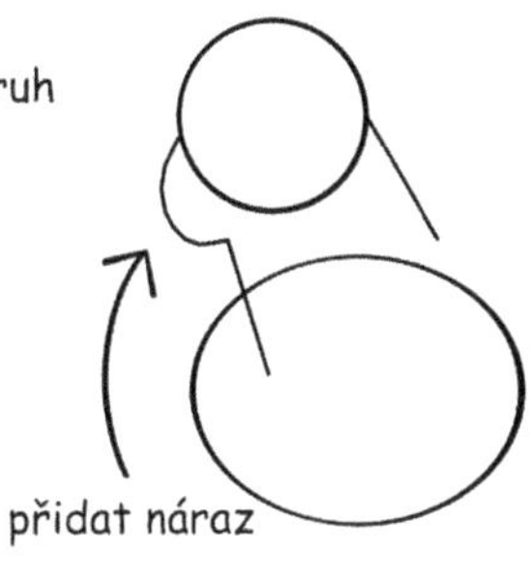

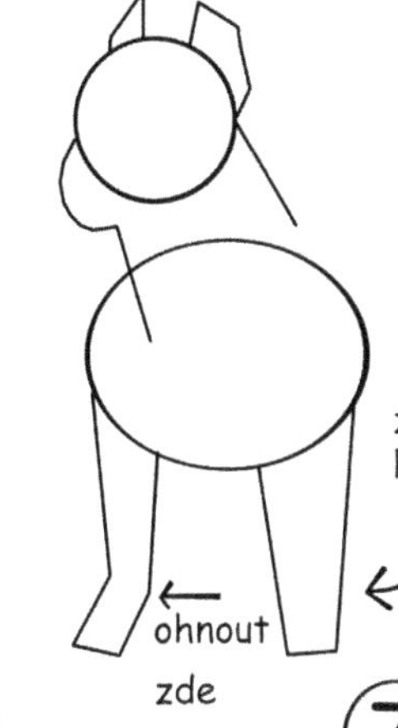

4. Vymazání tečkovaných oblastí

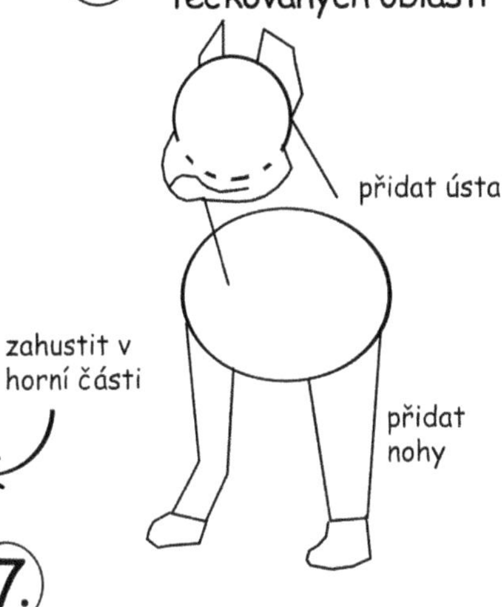

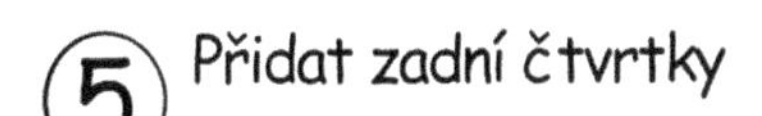

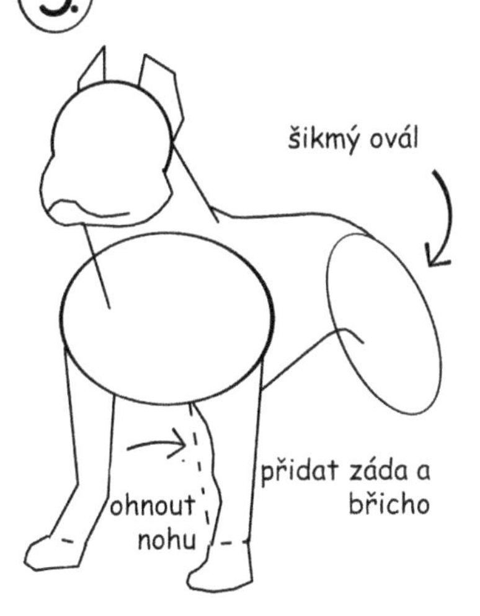

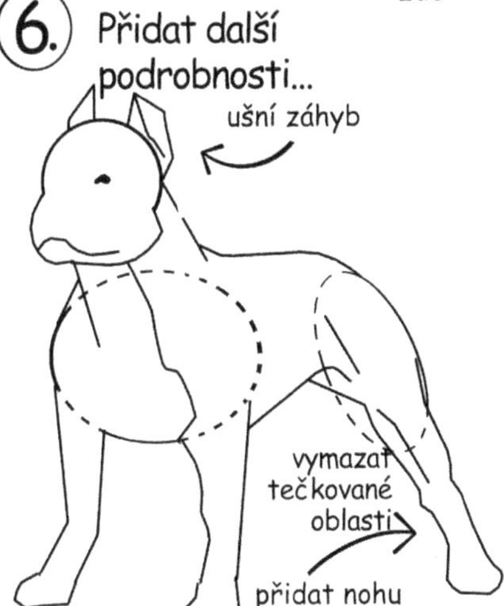

7.

8.

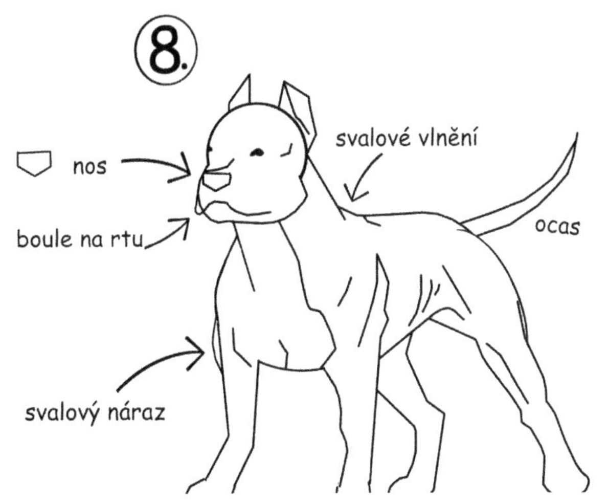

9.

V PSÍ BOUDĚ

VĚDĚT:
Jednoduché kroky k vytvoření ¾ pohledu na dům

ROZUMĚT:
Jeden ze způsobů, jak vytvořit vzhled 3D domu v perspektivě ¾ pohledu

UDĚLAT:
Vytvořte originální panelovou psí boudu v krajinné scéně zobrazující perspektivu. Přidejte psa podle vlastního výběru a vystínujte.

SLOVÍČKA:
Krajina - umělecké dílo, které zobrazuje krajinu. Obvykle je ve scéně obloha
Perspektiva - Iluze 3D na 2D ploše, která vytváří pocit hloubky a vzdalujícího se prostoru
Tříčtvrteční (3/4) pohled - Pohled na obličej nebo jiný předmět, který je v polovině vzdálenosti mezi plným a bočním pohledem

V Psí Boudě

1. Začněte třemi svislými čarami

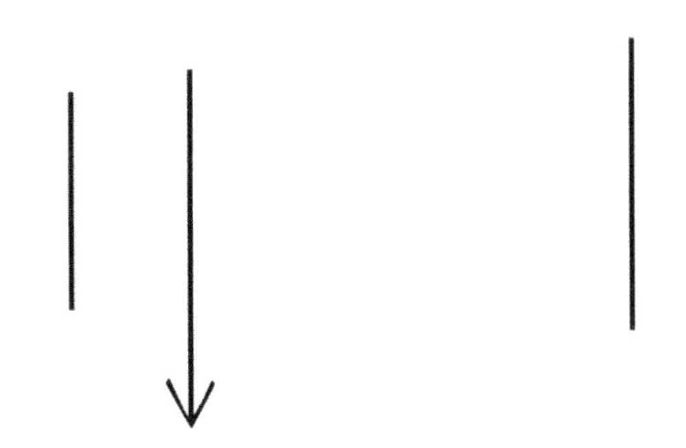

2. Spojte je nahoře a dole

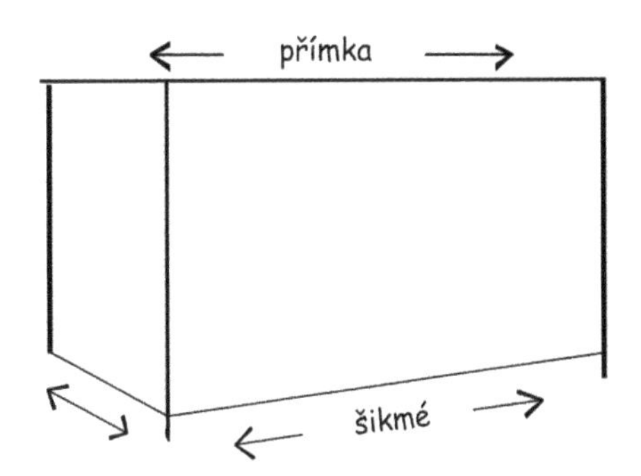

3. Nakreslete šipku směřující vzhůru

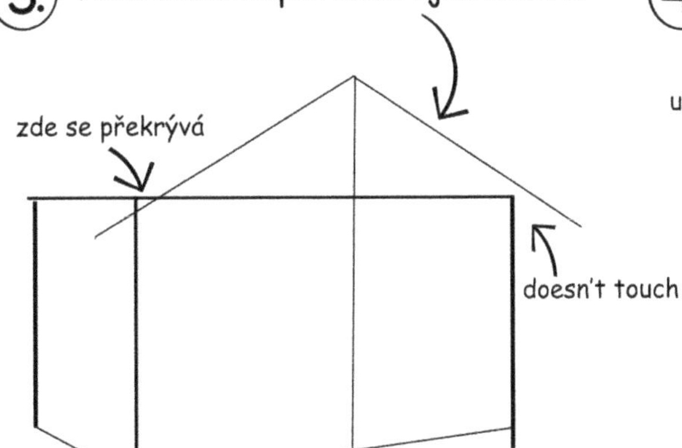

4. Přidat "tloušťku" střechy

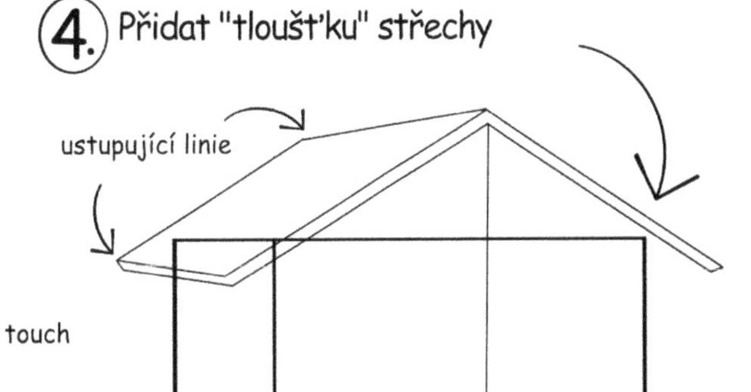

5.

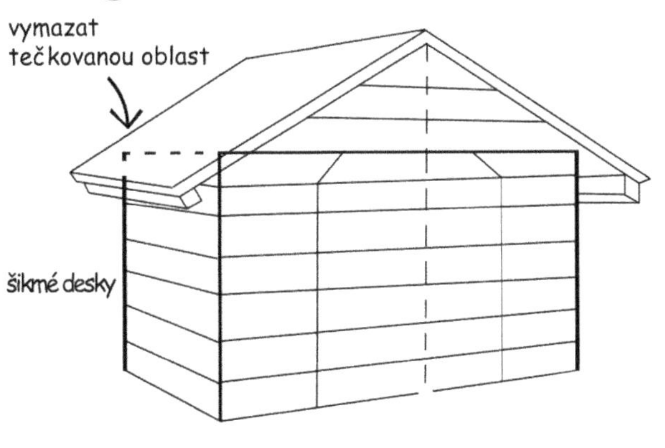

6. Přidejte psa a stín

LVÍ HLAVA

VĚDĚT:
Postup při vytváření hlavy lva

ROZUMĚT:
• Jednoduchá mřížka může pomoci při kreslení proporcionálního lvího obličeje
• Techniky, které umělec používá, aby v uměleckém díle ukázal, jak něco může působit nebo z čeho se skládá

UDĚLAT:
Procvičte si kreslení hlavy lva podle uvedených kroků. Naznačte strukturu hřívy pomocí řady zakřivených čar. Vystínujte.

SLOVÍČKA:
Mřížka - Rámec nebo vzor zkřížených nebo rovnoběžných čar, který lze použít jako vodítko pro umístění nakreslených objektů
Proporce - Srovnatelná velikost a umístění jedné části vůči druhé
Textura - Způsob, jakým něco vypadá, jak by to mohlo působit v uměleckém díle

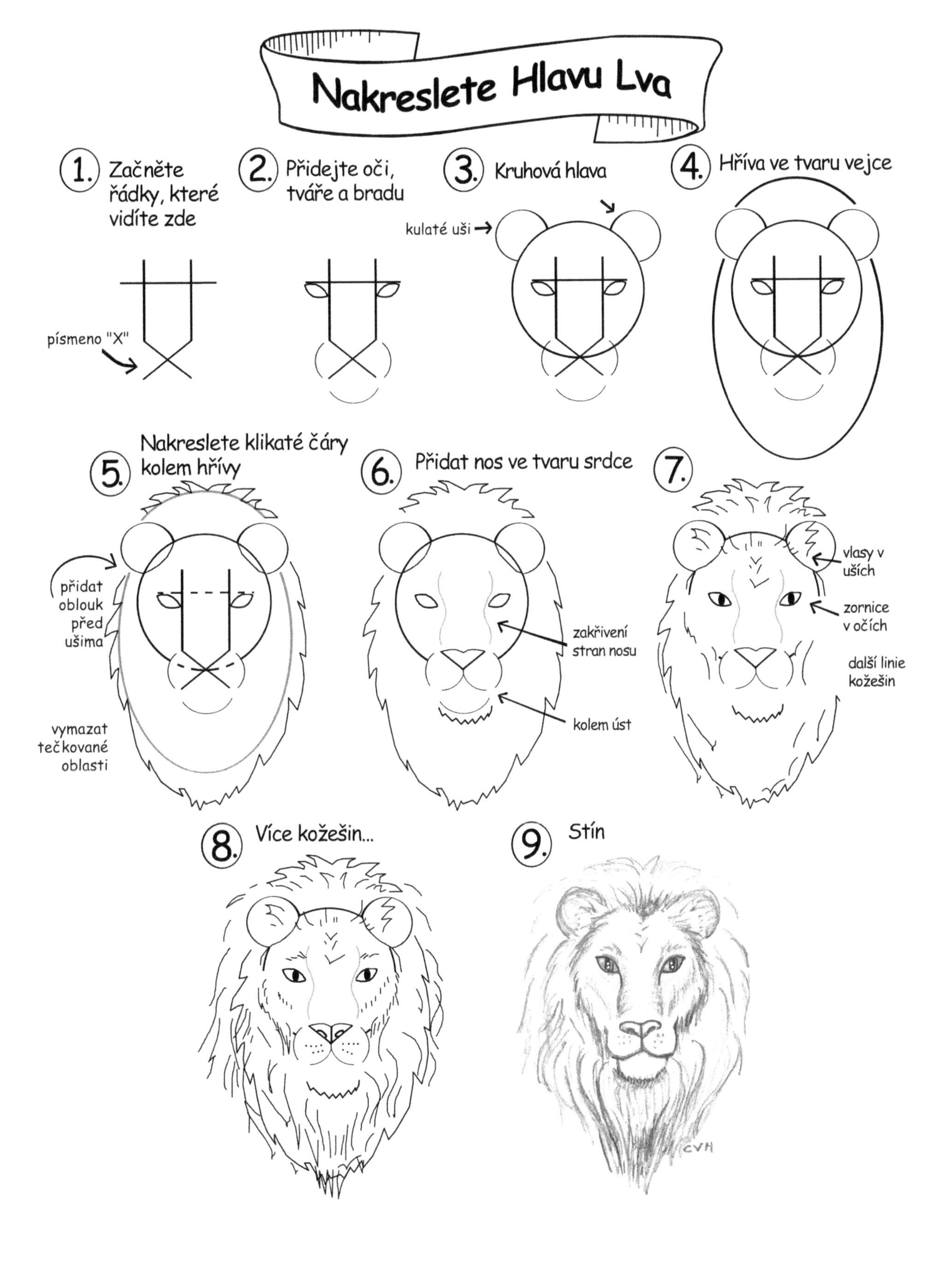
Nakreslete Hlavu Lva
1. Začněte řádky, které vidíte zde
písmeno "X"
2. Přidejte oči, tváře a bradu
3. Kruhová hlava
kulaté uši
4. Hříva ve tvaru vejce
5. Nakreslete klikaté čáry kolem hřívy
přidat oblouk před ušima
vymazat tečkované oblasti
6. Přidat nos ve tvaru srdce
zakřivení stran nosu
kolem úst
7.
vlasy v uších
zornice v očích
další linie kožešin
8. Více kožešin...
9. Stín
CVH

KRAVSKÁ LEBKA

VĚDĚT:
Kombinací jednoduchých tvarů lze vytvořit složitější objekty

ROZUMĚT:
Kombinování jednoduchých tvarů ve vrstvách, jejich spojování čarami a vymazávání vnitřků je trik, který umělci používají k vytvoření podoby

UDĚLAT:
- Procvičování rozkládání předmětů na jednoduché tvary tím, že se rozhlédnete po místnosti a vizuálně je zjednodušíte
- Postupujte podle uvedených kroků a vytvořte si vlastní verzi kravské lebky

SLOVÍČKA:
Kombinovat - Dva nebo více objektů spojených dohromady
Vrstva - Něco, co je umístěno na jiném povrchu

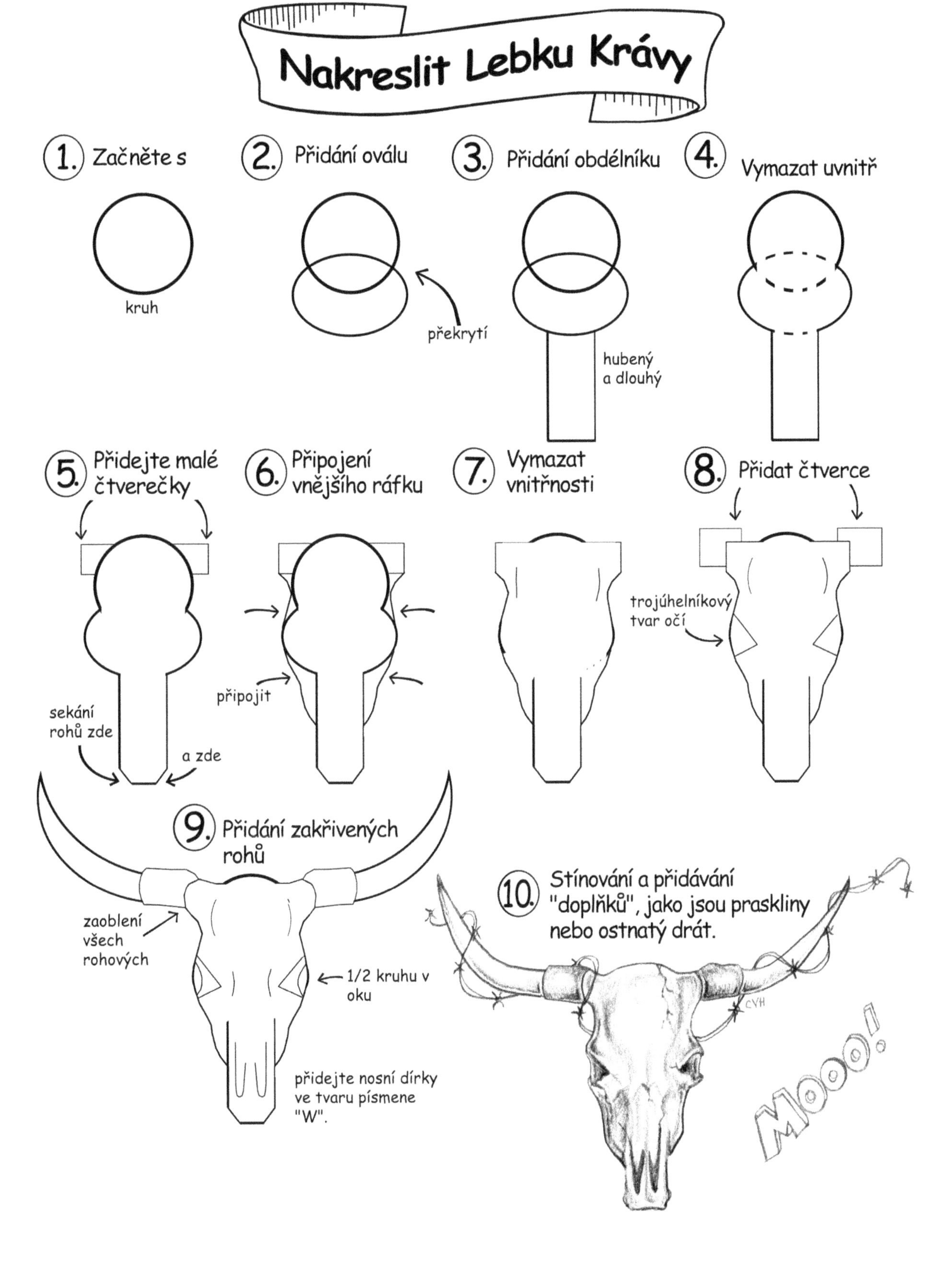
Nakreslit Lebku Krávy
1. Začněte s
kruh
2. Přidání oválu
překrytí
3. Přidání obdélníku
hubený a dlouhý
4. Vymazat uvnitř
5. Přidejte malé čtverečky
sekání rohů zde
a zde
6. Připojení vnějšího ráfku
připojit
7. Vymazat vnitřnosti
8. Přidat čtverce
trojúhelníkový tvar očí
9. Přidání zakřivených rohů
zaoblení všech rohových
1/2 kruhu v oku
přidejte nosní dírky ve tvaru písmene "W".
10. Stínování a přidávání "doplňků", jako jsou praskliny nebo ostnatý drát.
CVH
MOOO!

NAKRESLETE KOBRU

VĚDĚT:
Kombinací jednoduchých tvarů lze vytvořit složitější objekty

ROZUMĚT:
Přidáním obrysových čar "obtékáním" trubek získáte vzhled detailů a 3D

UDĚLAT:
- Postupujte podle uvedených kroků a vytvořte si vlastní verzi stočeného hada kobry
- Vystínujte

SLOVÍČKA:
Obrysové linie - Obrysové nebo vnitřní detailní linie objektu, které ukazují tvar
Objem - Označuje prostor uvnitř tvaru

Nakreslete Kobru

1. Malý kruh

2. Přidání linky na obočí

3. Přidání linie úst

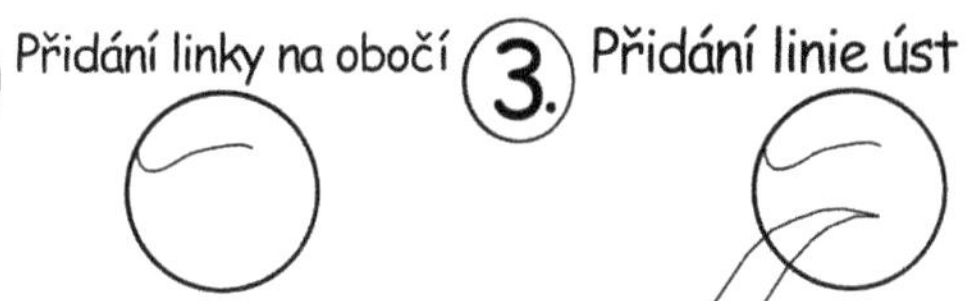

4. Přidat nos

5. Nakreslete obrácené písmeno "S"

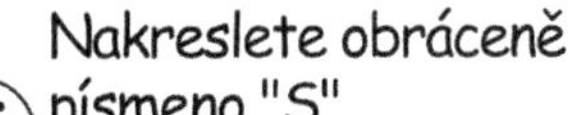

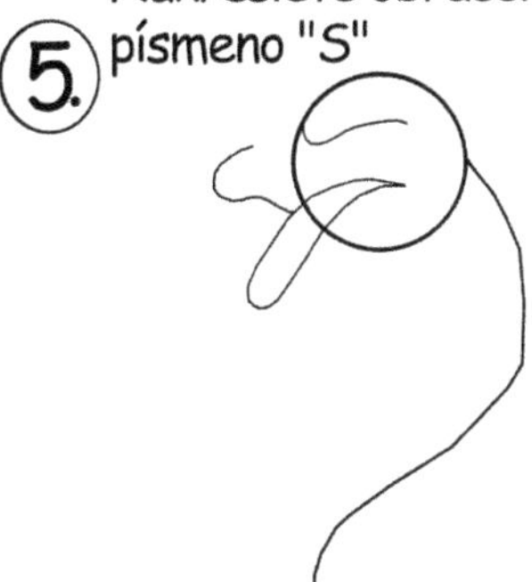

6. Linie úst

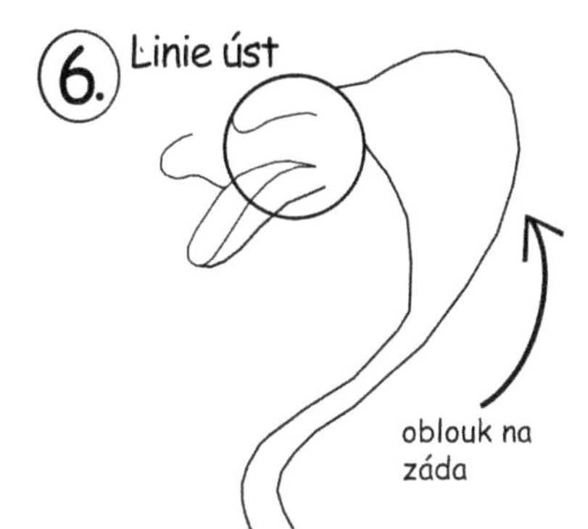

7. Přidat tesáky

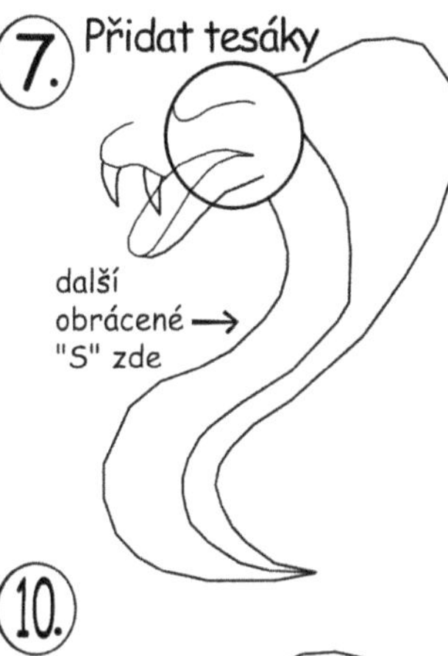

8. Vymazání tečkované oblasti

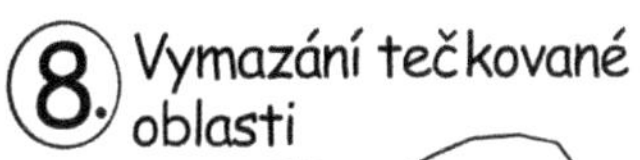

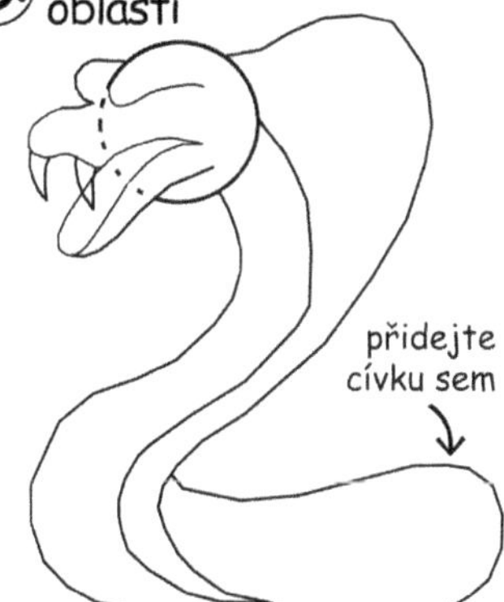

9. Přidat zpět

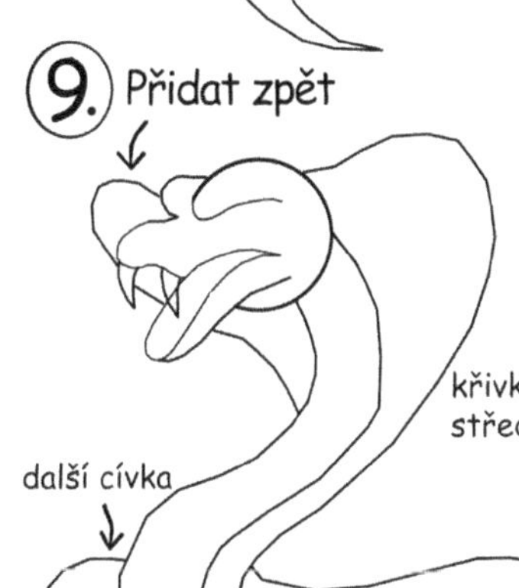

10.

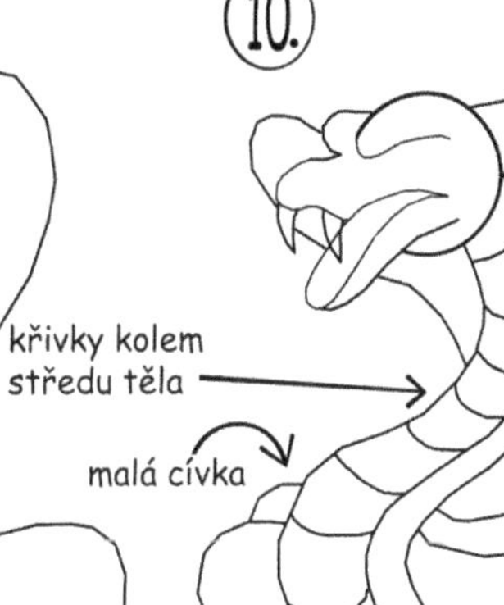

11.

dokončit oko,
přidat jazyk a
nosní dírky

12.

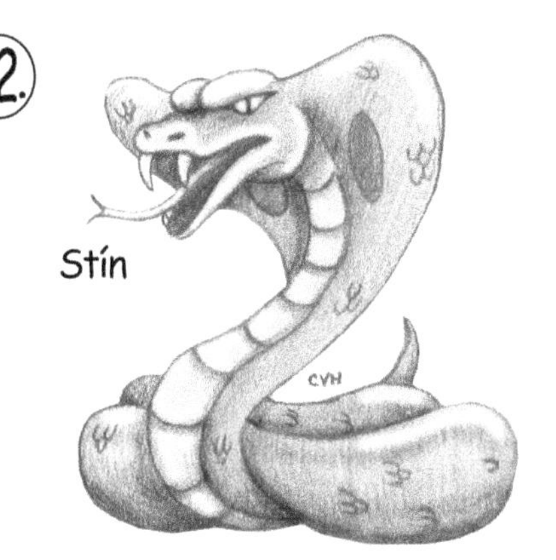

Stín

LEZECÍ TIGER

VĚDĚT:

- Překrývání, vrstvení, vzor

ROZUMĚT:

Vrstvení jednoduchých tvarů může být prvním krokem k vytvoření složitých forem

UDĚLAT:

Podle uvedených pokynů vytvořte horolezeckého tygra. Vytvořte mu originální pruhovaný vzor, který se bude "vinout" kolem jeho těla. "Ovinutí" naznačuje tvar. Vystínujte.

SLOVÍČKA:

Vrstvení - Umístění něčeho přes jiný povrch nebo předmět
Překrývání - Když jedna věc leží přes a částečně zakrývá něco jiného
Vzor - Opakování tvarů, linií nebo barev v designu

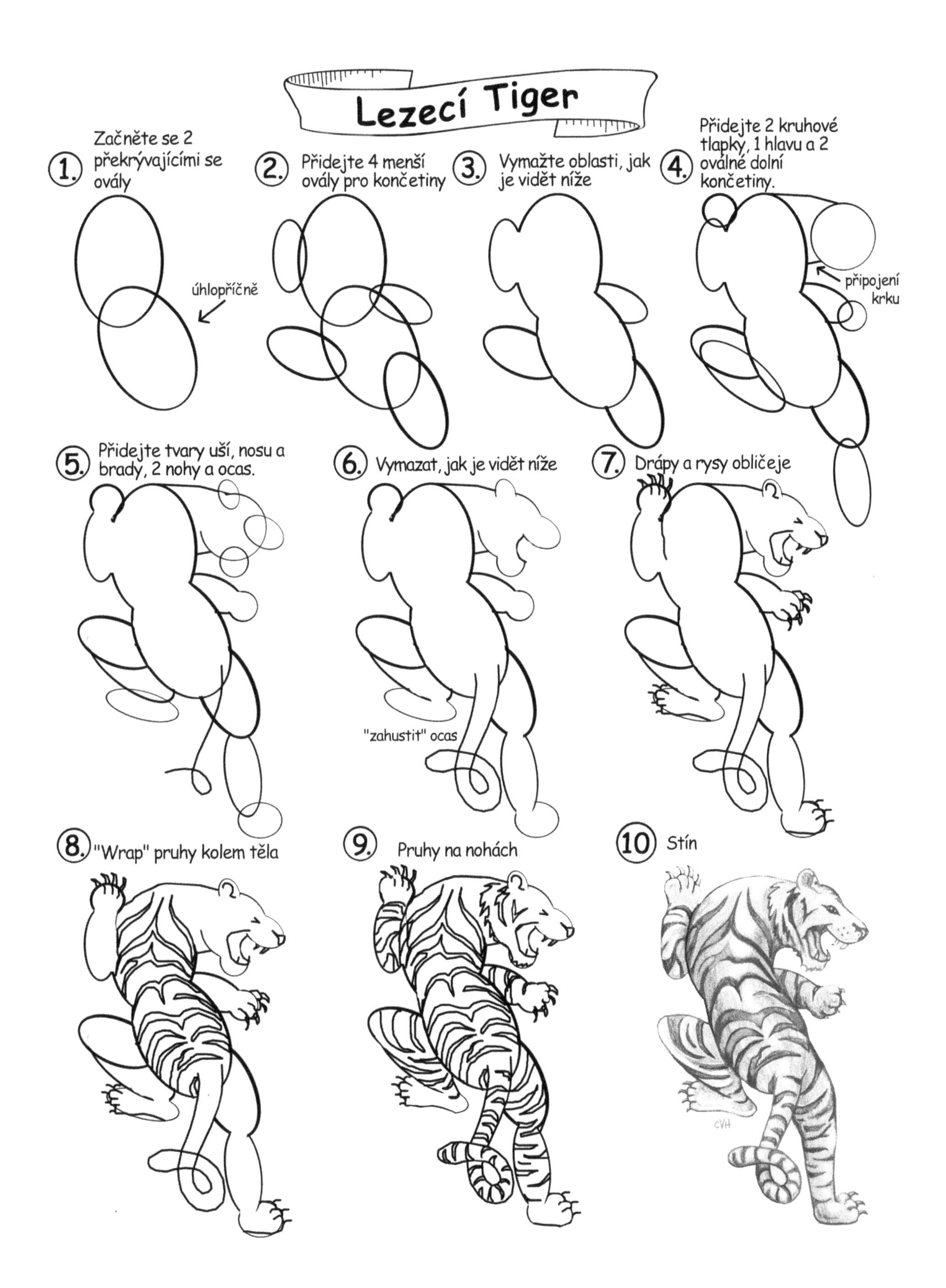
Lezecí Tiger
1. Začněte se 2 překrývajícími se ovály
úhlopříčně
2. Přidejte 4 menší ovály pro končetiny
3. Vymažte oblasti, jak je vidět níže
4. Přidejte 2 kruhové tlapky, 1 hlavu a 2 oválné dolní končetiny.
připojení krku
5. Přidejte tvary uší, nosu a brady, 2 nohy a ocas.
6. Vymazat, jak je vidět níže
"zahustit" ocas
7. Drápy a rysy obličeje
8. "Wrap" pruhy kolem těla
9. Pruhy na nohách
10 Stín
cVH

DRAK

VĚDĚT:
Obrysové čáry, Překrývání, Vzor, Stylizace

ROZUMĚT:
Jak začít s jednoduchou spirálovitou linií a pokračovat v ní, dokud se z ní nestane jedinečné umělecké dílo představující draka

UDĚLAT:
- Při vytváření stylizovaného draka postupujte podle uvedených kroků
- Použití vzorových a obrysových čar k zobrazení detailů a tvarů
- Vystínujte

SLOVÍČKA:
Obrysové linie - Obrysové nebo vnitřní detailní linie objektu, které ukazují tvar
Překrývání - Když jedna věc leží přes a částečně zakrývá něco jiného
Vzor - Opakování tvarů, linií nebo barev v designu
Stylizace - Změna přirozených tvarů, forem, barev nebo textur s cílem vytvořit zobrazení v předem stanoveném stylu nebo způsobem, spíše než podle přírody nebo tradice

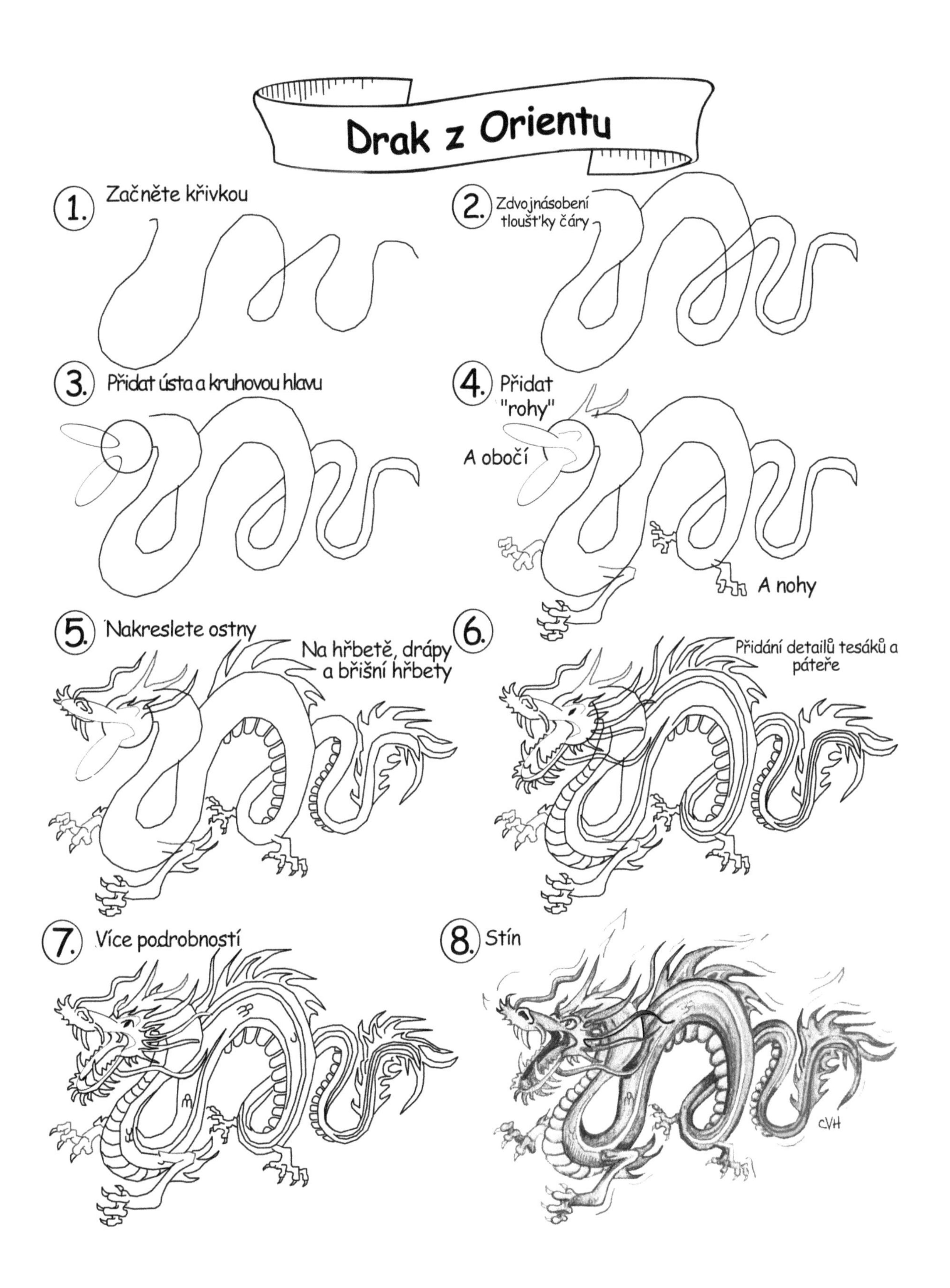
Drak z Orientu
1. Začněte křivkou
2. Zdvojnásobení tloušťky čáry
3. Přidat ústa a kruhovou hlavu
4. Přidat "rohy"
A obočí
A nohy
5. Nakreslete ostny
Na hřbetě, drápy a břišní hřbety
6. Přidání detailů tesáků a páteře
7. Více podrobností
8. Stín
CVH

Kapitola 6

Skvělé Věci

MODLÍCÍ SE RUCE

VĚDĚT:

- Symetrie organického tvaru

ROZUMĚT:

- Jak zobrazit realistické modlící se ruce pomocí obrysových linií, stínování a drobných detailů
- Jak rozložit organické tvary do jednoduchých, hranatých linií

UDĚLAT:

Vytvořte realistickou sadu modlících se rukou podle uvedených pokynů. Přidejte další doplňky, jako jsou růžencové korálky, pouta atd., abyste získali jedinečný vzhled. Nebojte se, že se budete snažit, aby byly ruce na obou stranách stejné - věci jsou v přírodě málokdy přesně symetrické. Vystínujte.

SLOVÍČKA:

Obrysové linie - obrysové nebo vnitřní detailní linie objektu, které ukazují tvar
Organický tvar - nepravidelný tvar, který se může vyskytovat v přírodě, spíše než mechanický nebo hranatý tvar
Symetrie - objekt, který je na obou stranách stejný

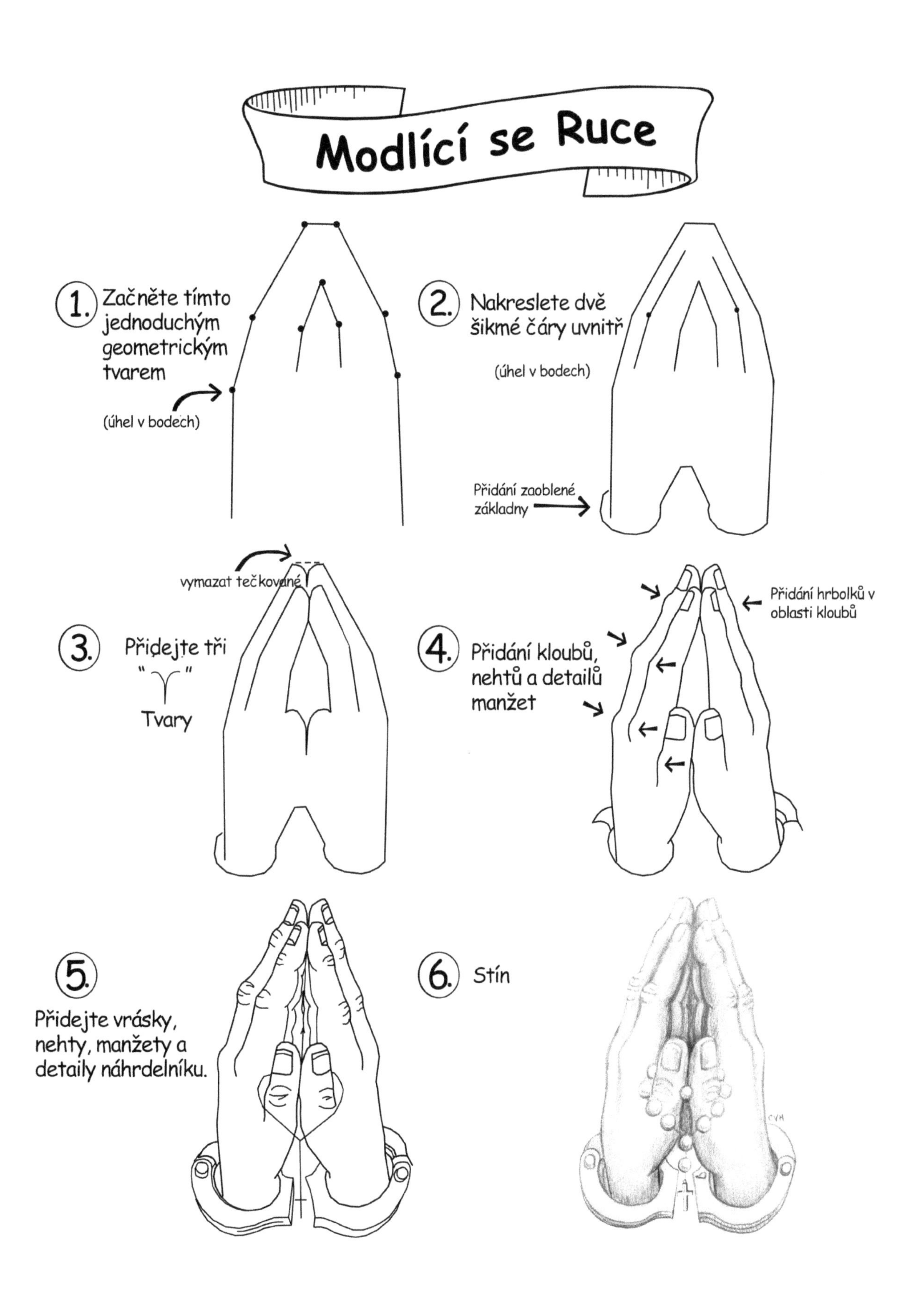
Modlící se Ruce
1. Začněte tímto jednoduchým geometrickým tvarem
(úhel v bodech)
2. Nakreslete dvě šikmé čáry uvnitř
(úhel v bodech)
Přidání zaoblené základny
vymazat tečkované
3. Přidejte tři "⋎" Tvary
4. Přidání kloubů, nehtů a detailů manžet
Přidání hrbolků v oblasti kloubů
5. Přidejte vrásky, nehty, manžety a detaily náhrdelníku.
6. Stín

RUKA KOSTLIVCE

VĚDĚT:
Kosti ruky, obrysová linie a pozorování

ROZUMĚT:
Kreslení podoby pozorováním

UDĚLAT:
Podle vlastní ruky nakreslete kostru ruky a zároveň se naučte názvy jednotlivých částí kostí pomocí uvedených tipů a triků. Při kreslení pozorujte ruku a všímejte si, kde jsou klouby. Ty představují úseky mezi kostmi.

TIP: Při obkreslování ruky držte tužku pod úhlem 90 stupňů

SLOVÍČKA:
Obrys - Obrys a další viditelné okraje hmoty, postavy nebo předmětu
Pozorování - Získávání poznatků o vnějším světě prostřednictvím smyslů

TIP: Tohle vypadá opravdu skvěle, když se nakreslí na černý stavební papír bílými olejovými pastely. Pro obrys ruky použijte tužku. Není to tak dobře vidět, ale pro efekt kostlivé ruky ji nemusíte potom mazat.

Podívejte se!

Ruka Kostlivce

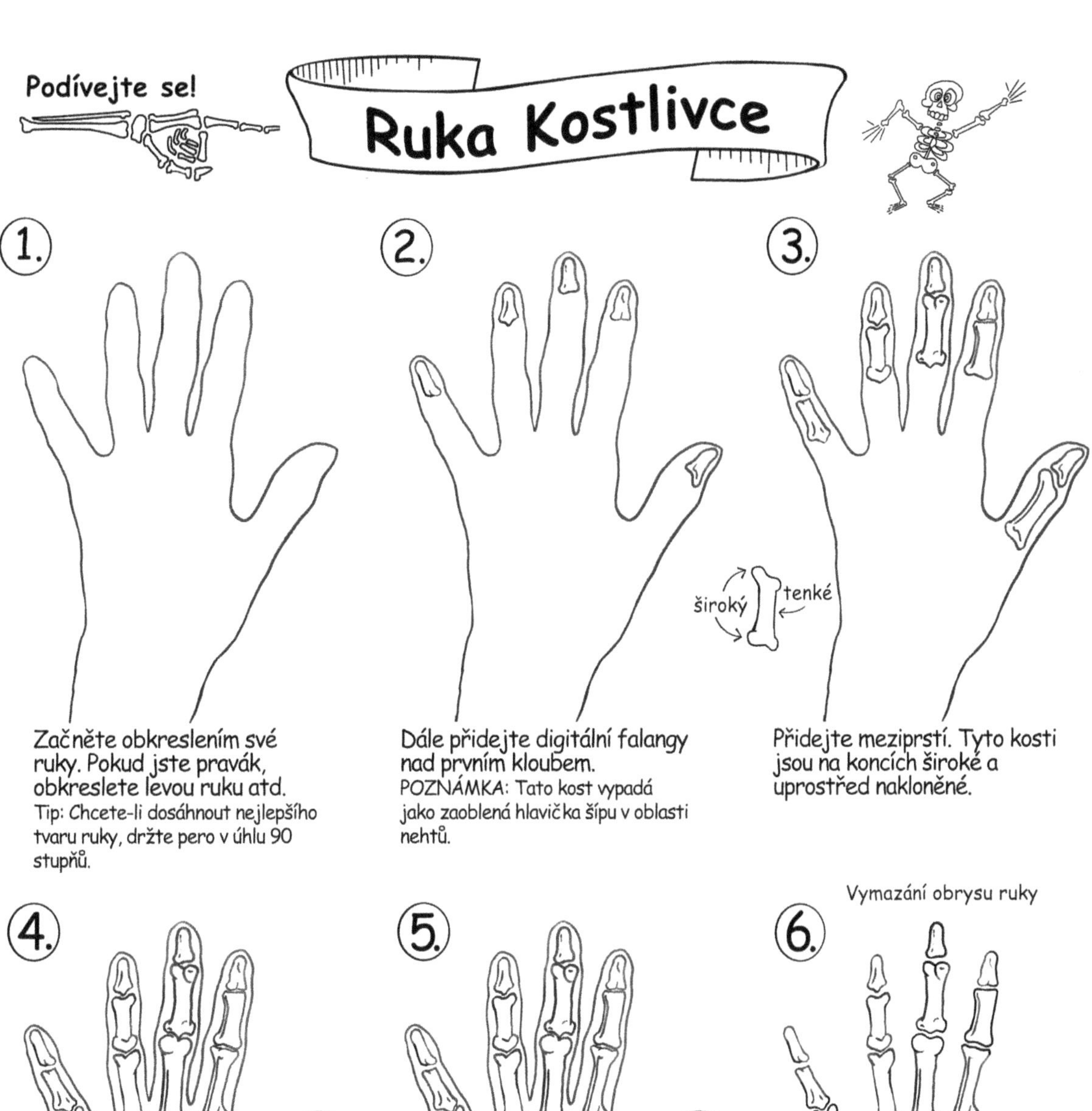

1. Začněte obkreslením své ruky. Pokud jste pravák, obkreslete levou ruku atd.
Tip: Chcete-li dosáhnout nejlepšího tvaru ruky, držte pero v úhlu 90 stupňů.

2. Dále přidejte digitální falangy nad prvním kloubem.
POZNÁMKA: Tato kost vypadá jako zaoblená hlavička šípu v oblasti nehtů.

3. Přidejte meziprstí. Tyto kosti jsou na koncích široké a uprostřed nakloněné.

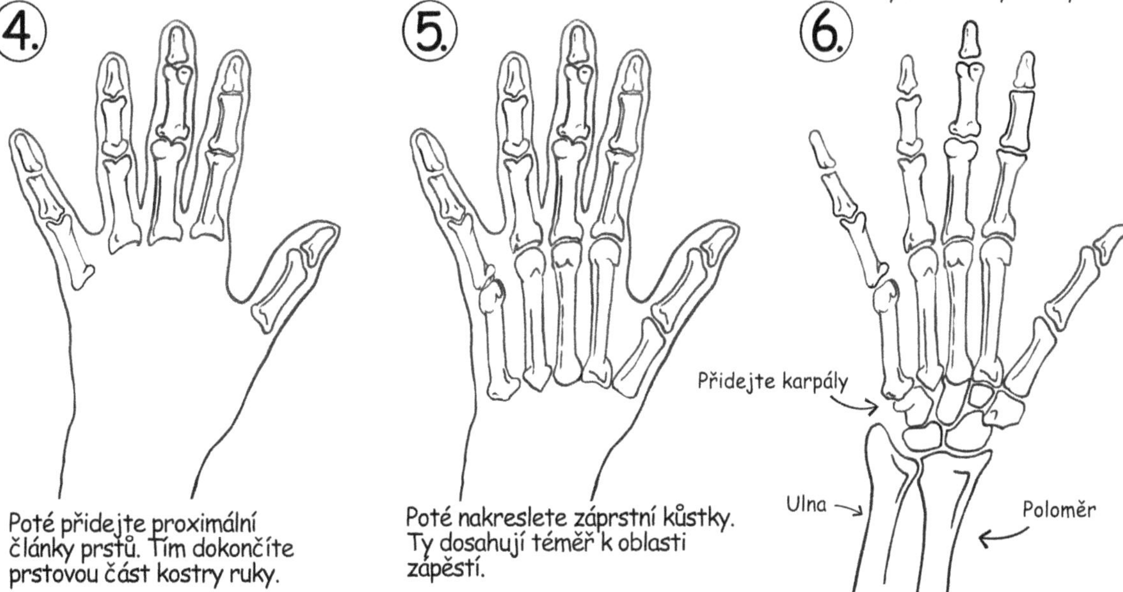

4. Poté přidejte proximální články prstů. Tím dokončíte prstovou část kostry ruky.

5. Poté nakreslete záprstní kůstky. Ty dosahují téměř k oblasti zápěstí.

TŘI LEBKY

VĚDĚT:

- Zrcadlová symetrie/vyváženost
- Hlavní kosti hlavy

ROZUMĚT:

- Základy proporcí pro vytvoření lebky
- Zrcadlová symetrie je situace, kdy jsou části obrazu nebo objektu uspořádány tak, že jedna strana kopíruje (zrcadlí) druhou
- Dokonalá symetrie se v přírodě vyskytuje jen zřídka
- Složité tvary lze zjednodušit na tvary

UDĚLAT:

Žák se seznámí s hlavními kostmi hlavy a základními proporcemi lidské lebky. Poté vytvoří originální umělecké dílo "Tři lebky" s použitím jednoduchých geometrických tvarů zdobených do složitých forem a naznačí zrcadlovou symetrii.

SLOVÍČKA:

Vyvážení - Způsob, jakým jsou umělecké prvky uspořádány, aby vytvářely pocit stability díla; příjemné nebo harmonické uspořádání částí v návrhu nebo kompozici
Lebka - Část lebky, která uzavírá mozkovnu
Lidská lebka - Podporuje struktury obličeje a tvoří dutinu pro mozek
Dolní čelist - Dolní čelistní kost
Zrcadlová symetrie - Části obrazu nebo předmětu uspořádané tak, že jedna strana kopíruje (nebo zrcadlí) druhou
Proporce - Srovnání velikosti a umístění jedné části s druhou

1. Začněte kruhem

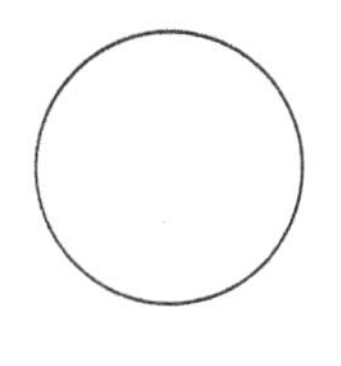

2. Přidejte další 2 kolečka na každé straně

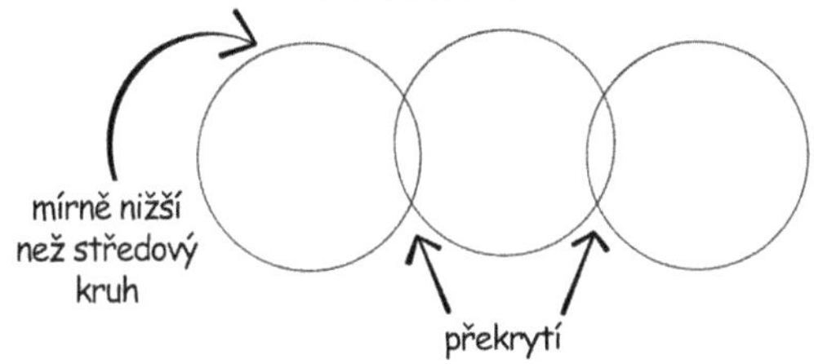

3. Přidejte tvary pod kruhy, jak je vidět níže.

4. Přidejte trojúhelníkové nosy, ořízněte bradu a vymažte tečkované oblasti.

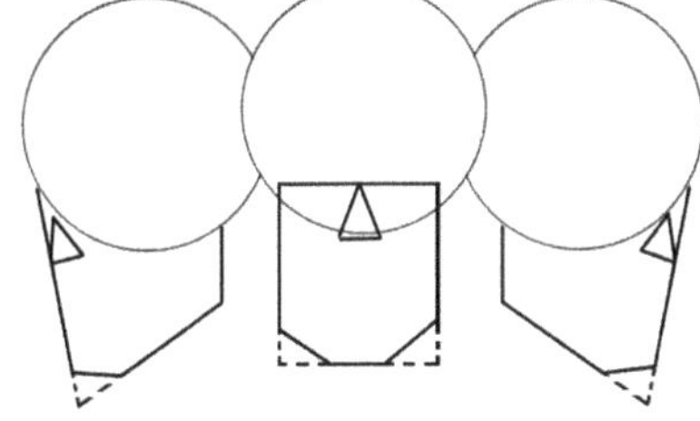

5. Přidejte ovály pro oči v blízkosti spodní poloviny kruhů, jak je vidět níže.

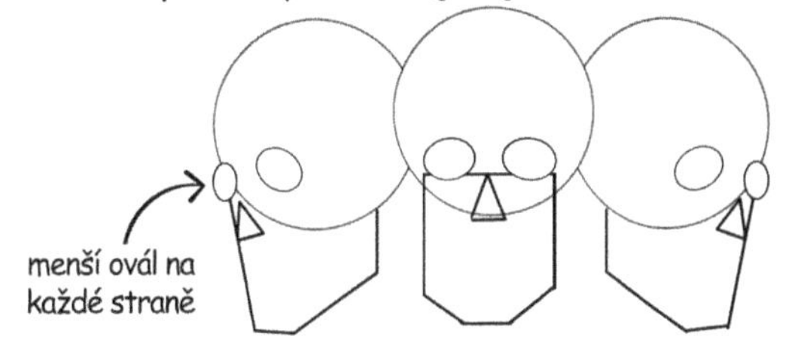

6. Přidejte hřebeny obočí a lícní kosti, jak je uvedeno níže.

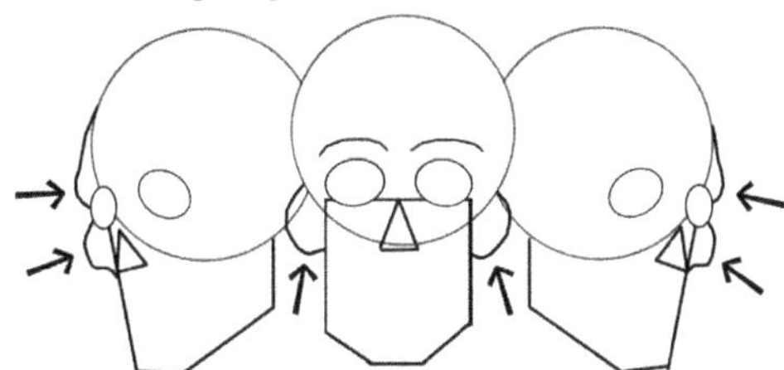

7. Přidání linií zubů a detailů na bocích

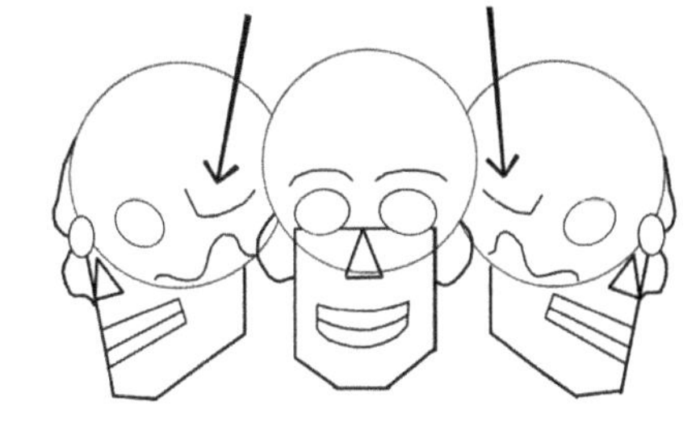

8. Přidejte detaily zubů, zaoblete linii čela a vymažte tečkované oblasti.

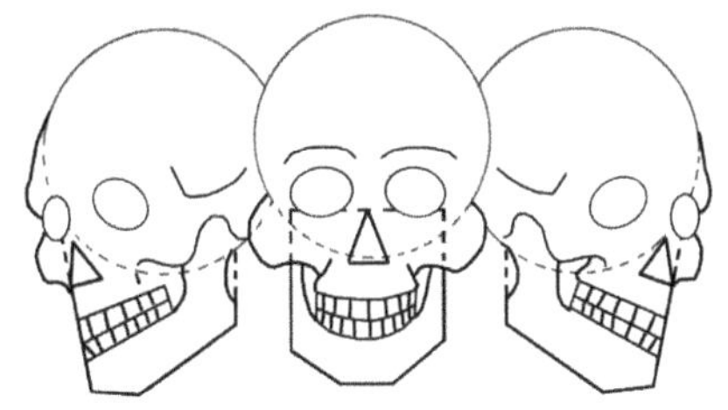

9. Vyhlaďte všechny ostré hrany a odstíněte

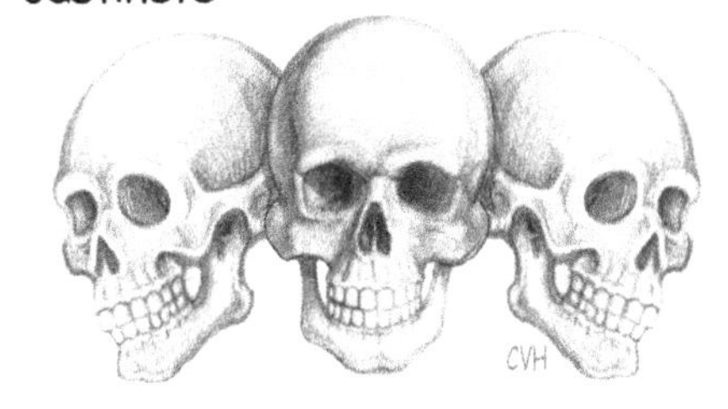

POZICE RUKOU
(Ukazuje prstem)

VĚDĚT:
Zkrácení, perspektiva

ROZUMĚT:
Jak vytvořit iluzi 3D, ve které jsou velikosti blízkých a vzdálených částí objektu značně kontrastní

UDĚLAT:
Vytvořte originální kresbu ukazující ruky z přímého pohledu. Ujistěte se, že ukazující prst je mnohem větší než zbytek ruky, aby vznikl dojem předpažení. Neobkreslujte. Vystínujte.

TIPY: Při stínování vytvářejte nejtmavší hodnoty mezi prsty a záhyby kloubů. Vymažte některá místa na horních kloubech, středech prstů a mezi záhyby, abyste vytvořili přirozený efekt zvýraznění.

SLOVÍČKA:
Předsunutí - Způsob zobrazení objektu tak, aby vyvolal iluzi hloubky a působil dojmem, že se posouvá dopředu nebo se vrací zpět do prostoru. Úspěch zkracování často závisí na úhlu pohledu nebo perspektivě, v níž jsou velikosti blízkých a vzdálených částí předmětu ve velkém kontrastu.

Zvýraznění - oblast na jakémkoli povrchu, která odráží nejvíce světla; nasměrování pozornosti na určitou oblast kresby nebo její zdůraznění pomocí hodnoty

Perspektiva - technika používaná k vytvoření pocitu hloubky nebo ustupujícího prostoru v uměleckém díle; iluze 3D na 2D povrchu

Úhel pohledu - pozice nebo úhel, ze kterého je něco pozorováno nebo posuzováno; směr pohledu diváka

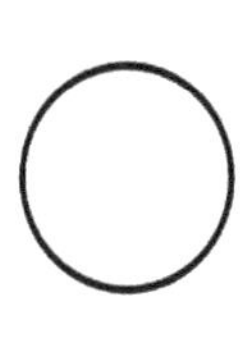

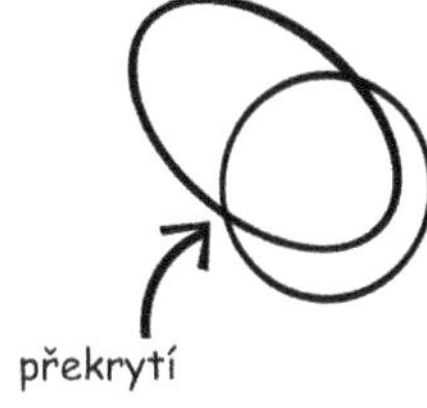

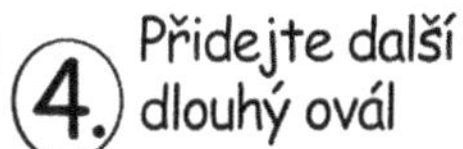

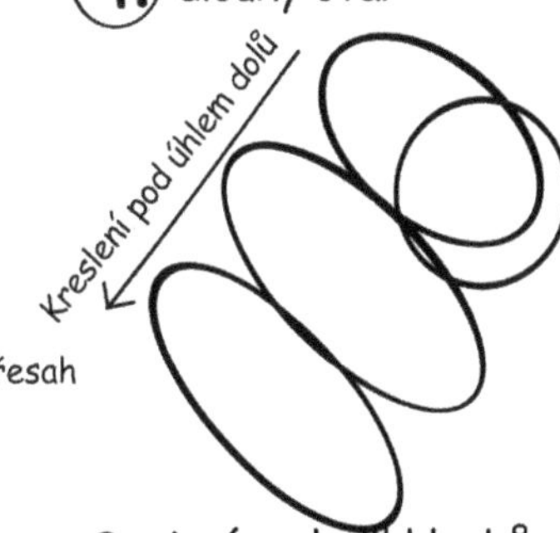

5. Přidejte poslední šikmý ovál

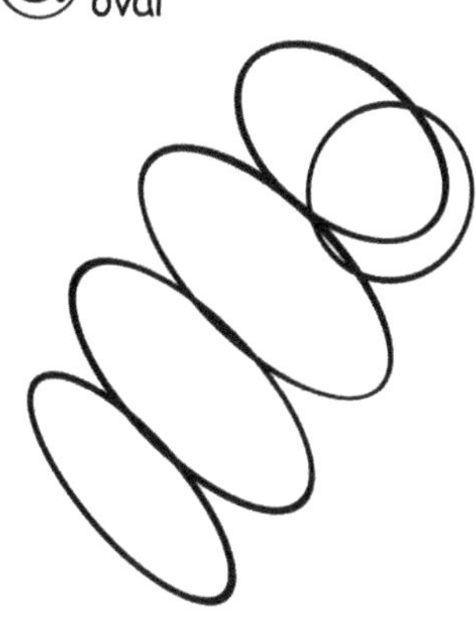

6. Přidání oválu pro palec

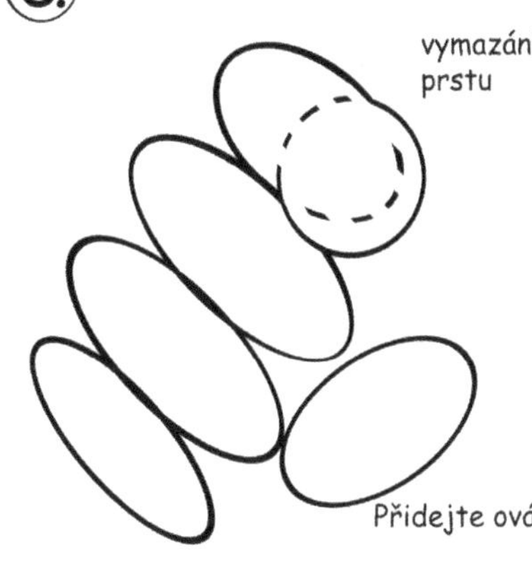

7. Spojení vrcholů kloubů pomocí zakřivených čar

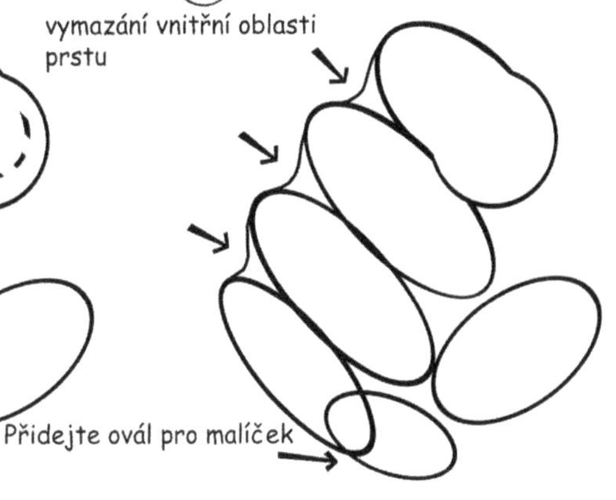

8. Přidání nehtu

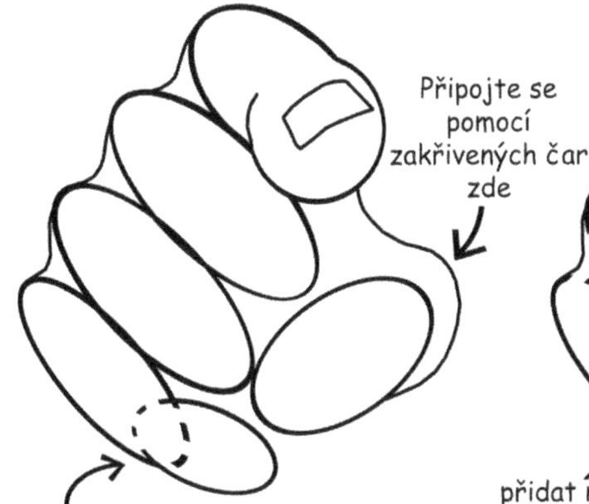

9. Přidání vrásek na kloubech Vymazání tečkovaných oblastí

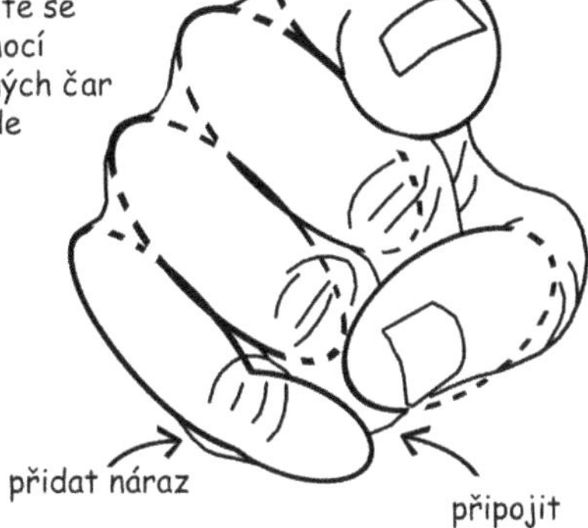

10. Stín

POZICE RUKOU
(drží tající hodiny)

VĚDĚT:
Perspektiva, proporce

ROZUMĚT:
- Využití proporcí, perspektivy a pozorování k vytvoření ruky držící předmět
- Jemné rozdíly ve tvaru a velikosti dělají naše ruce jedinečnými

UDĚLAT:
Vytvořte originální kresbu lidské ruky držící nějaký předmět (tající hodiny). Začněte sérií "rozvětvených" oválů a na těchto tvarech pak stavte a nakonec z nich vytvořte tvary prstů. Prohlédněte si vlastní ruku v kalíšku a pro srovnání pozorujte přirozenou velikost a úhly. Neobkreslujte. Vystínujte.

SLOVÍČKA:
Forma - trojrozměrný tvar (výška, šířka a hloubka), který uzavírá objem

Zvýraznění - oblast na jakémkoli povrchu, která odráží nejvíce světla; nasměrování pozornosti nebo zdůraznění oblasti kresby pomocí využití hodnot

Perspektiva - technika, kterou umělci používají k promítání iluze trojrozměrného světa na dvourozměrný povrch

Perspektiva pomáhá vytvářet pocit hloubky a ustupujícího prostoru.

Proporce - princip designu, proporce se týká srovnávacího vztahu jedné části objektu k druhé

Rozšíření:
V roce 1931 namaloval Salvador Dalí jedno ze svých nejslavnějších děl, obraz Trvalá paměť, v němž představil surrealistický obraz měkkých roztékajících se kapesních hodinek.

Salvador Dalí namaloval v roce 1931 slavný obraz tavících se hodin Perzistence paměti.

Pozice Rukou

Podržení položek

1. Nakreslete šikmý ovál

2. Přidat další

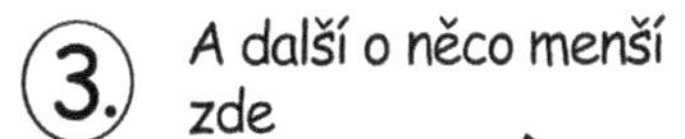

3. A další o něco menší zde

4. Přidejte malíček

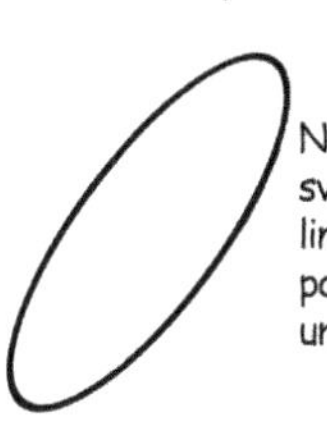

Nakreslete světelné vodicí linie, které vám pomohou s umístěním prstů.

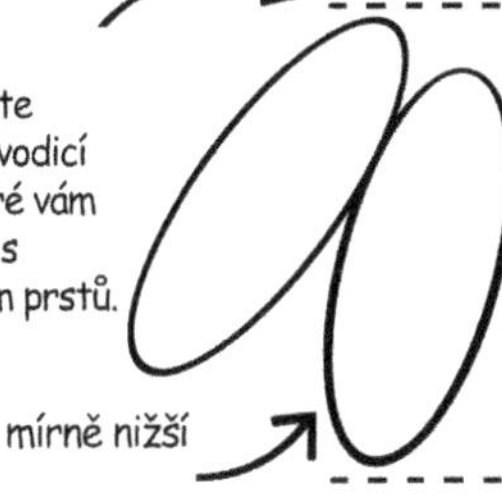

mírně nižší

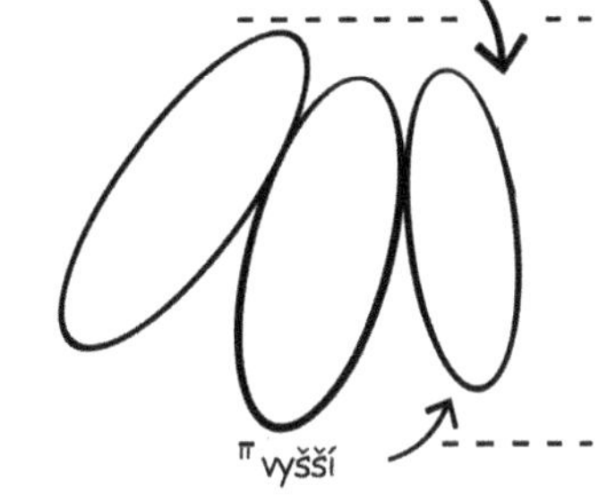

" vyšší

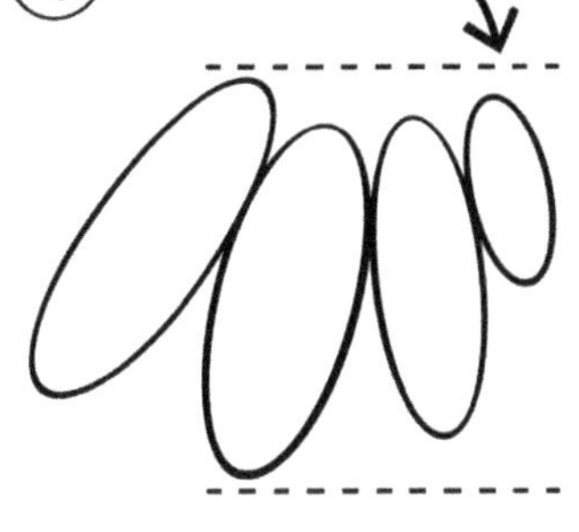

5. Přidání palce

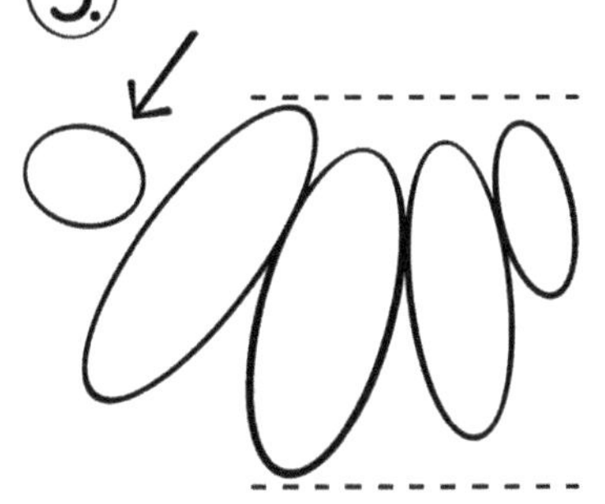

6. Vymazání průvodců. Přidání nehtů

7. Přidání "vrásek" v oblasti kloubů

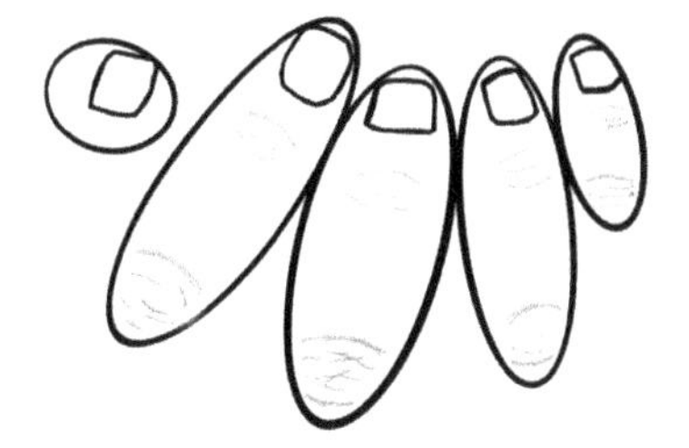

8. Přidání tvaru kruhu v oblasti dlaně pro hodiny

9. Kreslení nástavců na každý prst a "tavení" kapek

10. Přidání ciferníku hodin. Odstín

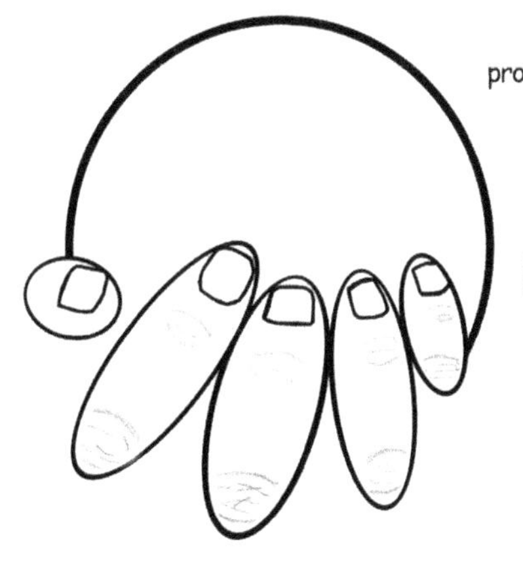

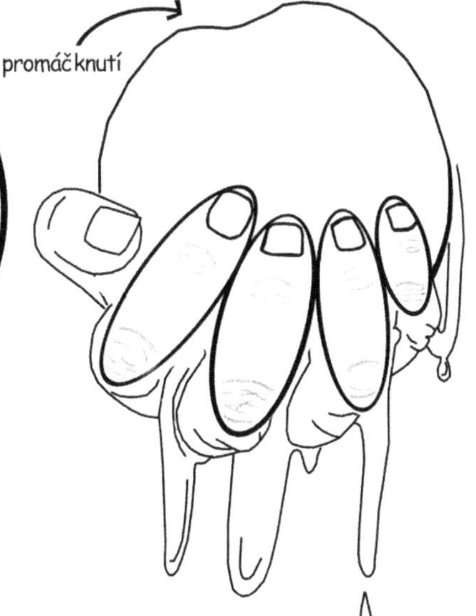

promáčknutí

KAPESNÍ HODINKY

VĚDĚT:
Úhel, rovnováha, vzor, perspektiva, opakování, římské číslice

ROZUMĚT:
Umístění jednoduchých geometrických tvarů do určitého vzoru nebo pod určitým úhlem může zvýšit realističnost a detailnost objektu a také vytvořit zajímavost a iluzi hloubky.

UDĚLAT:
• Podle uvedených kroků vytvořte podrobné "otevřené" stopky na základě jednoduchých geometrických tvarů
• Pomocí čísel nebo římských číslic vyrovnejte tato čísla rovnoměrně a postupně kolem ciferníku hodin (tj. číslo 12 je 180 stupňů od čísla 6)
• Použijte naučené 3D techniky, které se soustředí na perspektivu a vytvářejí iluzi hloubky. Studenti budou také zvažovat velikost, polohu, detail a odstín

SLOVÍČKA:
Úhel - Útvar tvořený dvěma rovinami, které se rozcházejí se společnou přímkou. "Úhel" může označovat prostor mezi těmito přímkami nebo plochami a může také označovat směr nebo úhel pohledu.

Perspektiva - Technika používaná k vytvoření iluze 3D na 2D ploše. Perspektiva pomáhá vytvářet pocit hloubky nebo ustupujícího prostoru

Římské číslice - Číselný systém ve starém Římě, který používá kombinace písmen latinské abecedy k označení hodnot

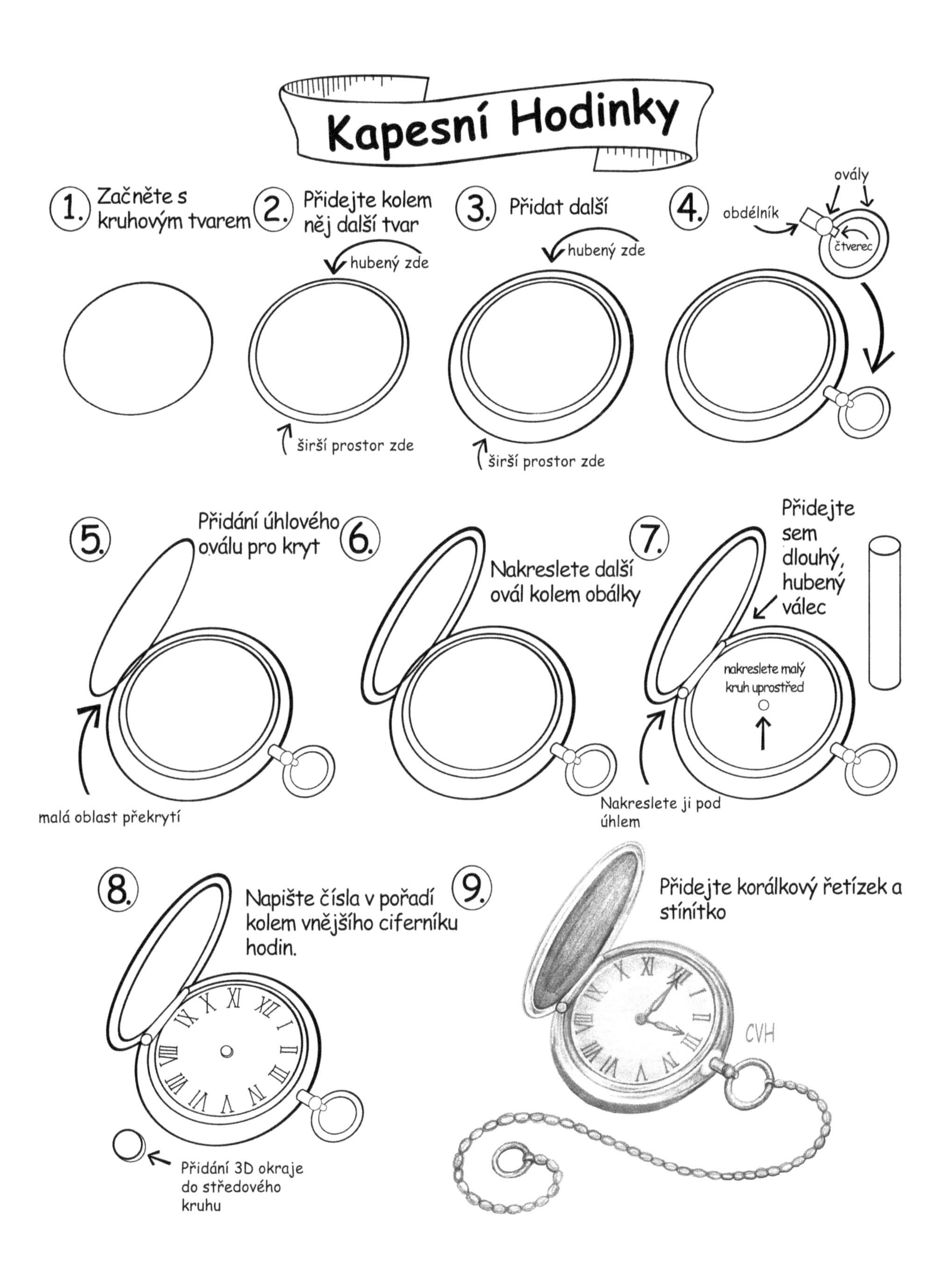
Kapesní Hodinky
1. Začněte s kruhovým tvarem
2. Přidejte kolem něj další tvar
hubený zde
širší prostor zde
3. Přidat další
hubený zde
širší prostor zde
4. obdélník
ovály
čtverec
5. Přidání úhlového oválu pro kryt
malá oblast překrytí
6. Nakreslete další ovál kolem obálky
7. Přidejte sem dlouhý, hubený válec
nakreslete malý kruh uprostřed
Nakreslete ji pod úhlem
8. Napište čísla v pořadí kolem vnějšího ciferníku hodin.
Přidání 3D okraje do středového kruhu
9. Přidejte korálkový řetízek a stínítko
CVH

ŘETĚZOVÉ ODKAZY

VĚDĚT:
Překrývání

ROZUMĚT:
Jak vytvořit vzhled propojených forem pomocí technik překrývání a stínování

UDĚLAT:
- Vytvořte realistický řetěz propojených článků pomocí poskytnutých tipů a triků
- Vystínujte
- Vymažte některé oblasti na každém odkazu, abyste vytvořili kovový “lesk”

SLOVÍČKA:
Překrývání - Když jedna věc překrývá a částečně zakrývá něco jiného

Řetězové Odkazy

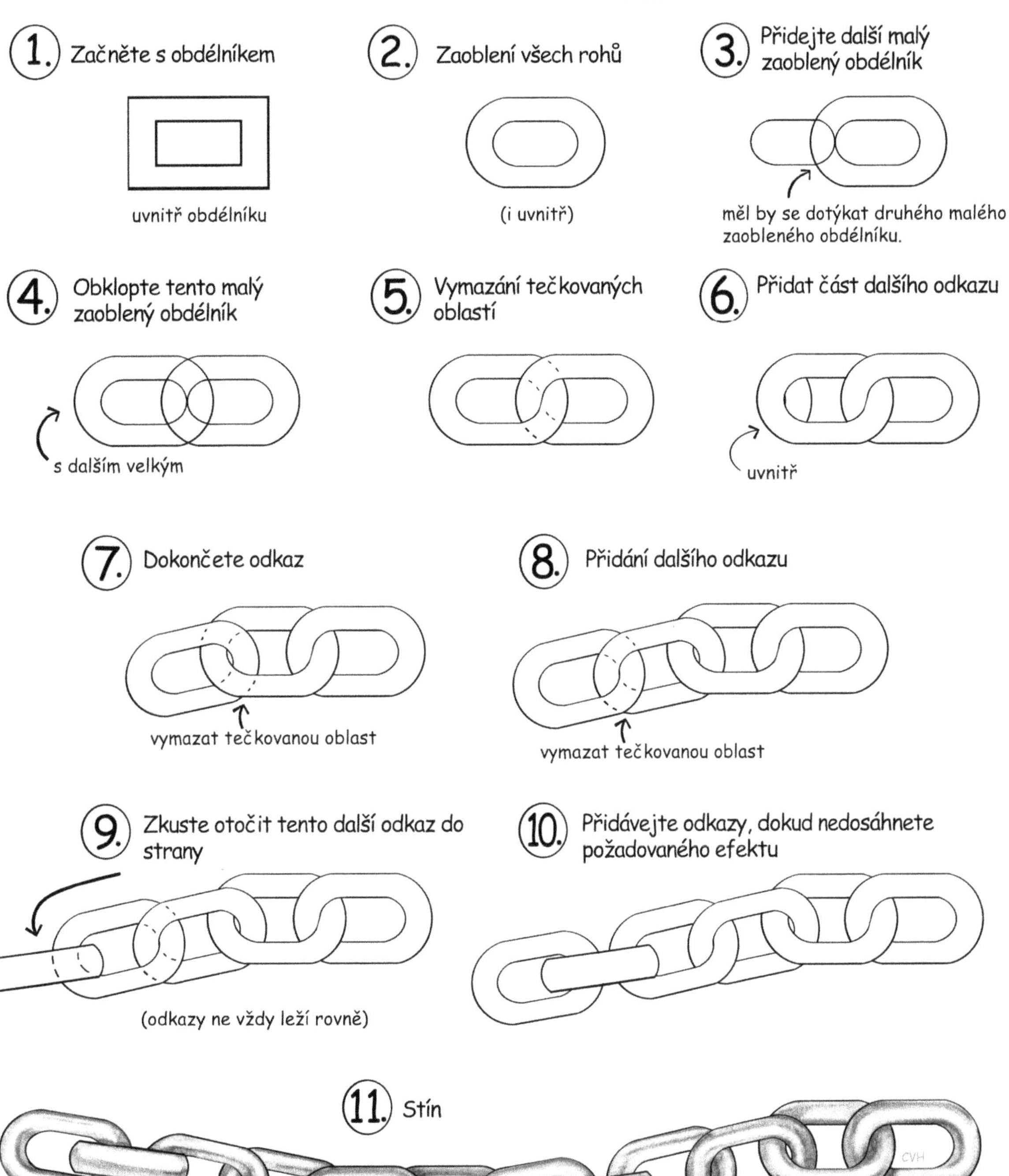
1. Začněte s obdélníkem
uvnitř obdélníku
2. Zaoblení všech rohů
(i uvnitř)
3. Přidejte další malý zaoblený obdélník
měl by se dotýkat druhého malého zaobleného obdélníku.
4. Obklopte tento malý zaoblený obdélník
s dalším velkým
5. Vymazání tečkovaných oblastí
6. Přidat část dalšího odkazu
uvnitř
7. Dokončete odkaz
vymazat tečkovanou oblast
8. Přidání dalšího odkazu
vymazat tečkovanou oblast
9. Zkuste otočit tento další odkaz do strany
(odkazy ne vždy leží rovně)
10. Přidávejte odkazy, dokud nedosáhnete požadovaného efektu
11. Stín

KOMPASOVÁ RŮŽICE

VĚDĚT:
Rovnováha, kompas, opakování, rotační symetrie

ROZUMĚT:
- Jak uspořádat prvky v uměleckém díle tak, aby působily symetricky nebo stejně vyváženě
- K zobrazení orientace světových stran a jejich mezilehlých bodů se používá kompasová růžice

UDĚLAT:
- Podle uvedených kroků vytvořte originální návrh kompasové růžice se zaměřením na rotační symetrii
- Stínování tužkou nebo vybarvování fixem

SLOVÍČKA:

Vyváženost - princip designu, který označuje způsob, jakým jsou umělecké prvky uspořádány, aby vytvářely pocit stability díla; příjemné nebo harmonické uspořádání či poměr částí nebo ploch v návrhu nebo kompozici

Kompas - navigační přístroj, který měří směry ve vztažné soustavě, která je nehybná vzhledem k zemskému povrchu. Referenční rámec určuje čtyři světové strany (nebo body) - sever, jih, východ a západ

Kompasová růžice - (někdy nazývaná větrná růžice) je obrázek na kompasu, mapě, námořní mapě nebo památníku, který slouží k zobrazení orientace světových stran a jejich mezilehlých bodů

Rotační symetrie - Objekt, který vypadá stejně po určitém kruhovém pohybu kolem středu tohoto objektu

Symetrie - Objekt, který je na obou stranách stejný

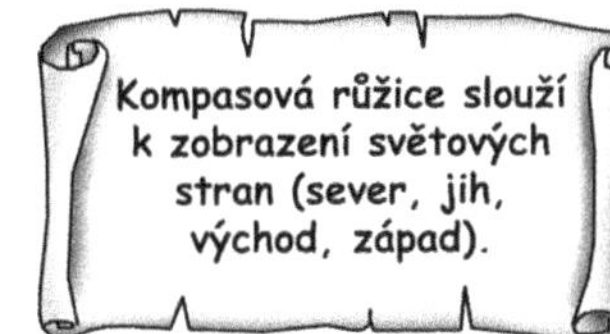

Kompasová Růžice

1. Použijte pravítko a nakreslete symetrický kříž.
2. Nakreslete kříž ve tvaru písmene "X".
3. Umístěte 4 tečky ve stejných intervalech na část "X".

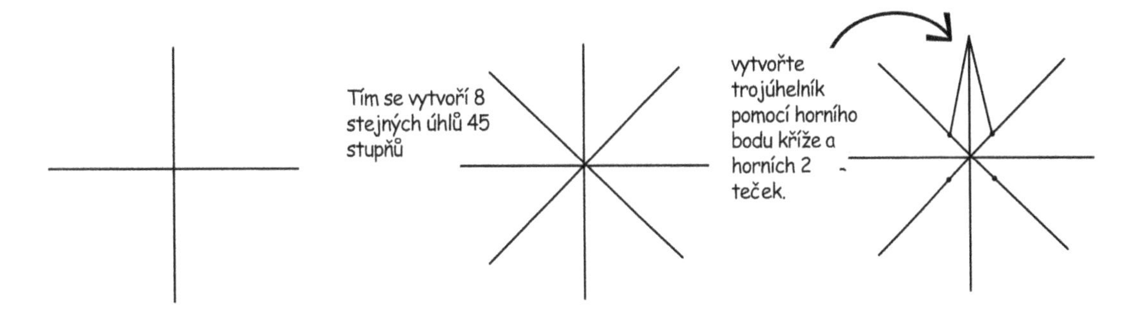

4. Nakreslete čáru od každé tečky k nejbližšímu bodu prvního křížku.
5. Vytvořte další sadu bodů oproti předchozí
6. Nakreslete čáru od každé tečky k nejbližšímu bodu druhého kříže.

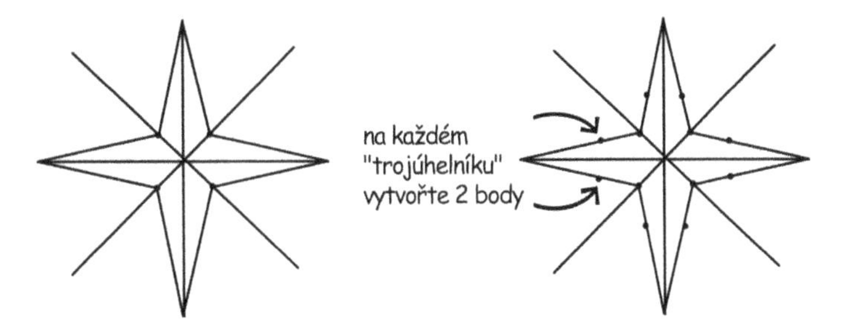

7. Ztmavte čáry tenkým fixem a vymažte přebytečné čáry pera.
8. Vyplňte pravou stranu každého trojúhelníku tmavou barvou.
9. Zbývající prázdná místa vyplňte světlejší barvou.

CUPCAKE POCHOUTKA

VĚDĚT:
Rovnováha, elipsa, opakování

ROZUMĚT:
• Rozdíl mezi tvarem a formou
• Jak uspořádat prvky v uměleckém díle tak, aby působily symetricky nebo stejně vyváženě
• Elipsy v umění mohou pomoci vytvořit dojem 3D objektu

UDĚLAT:
• Postupujte podle uvedených kroků a vytvořte originální design dortíku, který začíná jednoduchými tvary, které se nakonec spojí do složitých tvarů
• Použijte naučené 3D techniky, které se soustředí na překrývání, abyste vytvořili iluzi hloubky. Studenti budou také zvažovat velikost, polohu, detail a barvu

SLOVÍČKA:
Vyváženost - princip designu, vyváženost označuje způsob, jakým jsou umělecké prvky uspořádány, aby vytvářely pocit stability díla; příjemné nebo harmonické uspořádání nebo poměr částí nebo ploch v návrhu nebo kompozici.
Ovál - (elipsa) Dvourozměrný tvar, který vypadá jako kruh, který byl protažen, aby byl delší.

Cupcake Pochoutka

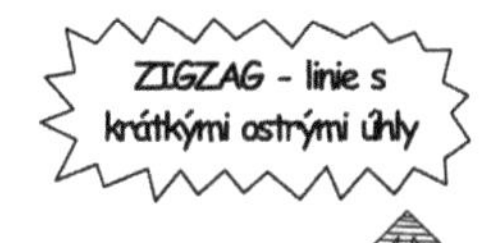

1. Začněte s hubeným oválem
2. Přidejte mírně šikmé svislé čáry na každé straně
3. Zakřivení klikatého vzoru kolem původního oválu

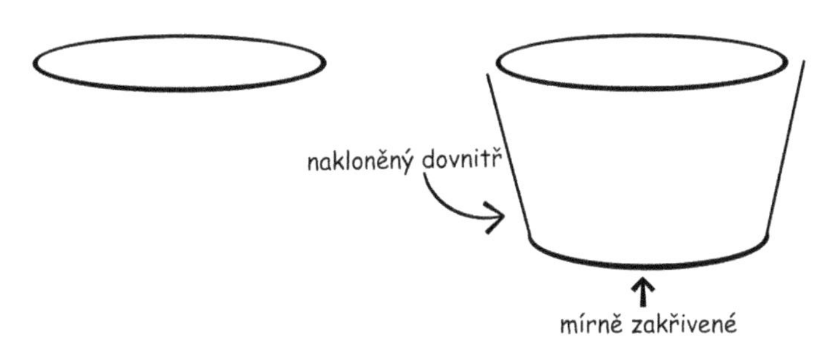

4. Nakreslete svislé čáry vycházející z klikatých bodů.

Vymažte horní část oválu (znázorněno jako tečkovaná čára).

5. Přidejte kopeček polevy
6. Definice okrajů polevy

LEBKA MIMOZEMŠŤANA

VĚDĚT:
Geometrický tvar, úhel

ROZUMĚT:
Jednoduchý kruh může být základním východiskem pro nejrůznější umělecké výtvory

UDĚLAT:
- Vytvořte si vlastní verzi lebky mimozemšťana pomocí uvedených tipů a triků
- Odstín vnějšího okraje tmavší než vnitřního pro 3D zaoblený efekt

SLOVÍČKA:
Úhel - Útvar tvořený dvěma přímkami nebo hranami, které se rozcházejí nebo protínají ve společném bodě
Geometrie - Jakýkoli tvar nebo forma s matematickou konstrukcí. Geometrické vzory jsou obvykle tvořeny přímkami nebo geometrickými tvary

Lebka Mimozemšťana

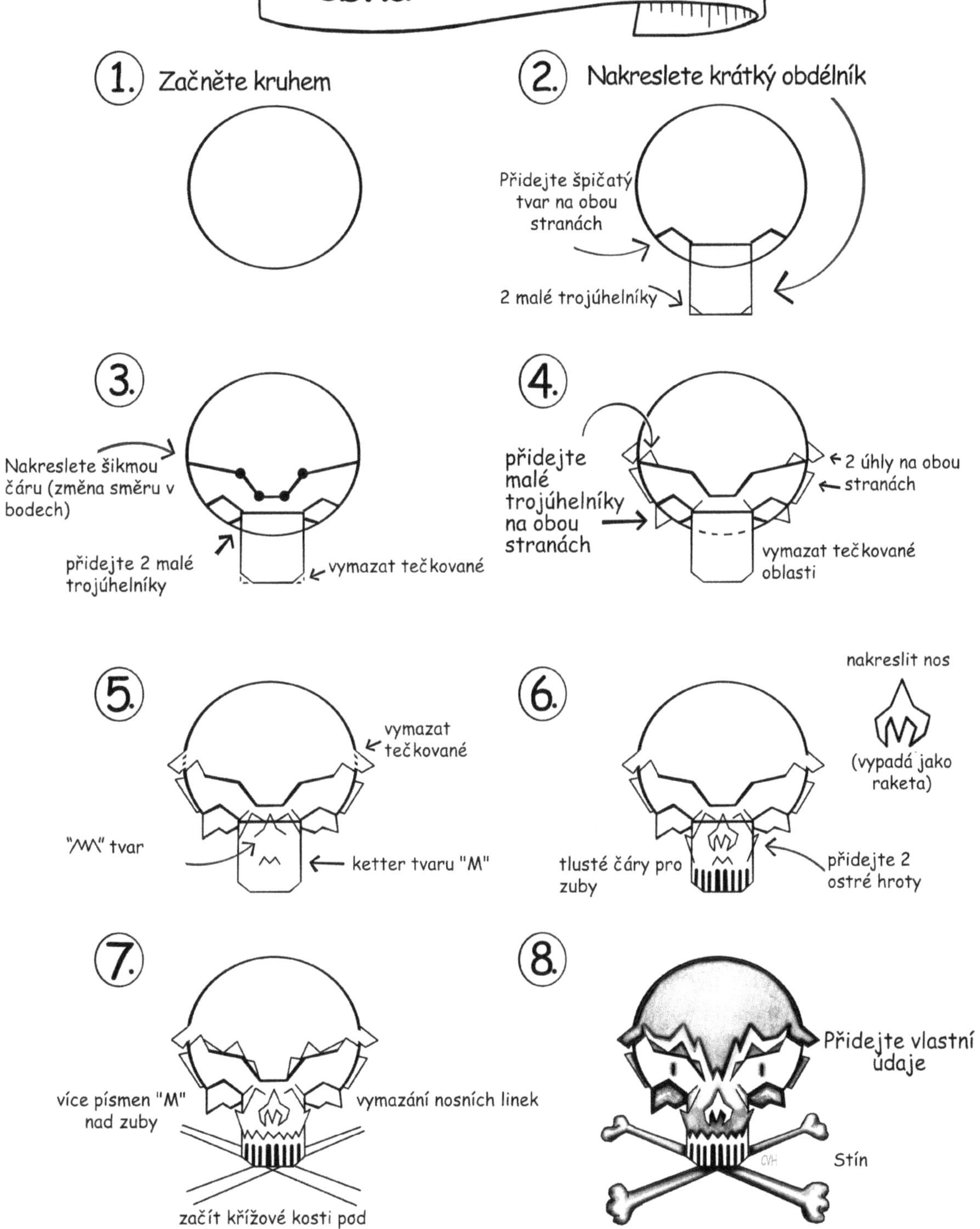
1. Začněte kruhem
2. Nakreslete krátký obdélník
Přidejte špičatý tvar na obou stranách
2 malé trojúhelníky
3.
Nakreslete šikmou čáru (změna směru v bodech)
přidejte 2 malé trojúhelníky
vymazat tečkované
4.
přidejte malé trojúhelníky na obou stranách
2 úhly na obou stranách
vymazat tečkované oblasti
5.
vymazat tečkované
"M" tvar
ketter tvaru "M"
6.
nakreslit nos
(vypadá jako raketa)
tlusté čáry pro zuby
přidejte 2 ostré hroty
7.
více písmen "M" nad zuby
vymazání nosních linek
začít křížové kosti pod lebkou
8.
Přidejte vlastní údaje
Stín

VYSTUPTE NA MIKROFON

VĚDĚT:
Koule, válec, obdélník, vzor

ROZUMĚT:
Spojování tvarů pro vytvoření rozpoznatelných, každodenních forem

UDĚLAT:
- Vyberte si styl a vytvořte svou verzi mikrofonu podle poskytnuté osnovy
- "Obtočte" čáry kolem kruhu moderního mikrofonu a vytvořte kouli. "Obtékání" čar kolem mikrofonu staršího stylu pro vyznačení úhlů a hran
- Přidejte detaily vzoru a odstín

SLOVÍČKA:
Válec - trubka, která se jeví jako trojrozměrná
Vzor - opakování tvarů, linií nebo barev v designu
Koule - trojrozměrný útvar ve tvaru koule, kruhový ze všech možných úhlů pohledu

Vystupte na Mikrofon
bezdrátové
1. Začněte kruhem
2. Přidejte základnu
3. Přidání zakřivených čar pro zobrazení tvaru
4. Stín
2 šikmé čáry
širší v horní části
sledujte zaoblený tvar vzoru
křivka v dolní části
thinner towards bottom
CVH
stará škola
1. Nakreslete nakloněný obdélník
2. Zaoblení rohů
3. Přidejte úhlové tvary, jak je vidět níže
4. Přidání detailů a stínování
přidat čtverec
přidat řádek
vymazat tečkované oblasti
CVH

HROBY S DRAPÉRIÍ

VĚDĚT:
Drapérie, Textura

ROZUMĚT:
• Vytváření složitých forem z jednoduchých tvarů
• Umělci používají texturu, aby ukázali, jak může něco působit nebo z čeho je to vyrobeno
• Studium způsobů ztvárnění drapérie má zásadní význam pro rozvoj umělcových dovedností. Záhyby drapérie jsou tvořeny zakřivenými plochami odrážejícími stupňování hodnot.

UDĚLAT:
Vytvořte hřbitovní scénu nebo náhrobní pomník zahrnující alespoň 2 hroby s 3D okraji, texturou ve vzhledu dřeva a záhyby látky.

SLOVÍČKA:
Drapérie - Látka nebo zobrazení látky uspořádané tak, aby visela v záhybech
Textura - Způsob, jakým něco vypadá, jak by to mohlo působit v uměleckém díle. Simulované textury navrhuje umělec různými tahy štětce, liniemi tužky apod.
Hodnota - Světlost nebo tmavost barvy

Hroby s Drapérií

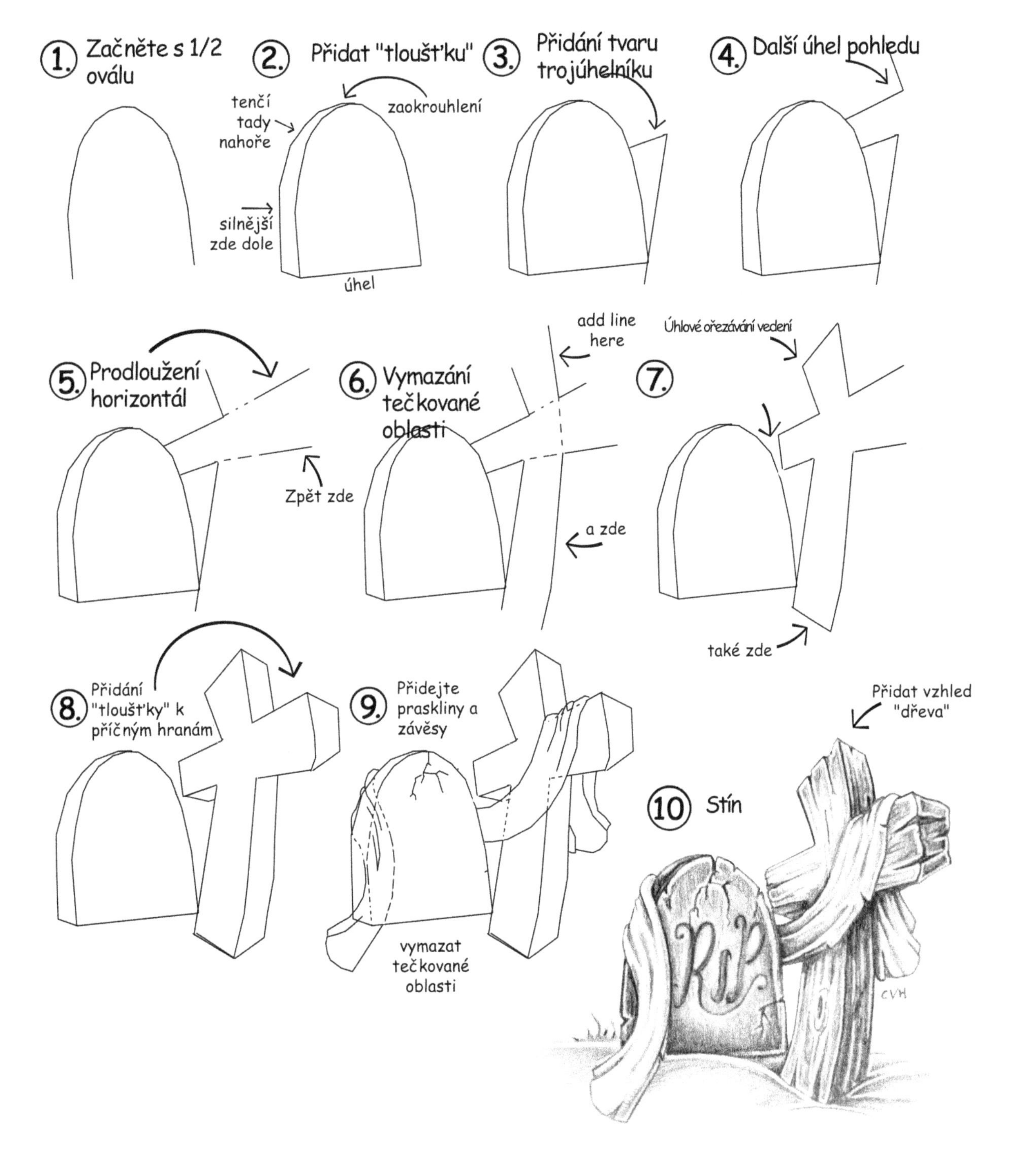
1. Začněte s 1/2 oválu
2. Přidat "tloušťku"
tenčí tady nahoře
zaokrouhlení
silnější zde dole
úhel
3. Přidání tvaru trojúhelníku
4. Další úhel pohledu
5. Prodloužení horizontál
Zpět zde
6. Vymazání tečkované oblasti
add line here
a zde
7.
Úhlové ořezávání vedení
také zde
8. Přidání "tloušťky" k příčným hranám
9. Přidejte praskliny a závěsy
vymazat tečkované oblasti
Přidat vzhled "dřeva"
10 Stín
CVH

NAKRESLETE ZEMI

VĚDĚT:
Koule, Kontinenty, Zakřivené čáry

ROZUMĚT:
Čáry a tvary nakreslené zakřiveným způsobem na vrcholu kruhu pomáhají vytvořit iluzi koule

UDĚLAT:
- Vyberte si pohled na Zemi, který nakreslíte z letáku nebo z glóbu
- "Obtočte" kontinenty kolem kruhu
- Přidání detailů a stínování

SLOVÍČKA:
Kontinenty - velké pevniny na Zemi se sedmi regiony: Asie, Afrika, Severní Amerika, Jižní Amerika, Antarktida, Evropa a Austrálie
Sféra - Trojrozměrný útvar ve tvaru koule, kruhový ze všech možných úhlů pohledu

Tento výukový program ukazuje pouze dva z mnoha pohledů na naši planetu.

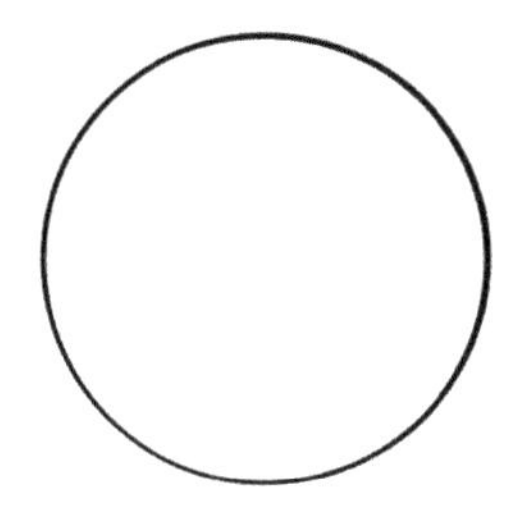

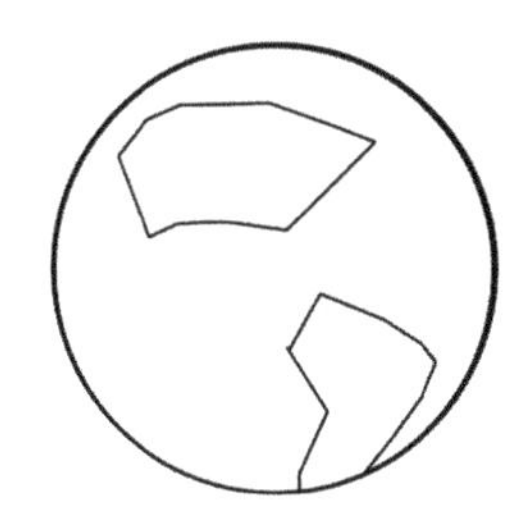

1. Začněte kruhem
2. Vytváření jednoduchých tvarů světadílů
3. Přidat další podrobnosti
4. Stín

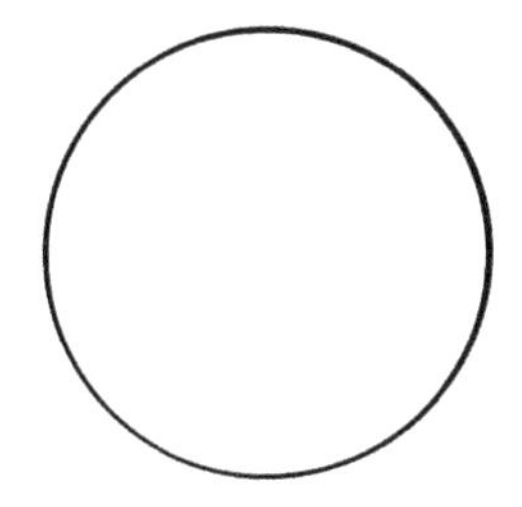

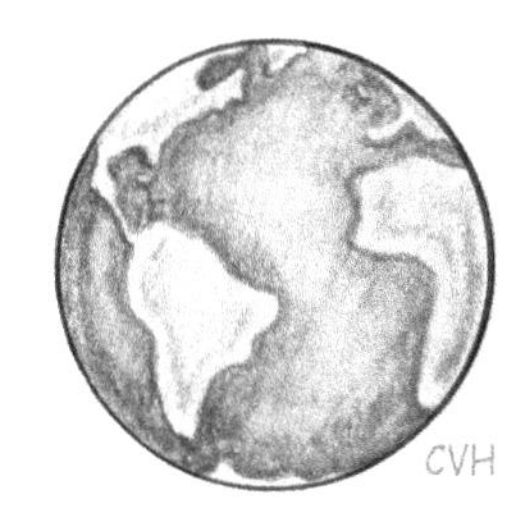

PTAČÍ KLEC

VĚDĚT:
Jednoduché kroky k vytvoření 3D klece pro ptáky

ROZUMĚT:
- Průhledný válec nám umožňuje vidět skrz formu ze všech úhlů
- Linie, které obepínají horní část tvaru, pomáhají vytvořit iluzi tvaru

UDĚLAT:
- Při vytváření klece pro ptáky postupujte podle uvedených pokynů. Nezapomeňte nakreslit čáry na "přední" a "zadní" straně, abyste naznačili iluzi 3D.
- Přidejte "extra" jako pták

SLOVÍČKA:
Válec - trubice, která se jeví jako trojrozměrná
Elipsa - kruh viděný pod úhlem (nakreslený jako ovál)
Transparentní - průhledný

1. Začněte s obdélníkem zaobleným nahoře.

2. Přidejte ovál uvnitř v blízkosti spodní části

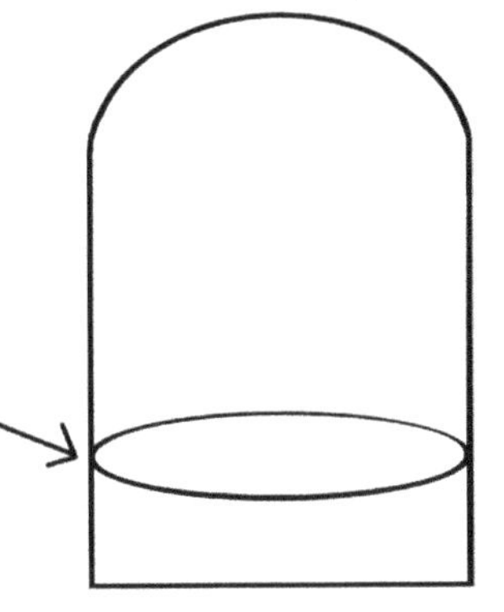

3. Přidejte zakřivenou čáru, která ovál "zahustí".

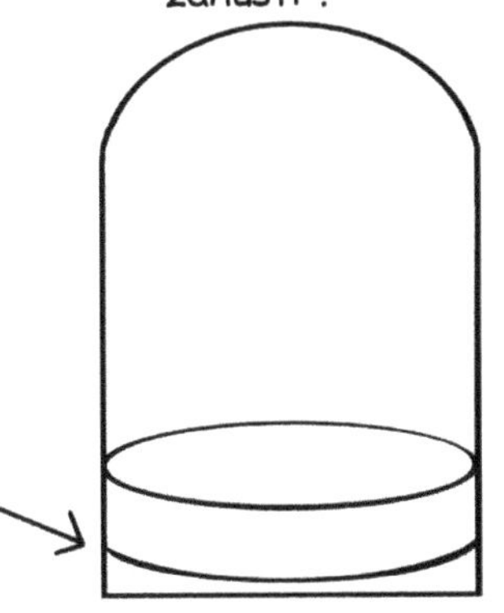

4. Vymazání oblasti pod oválem (viz tečkovaná oblast)

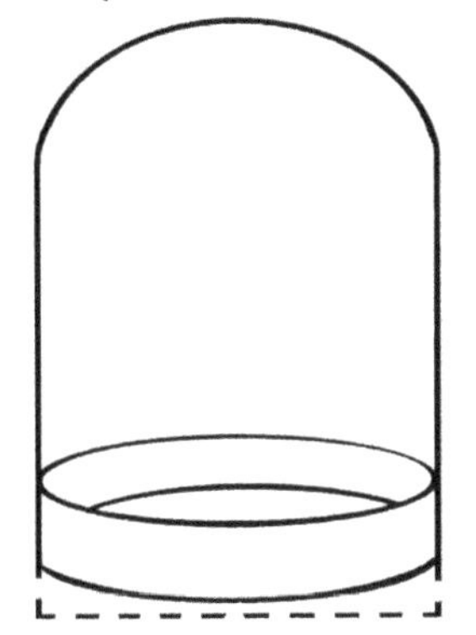

5. Přidejte další 2 ovály

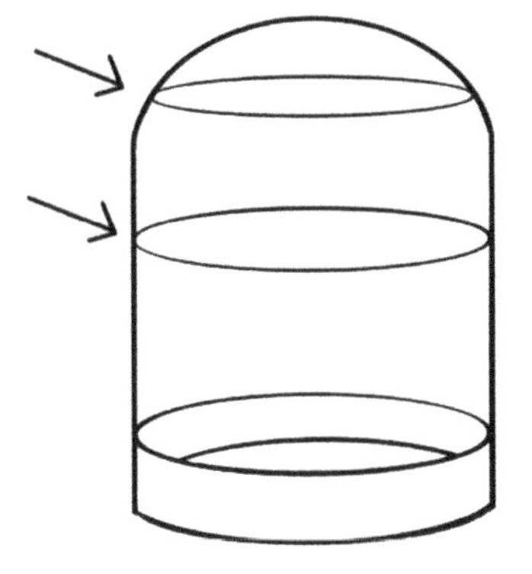

6. Přidání rovnoběžných čar zakřivených u horního okraje pro tyče

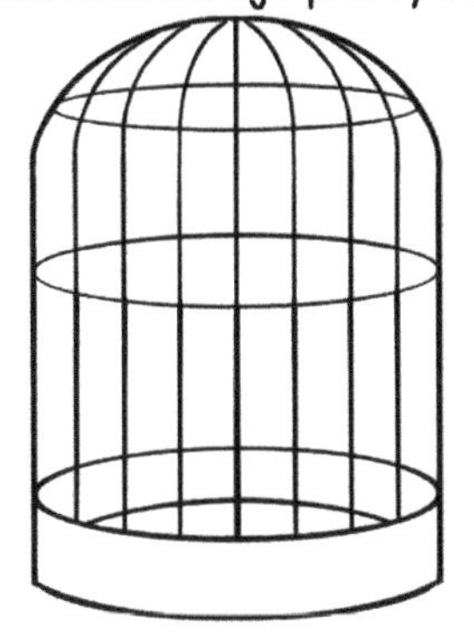

7. Přidejte mříže na vzdálený konec klece.

8. Přidejte ozdobnou horní část a otevřené dveře

9. Přidání detailů stínování a doplňků

TLAPKY A DRÁPKY

VĚDĚT:
Jednoduché kroky k vytvoření otisků tlapek a trhání drápků

ROZUMĚT:
• Jednoduché tvary kombinované dohromady mohou vytvářet rozpoznatelné formy
• Drobné detaily mohou v kresbě vytvářet silné efekty

UDĚLAT:
Podle uvedených kroků vytvořte otisk tlapky a sadu trhacích drápků.

SLOVÍČKA:
Efekt - Výsledek nebo důsledek nějaké činnosti nebo procesu
Organický tvar - Nepravidelný tvar, který se může vyskytovat v přírodě, spíše než mechanický nebo hranatý tvar
Vertikální - Směr směřující přímo nahoru a dolů

Tlapky a Drápky

Tlapky

1. Start with a wide egg shape

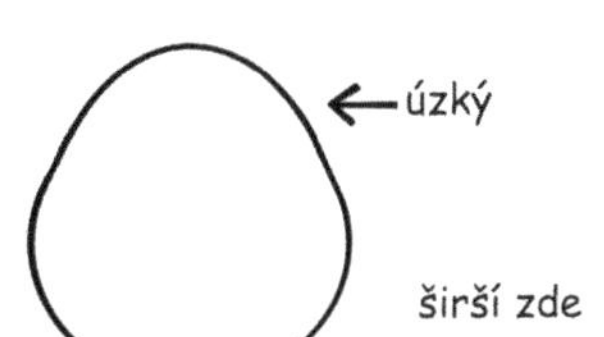

2. Add 2 lines

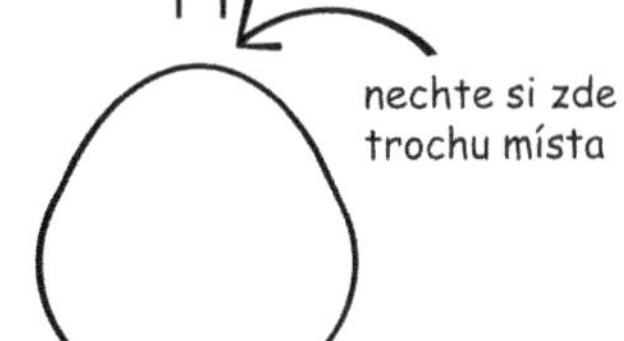

3. Nakreslete úhlopříčky

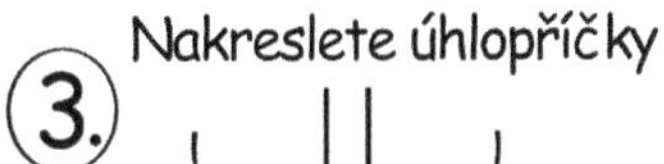

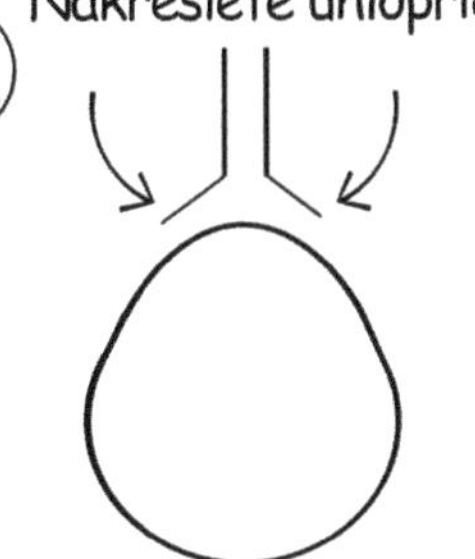

4. Zaoblení okrajů

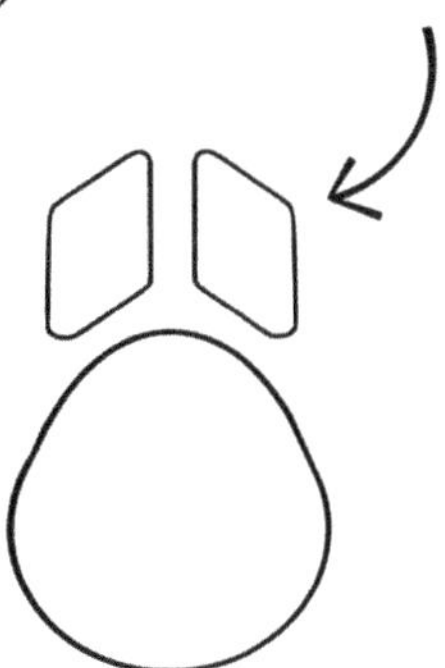

5. Přidejte další 2 prsty...

6. Přidejte malý zakřivený trojúhelníkový tvar pro drápy

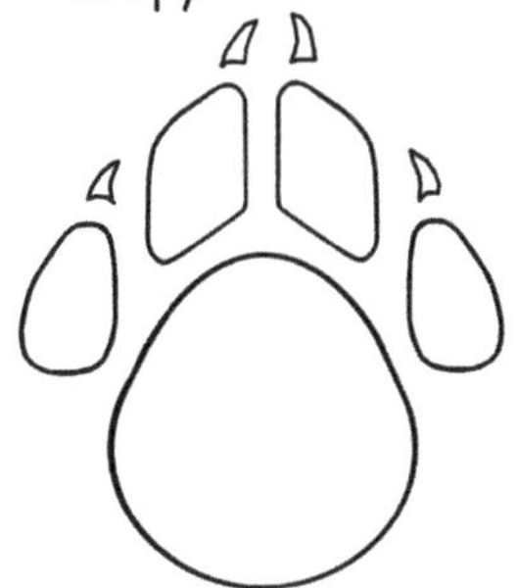

Drápy

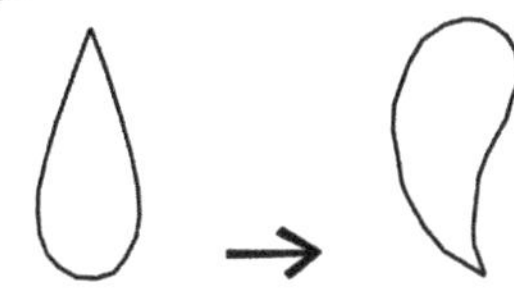

1. Začněte se 4 zahnutými drápy

2. Nakreslete dlouhý trojúhelník z každého vrcholu drápu.

3. Stín

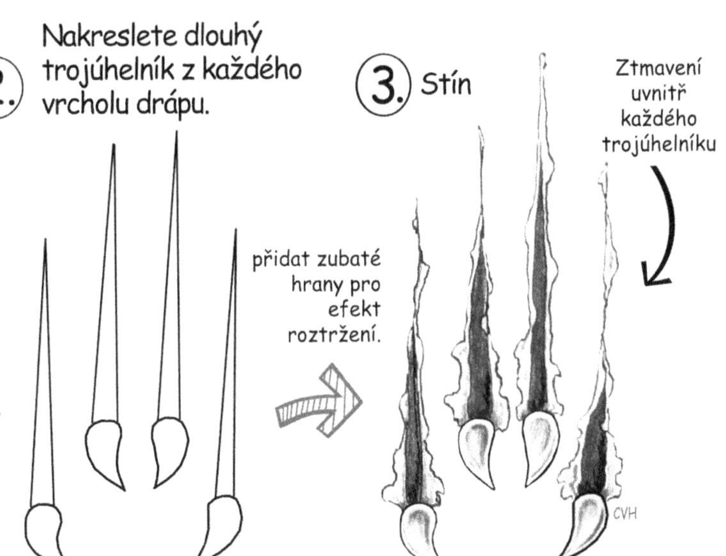

ANIME

VĚDĚT:
Anime, Přehnané rysy, Karikatura

ROZUMĚT:
- Charakteristika umění Anime
- Použití nadsázky a zkreslení v uměleckém díle pro vytvoření určitého stylu

UDĚLAT:
Postupujte podle uvedených kroků a vytvořte originální postavu ve stylu "Anime"

SLOVÍČKA:

Anime - Japonský styl animace, který často přehání rysy obličeje postavy. Termín je vypůjčen z francouzského slova pro animaci a mísí tradiční japonské tisky ve stylu dřevorytu s americkým stylem tvorby postav.

Karikatura - Zobrazení, při němž jsou charakteristické rysy nebo zvláštnosti předmětu záměrně zveličeny, aby působily komicky nebo groteskně.

Deformace - Změnit vzhled něčeho - někdy deformovat nebo protáhnout předmět nebo postavu mimo její normální tvar, aby se zveličily rysy.

Přehánět - Přehánět, zkrášlovat; zvětšovat nebo zmenšovat velikost.

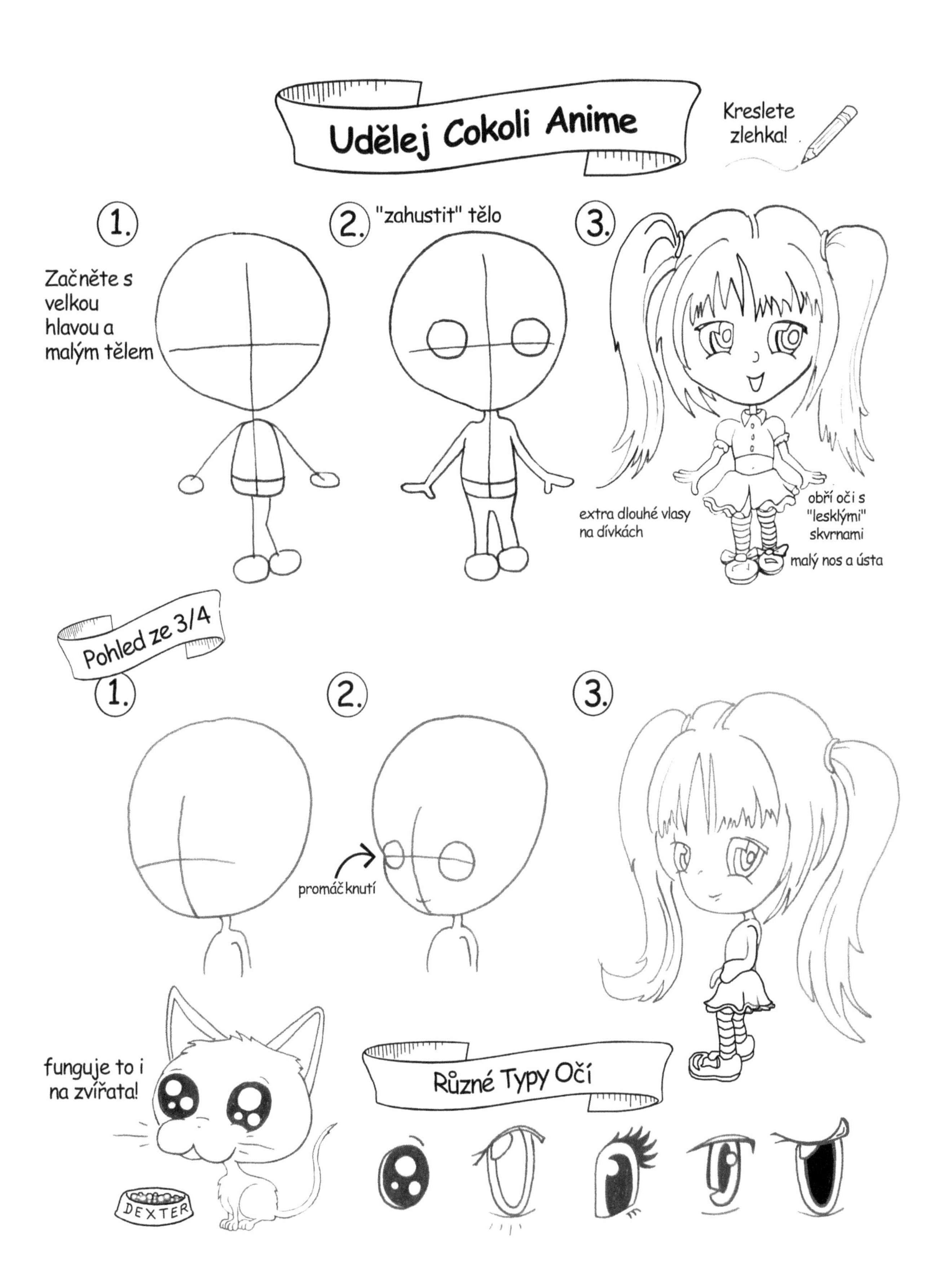
Udělej Cokoli Anime
Kreslete zlehka!
1.
Začněte s velkou hlavou a malým tělem
2.
"zahustit" tělo
3.
extra dlouhé vlasy na dívkách
obří oči s "lesklými" skvrnami
malý nos a ústa
Pohled ze 3/4
1.
2.
promáčknutí
3.
funguje to i na zvířata!
DEXTER
Různé Typy Očí

Pohled na 3/4 obličeje

1. Začněte s velkou hlavou
2. Přidat do těla
3. "Zesílení" trupu a nohou

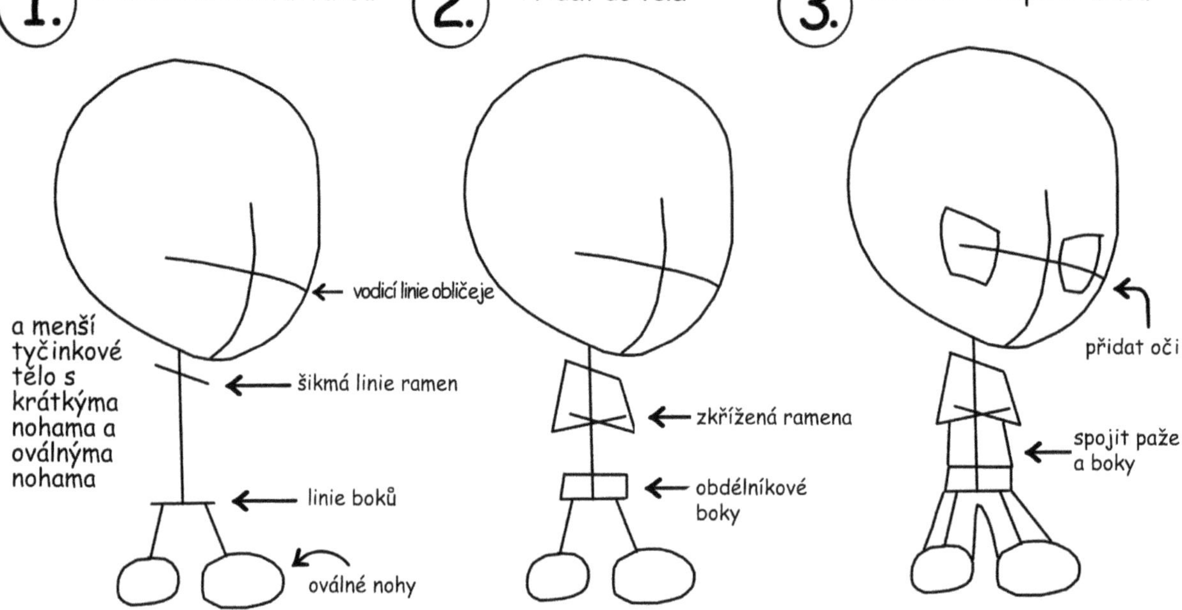

4. "Zesílení" paží a horní části těla
5. Pokyny pro vymazání střediska
6. Vymažte spodní vodítka. Přidání špičatého účesu

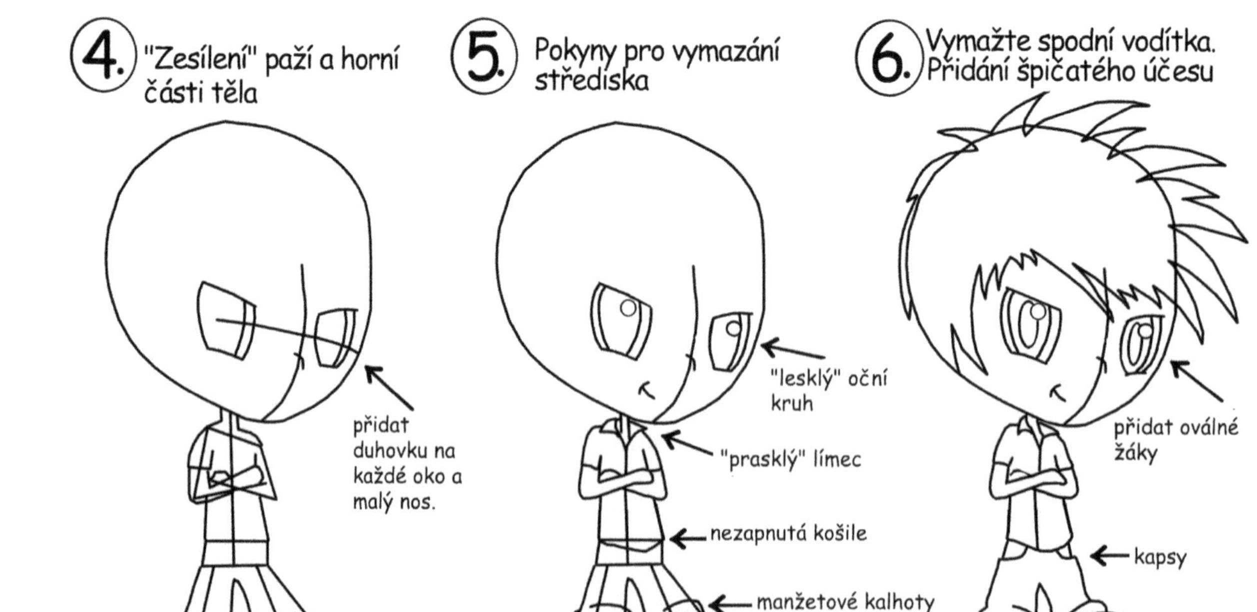

Více >

Anime Kluk

Dokončovací úpravy

7. Vymazání vodicích linií hlavy a košile

Anime Holka

Pohled na 3/4 obličeje

思 milost'
楽 šťastný

1. Začněte s velkou hlavou

2. Přidat do těla

3. "Zesílení" trupu a přidání tvaru sukně

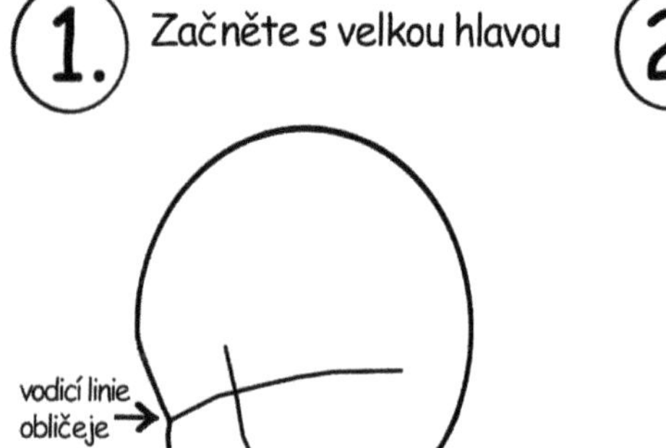

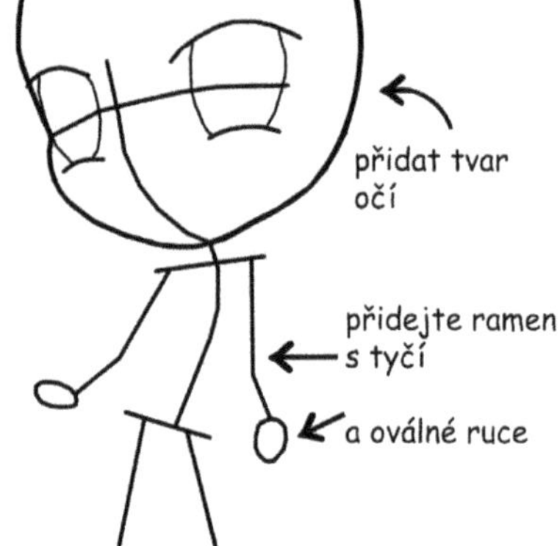

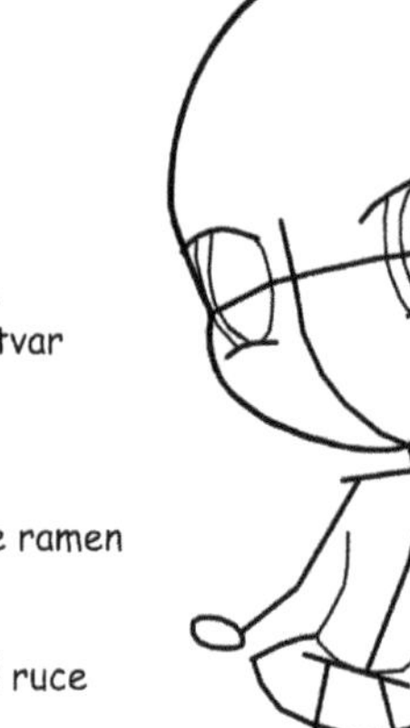
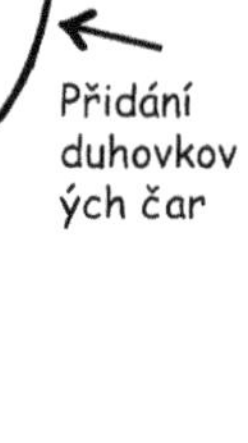

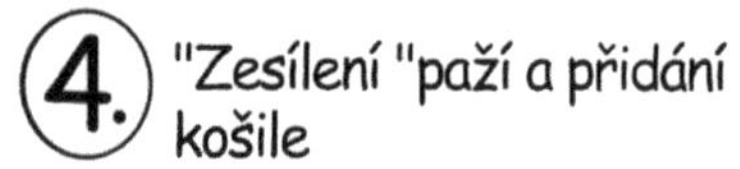

4. "Zesílení "paží a přidání košile

5. Přidejte nos, ústa a vlasy "buchty"

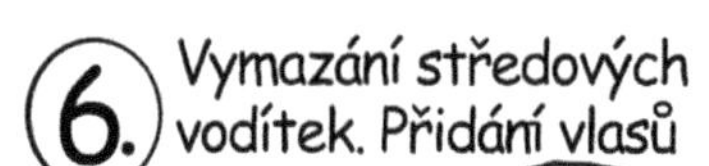

6. Vymazání středových vodítek. Přidání vlasů

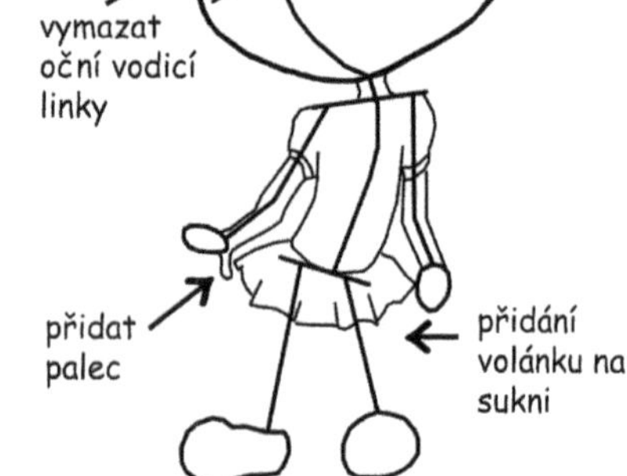

Více >

Anime Holka
Dokončovací úpravy

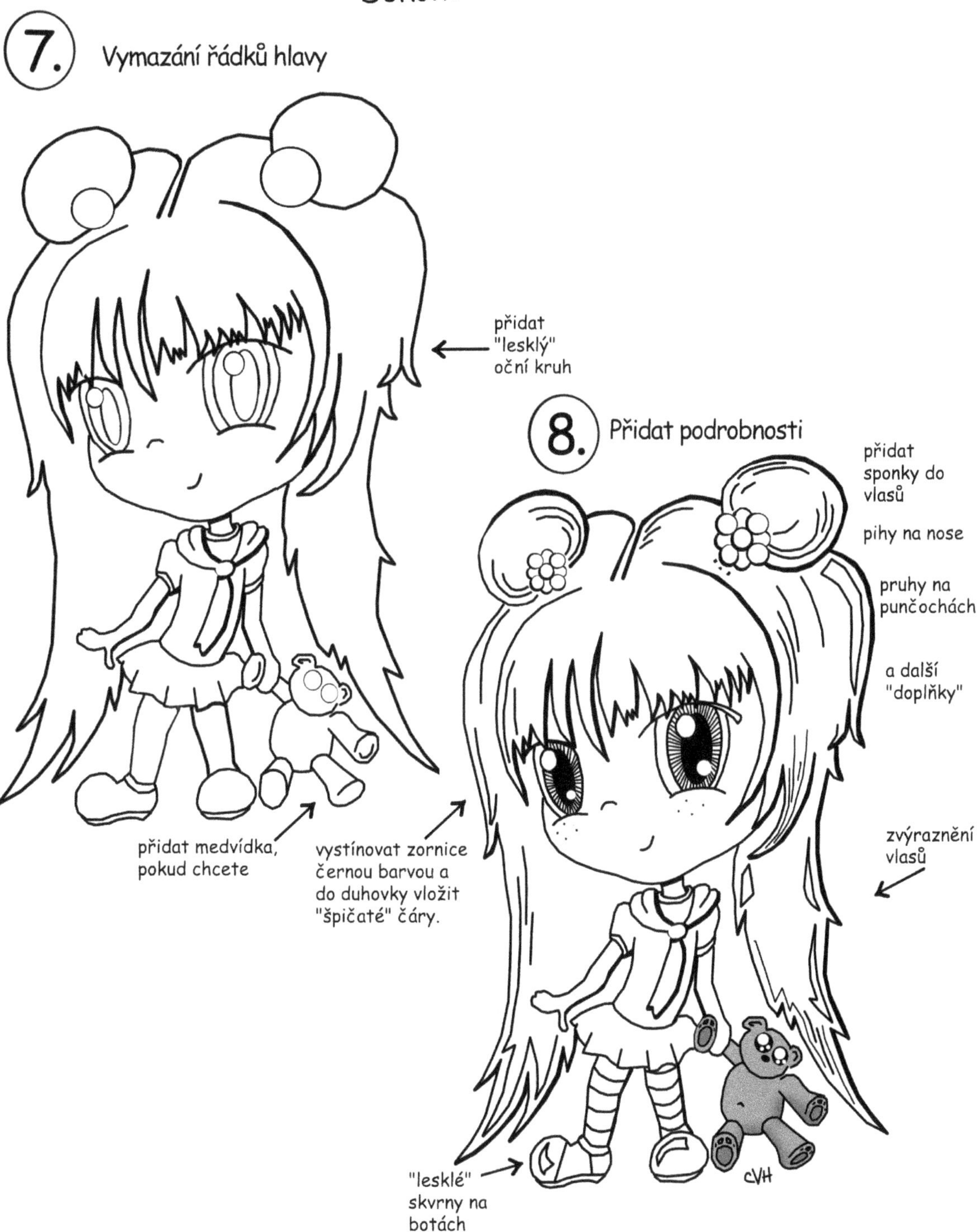
7.
Vymazání řádků hlavy
přidat
"lesklý"
oční kruh
8.
Přidat podrobnosti
přidat
sponky do
vlasů
pihy na nose
pruhy na
punčochách
a další
"doplňky"
přidat medvídka,
pokud chcete
vystínovat zornice
černou barvou a
do duhovky vložit
"špičaté" čáry.
zvýraznění
vlasů
"lesklé"
skvrny na
botách
CVH

NAKRESLETE KRAJKOVÝ KORZET

VĚDĚT:
Překrývání

ROZUMĚT:
Jak vytvořit iluzi vrstev, aby části kresby vypadaly, že jsou před jinými částmi nebo za nimi

UDĚLAT:
• Diskutujte o příkladech dvourozměrných obrazů, které obsahují blízké a vzdálené prvky, a zaměřte se na to, jak překrývání a rozdíly ve velikosti pomáhají dosáhnout iluze hloubky.
• Postupujte podle pokynů v příručce, abyste vytvořili vzhled vrstvených/překrývajících se tkaniček. Překrývání a rozdíly ve velikosti se projeví v perspektivě. Studenti uvedou, které části jejich obrázku se zdají být nahoře a které dole.

SLOVÍČKA:
Překrytí - Když jedna věc leží nad jinou a částečně ji zakrývá
Perspektiva - Bod, z něhož se díváme na objekt nebo scénu

Krajkový Korzet

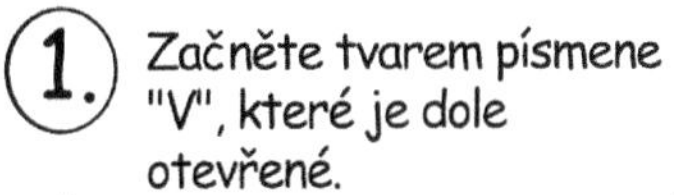

1. Začněte tvarem písmene "V", které je dole otevřené.

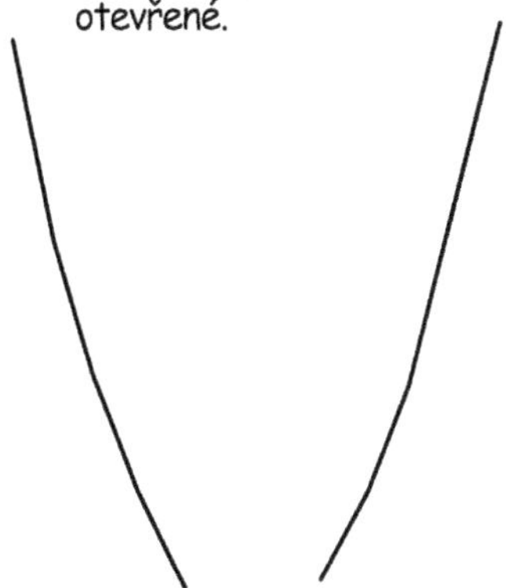

2. Přidejte 1/2 oválů na každé straně pro "háčky".

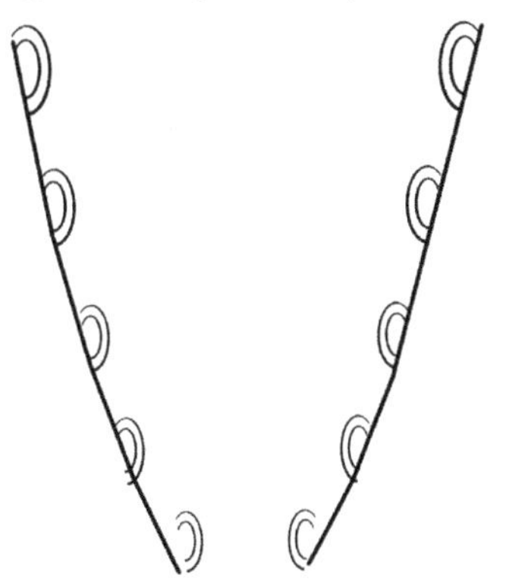

3. Vymažte vodicí čáry "V". Přidejte klikatou čáru, jak je vidět.

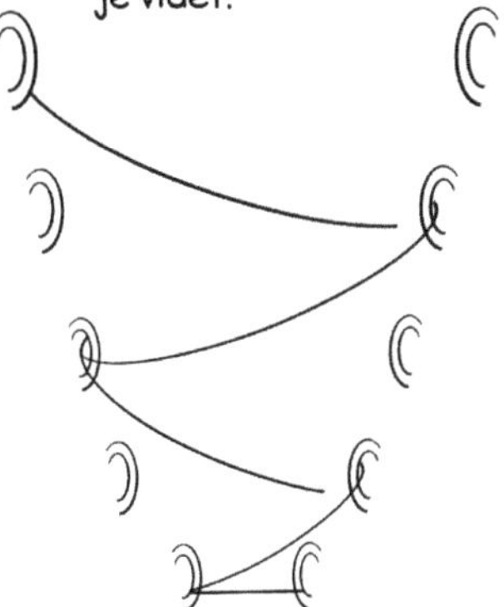

4. Přidejte cik-cak na opačnou stranu a vytvořte zakřivené tvary "X".

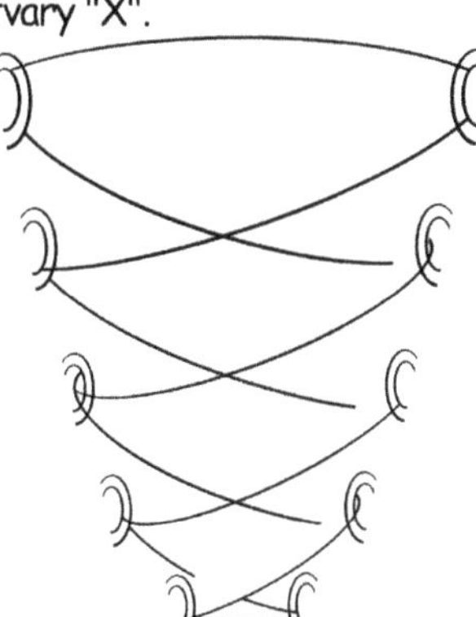

5. "Zhuštění" krajky přidáním další čáry ke každému "X".

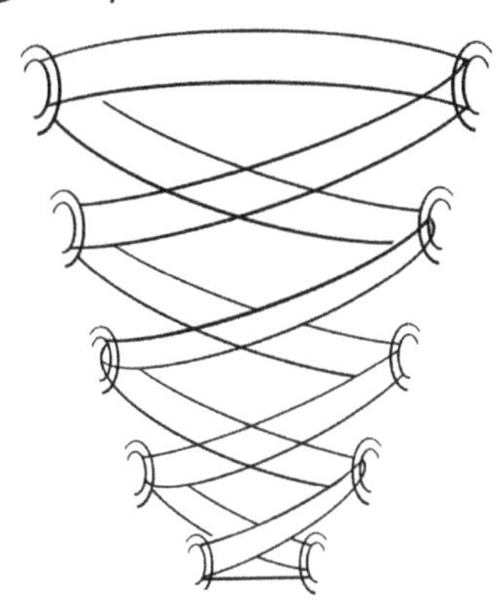

6. Vymažte některé čáry, aby to vypadalo, že některé tkaničky překrývají jiné.

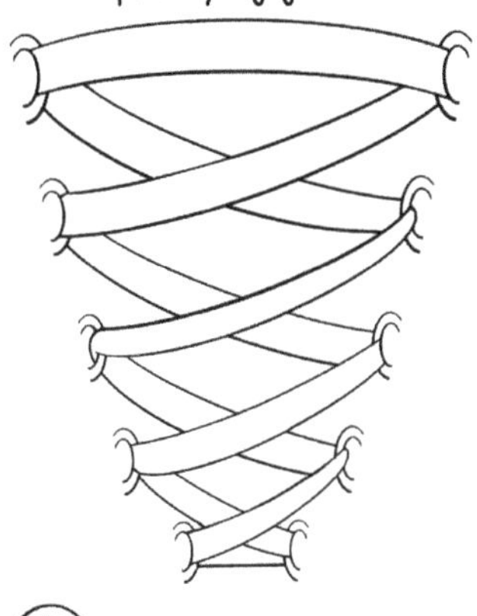

7. Přidání mašle

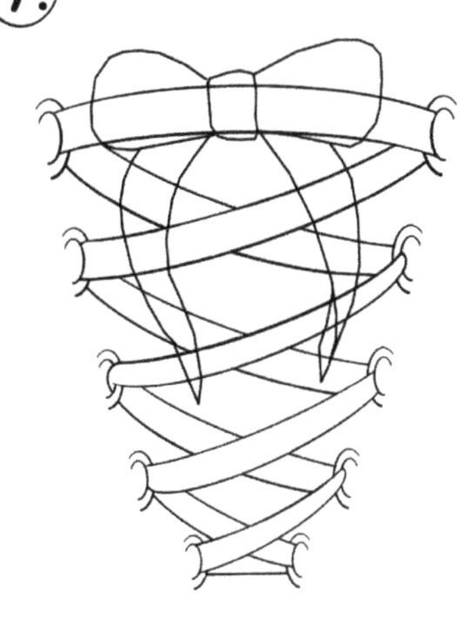

8. Vymazání oblasti za přídí

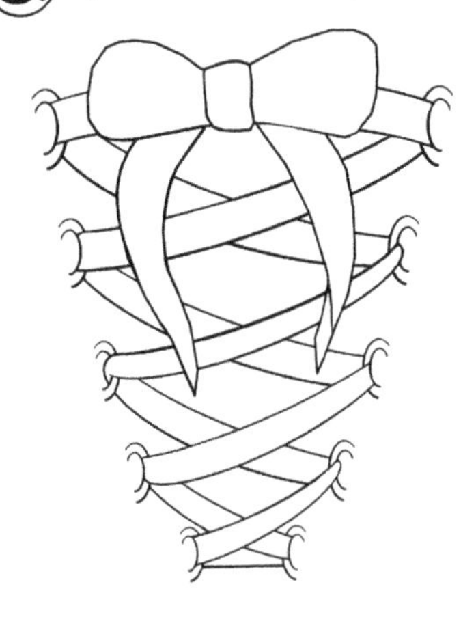

9. Stín

NÁDHERNÝ ŠÁLEK ČAJE

VĚDĚT:

- Kombinací jednoduchých tvarů vznikají složité objekty
- Průřez na kuželu může vytvářet iluzi nádoby (čajového šálku).
- Přidání vzoru a stínování dodá objektu tvar a rozměr.

ROZUMĚT:

- Využití principů válce (zaoblená základna a vrchol elipsy) k vytvoření objektu, který vypadá, že má objem
- Technika "obtáčení" čar a vzorů kolem objektu tak, aby se zdálo, že má tvar

UDĚLAT:

Vytvořte originální umělecké dílo čajového šálku a podšálku, které zobrazuje překrývání. Přidejte "doplňky", jako je čajový sáček nebo lžička a stínítko.

SLOVÍČKA:

Kužel - Dvě čáry na okraji elipsy, které se nakonec protnou
Elipsa - Kružnice viděná pod úhlem (nakreslená jako ovál)
Překrytí - Když jedna věc leží nad druhou, částečně ji zakrývá
Objem - Označuje prostor uvnitř tvaru

Nádherný Šálek Čaje

1. Začněte s dlouhým, tenkým oválným tvarem
2. Přidejte 2 šikmé svislé čáry
3. Zaoblení dna
4. Přidejte křivku na obě strany
5. Přidání dvou oválů
6.
Vymažte tečkovaných oblastí
jeden zde
větší zde pro talíř
vymažte tečkovanou oblast
Přidání "tloušťky" na okraj
7.
8. Přidejte efektní design, například květiny nebo víry.
použít ovál k výrobě efektní rukojeti
Přidání "tloušťky" na okraj
vymazat tečkovanou oblast
Přidejte mírné zakřivení podstavce talíře
Stín
CVH

DESIGN TENISEK

VĚDĚT:
Vyváženost, Design, Funkce, Linie, Opakování

ROZUMĚT:
- Jak může móda vytvářet a rozdělovat sociální struktury
- Móda může odrážet identitu a být rozšířením osobnosti
- Jak vytvořit originální design ze stávající konstrukce

UDĚLAT:
Studenti vytvoří návrh obuvi od konceptu až po finální výrobek. Při navrhování obuvi zohlední průmyslové trendy, koncepty designu, vzory, materiály, barvy, linie, symetrii, osobnost nositele, jeho pohlaví, věk, záliby/záliby atd.

Nezapomeňte: účel boty (sportovní, pro běžné nošení atd.), tvar boty (vysoká, nízká atd.), prošívání, zpevněné plochy, loga, tkaničky/pásky/zapínání na suchý zip, průchodky, strukturu podrážky, visačky atd.

PRESENTATION & REFLECTION:
Ke svému dílu musíte přiložit prohlášení umělce/samoreflexi. Ve formě odstavce uveďte následující informace a klíčovou slovní zásobu použitou v hodině.

1. Popište svůj design obuvi a inspiraci. Jakou identitu se snažíte vyjádřit? (Pro koho jsou boty určeny? atd.)
2. Které oblasti byly v procesu navrhování snadné nebo náročné?
3. Popište silné a slabé stránky svého návrhu bot.
4. Kdybyste měli tento projekt opakovat, co byste udělali jinak a proč?

Boty jsou mnohem víc než jen funkční oblečení

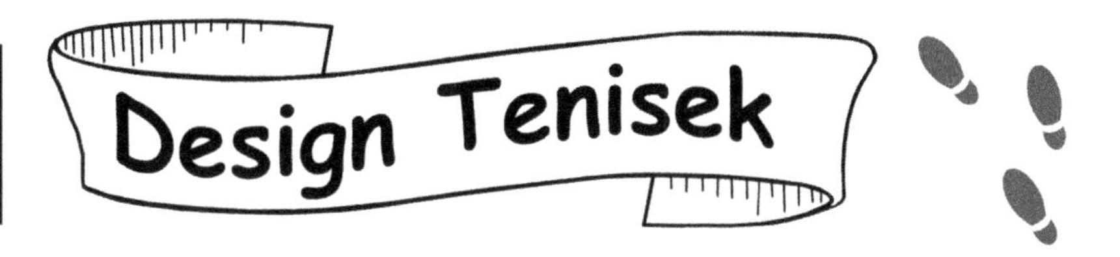

Úkol: Vytvořte originální design tenisek. Proveďte brainstorming s využitím níže uvedených nápadů

1. 2. 3.

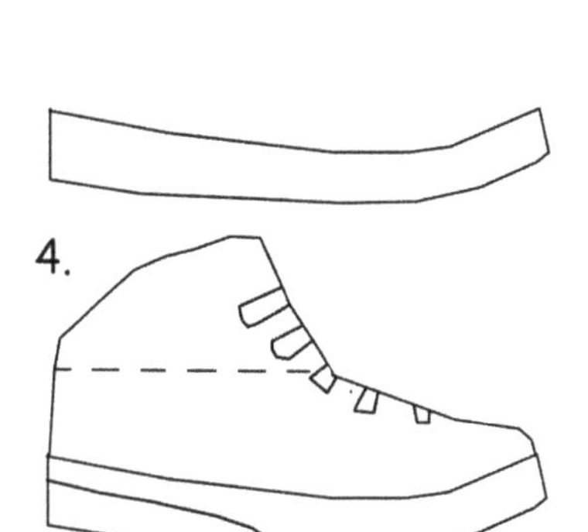

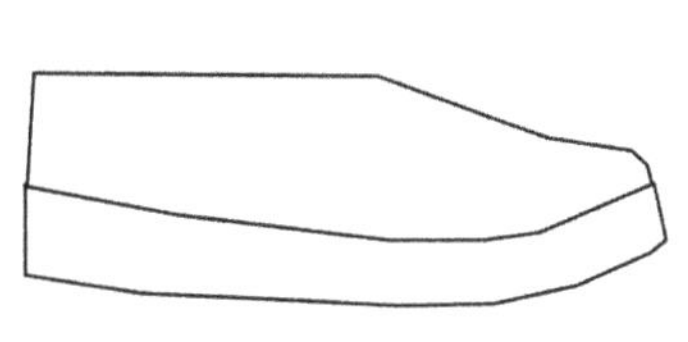

Některé obecné tvary tenisek

Co o vás vypovídají vaše boty?

1. Zamyslete se nad designovými prvky, které se vám líbí, a vytvořte si jejich seznam. Mohou to být slova, písma, čmáranice, vzory atd.

2. Rozhodněte se, jaké prvky chcete do svého návrhu zahrnout. (linie, písmo, text, graffiti atd.)

3. Rozhodněte se, jakou identitu se snažíte vyjádřit. Komu jsou boty určeny?

Úvahy o umění:

průmyslové trendy
vzor
materiály
barva
bilance
řádek
symetrie

Nezapomeňte:

účel obuvi
tvar obuvi
šití
logo (podpora?)
tkaničky/řemínky
průchodky
struktura podrážky

TRUHLA S POKLADEM

VĚDĚT:

- Kombinací jednoduchých tvarů vznikají složité objekty
- Přidání vzoru a stínování dodá objektu tvar a rozměr

ROZUMĚT:

- Využití principů krychle k vytvoření objektu, který vypadá, že má objem
- Použití ustupujících linií pro zobrazení perspektivy
- Jedna z metod pro vytvoření jednoduché 3D kostky

UDĚLAT:

Vytvořte originální umělecké dílo truhly s pokladem, které demonstruje perspektivu. Uvnitř truhly přidejte spoustu věcí navíc. Umístěte ji do scény.

SLOVÍČKA:

Krychle - Mnohostěn se šesti čtvercovými stěnami; čtverec, který se jeví jako 3D
Perspektiva - Bod, z něhož se na objekt nebo scénu díváme
Pokračující linie - Linie, které se pohybují dozadu nebo pryč od popředí

Truhla s Pokladem

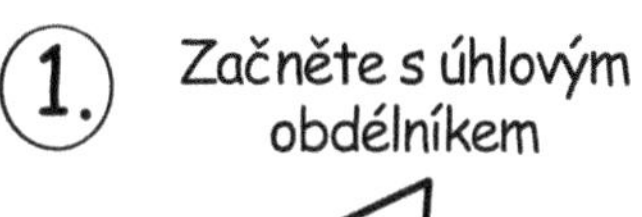

1. Začněte s úhlovým obdélníkem

2. Přidejte 3 ustupující čáry

3. Připojení

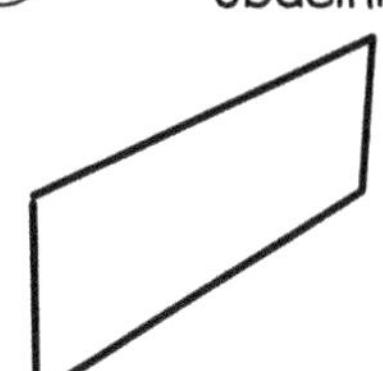

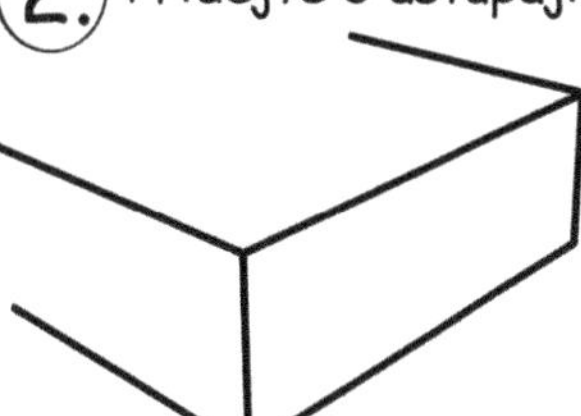

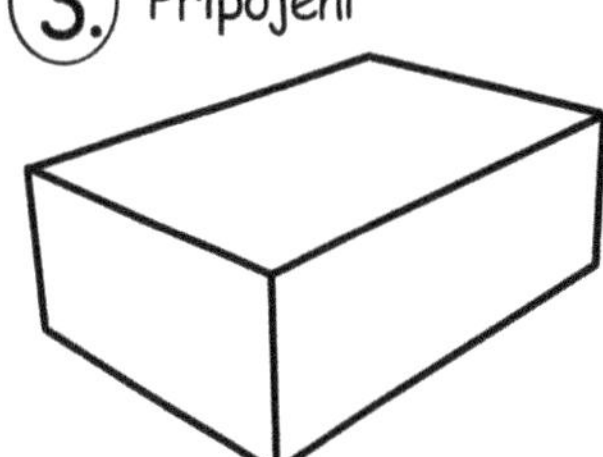

4. Stáhněte otevřenou klapku

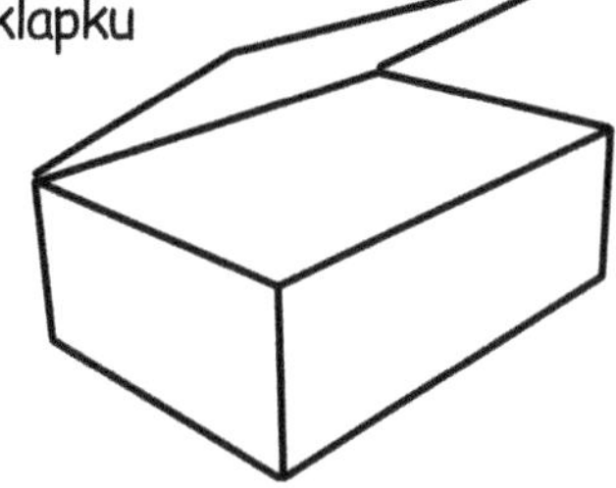

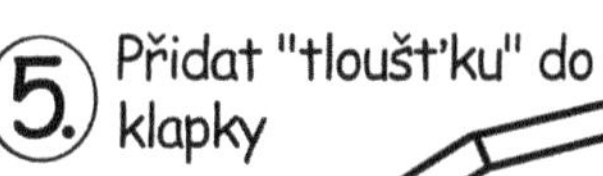

5. Přidat "tloušťku" do klapky

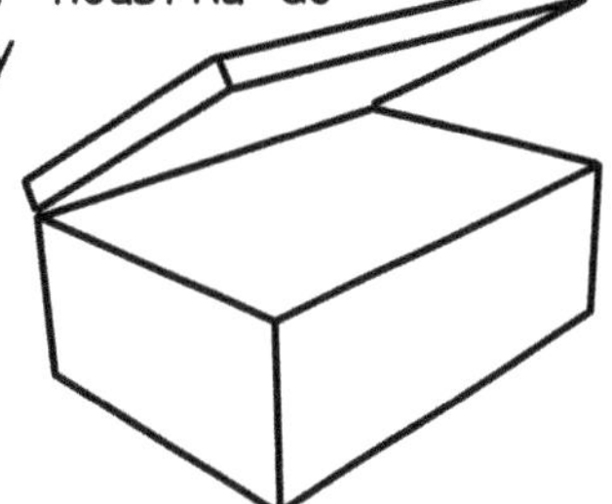

6.

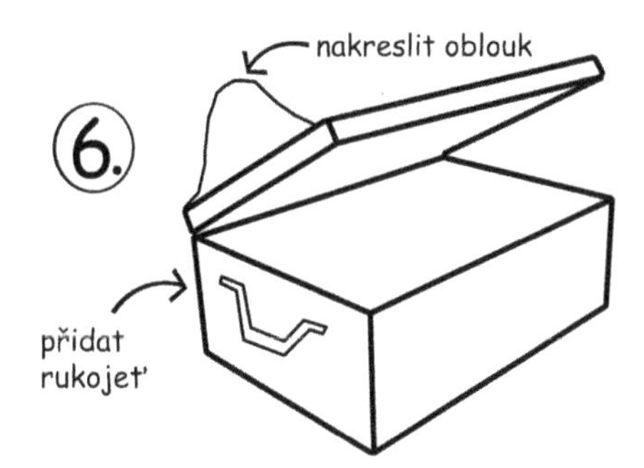

7.

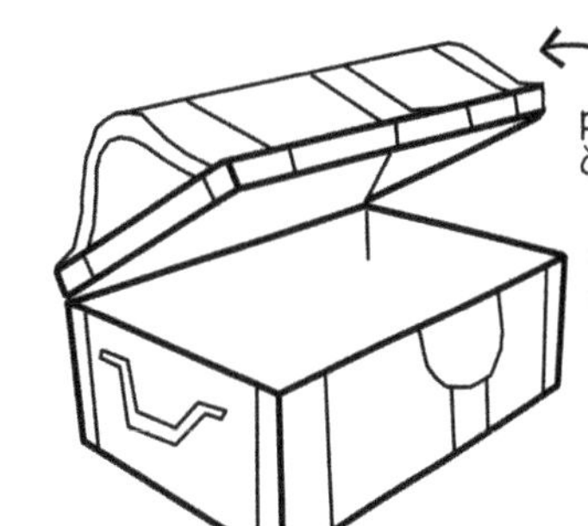

8.

Podrobný zámek...

1.

2.

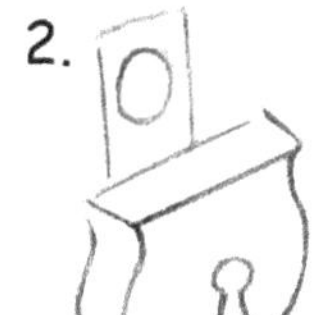

3.

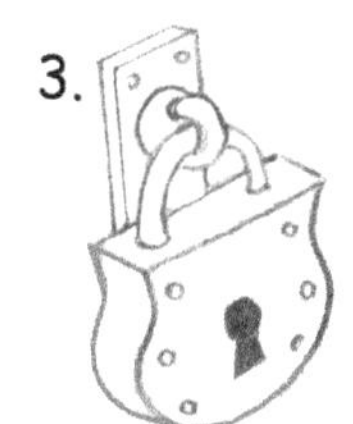

KOSTLIVEC PIRÁT

VĚDĚT:

Geometrické tvary, překrývání a vrstvení

ROZUMĚT:

- Vrstvení jednoduchých tvarů může být prvním krokem k vytvoření složitých forem
- Průměrné lidské tělo lze měřit jako "7 hlav vysoké"

UDĚLAT:

- Postupujte podle uvedených kroků a vytvořte si vlastní verzi jedinečného piráta "kostlivce"
- Přidejte spoustu doplňků, jako je truhla s pokladem, pirátská loď nebo mapa pokladu
- Umístěte ho na scénu a zastínit

SLOVÍČKA:

Geometrický - jakýkoli tvar nebo forma s matematickou konstrukcí. Geometrické vzory jsou obvykle tvořeny přímkami nebo geometrickými tvary (na rozdíl od organických, volných linií)
Vrstvení - Umístění něčeho přes jiný povrch nebo předměty
Překrývání - Když jedna věc leží přes něco jiného a částečně ho zakrývá

Nakreslete Kostlivce Piráta

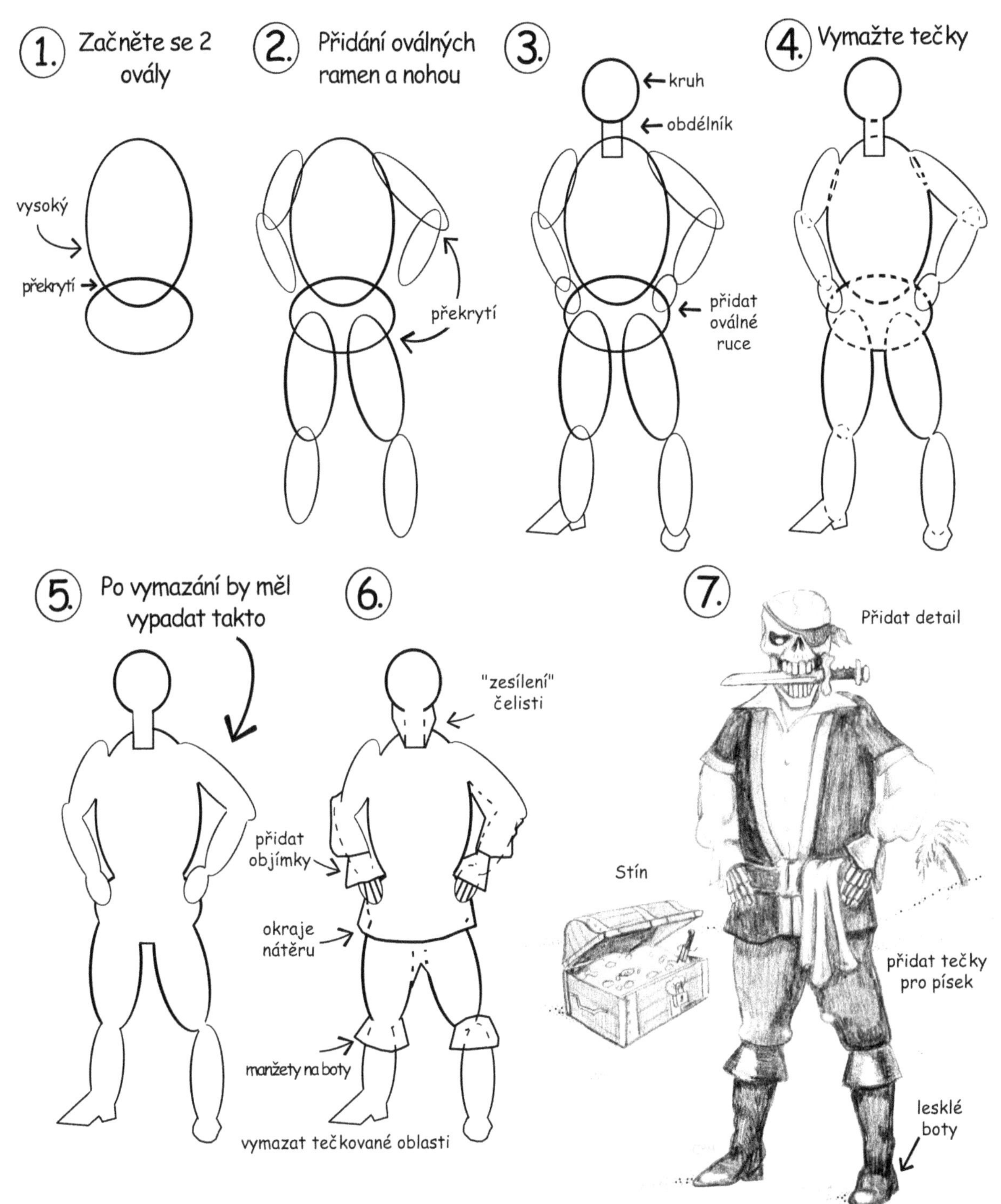
1. Začněte se 2 ovály
vysoký
překrytí
2. Přidání oválných ramen a nohou
překrytí
3.
kruh
obdélník
přidat oválné ruce
4. Vymažte tečky
5. Po vymazání by měl vypadat takto
6.
"zesílení" čelisti
přidat objímky
okraje nátěru
manžety na boty
vymazat tečkované oblasti
7.
Přidat detail
Stín
přidat tečky pro písek
lesklé boty

DŘEVĚNÝ KŘÍŽ

VĚDĚT:
Textura

ROZUMĚT:
• Vytváření složitých forem z jednoduchých tvarů
• Umělci používají texturu, aby ukázali, jak může něco působit nebo z čeho je to vyrobeno

UDĚLAT:
Vytvoření originálního kříže, který obsahuje texturu ve vzhledu dřeva a ukazuje perspektivu

SLOVÍČKA:
Perspektiva - Bod, z něhož se na objekt nebo scénu díváme
Textura - Způsob, jakým něco vypadá, jak by to mohlo vypadat v uměleckém díle. Simulované textury navrhuje umělec různými tahy štětce, liniemi tužky apod.
Hodnota - Světlost nebo tmavost barvy
Vertikální - Rovnoběžné čáry, které jsou nakresleny rovně nahoru a dolů

Dřevěný Kříž

1. Začněte 2 svislými čarami

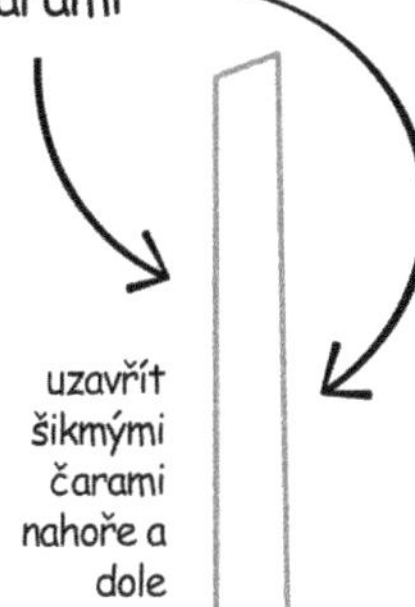

2. Přidání 2 vodorovných čar pro malé písmeno "t"

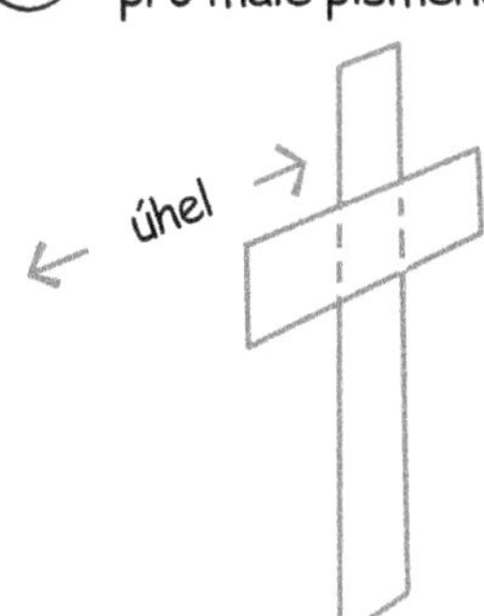

3. Nakreslete 7 krátkých šikmých čar

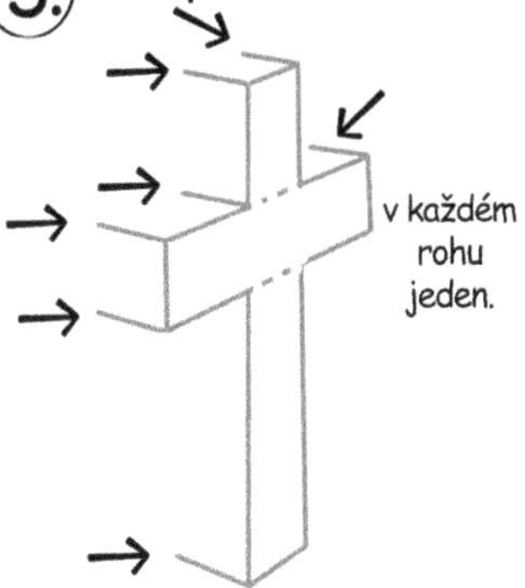

4. Spojte čáry, abyste vytvořili iluzi trojrozměrnosti.

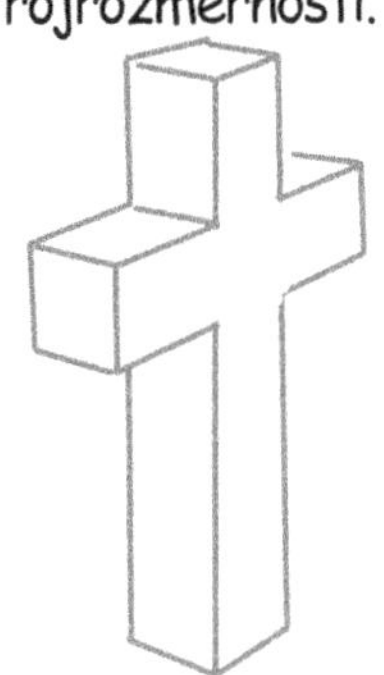

5. Přidejte 2 rovnoběžné úhlové čáry

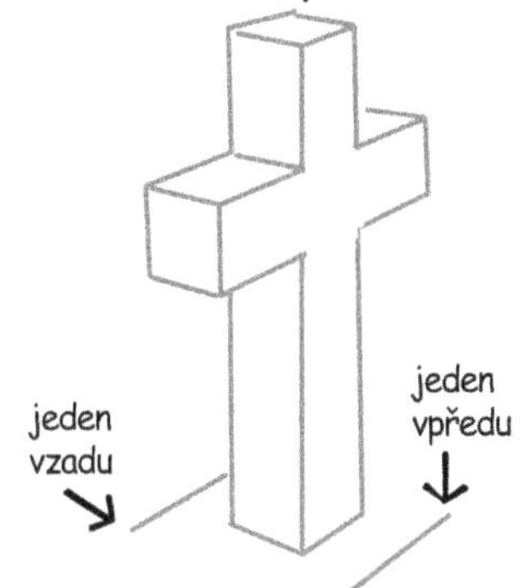

6. Spojte čáry a vytvořte základnu

7. Přidejte 2" "tvary pro základnu

8. Uzavřete základnu svislými čarami

9. Stínidlo se vzhledem "dřeva"

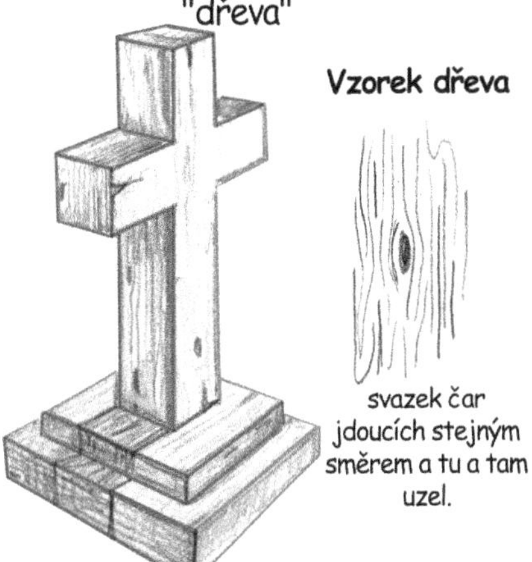

VODNÍ LOUŽE

VĚDĚT:
Organický tvar, odraz, hloubka

ROZUMĚT:
Jak vytvořit dojem hloubky při kreslení organických forem

UDĚLAT:
Vytvořte originální vodní louži s vyznačením hloubky, tloušťky a odrazivosti pomocí poskytnutých tipů. Odstín. Nezapomeňte na kapky vody!

SLOVÍČKA:
Hloubka - zdánlivá vzdálenost mezi přední a zadní částí nebo mezi blízkou a vzdálenou částí uměleckého díla. Pokud se hloubka vztahuje k nejmenšímu rozměru objektu, pak lze tuto vzdálenost také nazvat jeho tloušťkou.

Organický - nepravidelný tvar, který se může vyskytovat v přírodě, spíše než pravidelný, mechanický tvar

Odraz - obraz, který se odráží od zrcadlícího se povrchu, například od zrcadla nebo stojaté vody

1. Začněte s organickým tvarem

2. Přidejte "tloušťku", která na jedné straně kopíruje obrys tvaru.

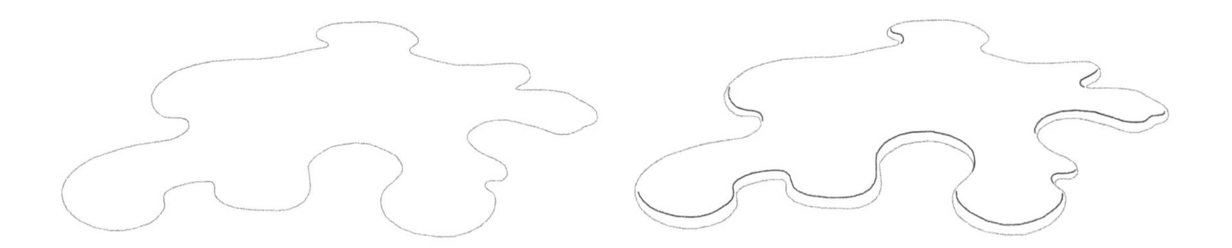

3. Zastínit právě vytvořený okraj

4. Přidejte několik náhodných oválných kapek

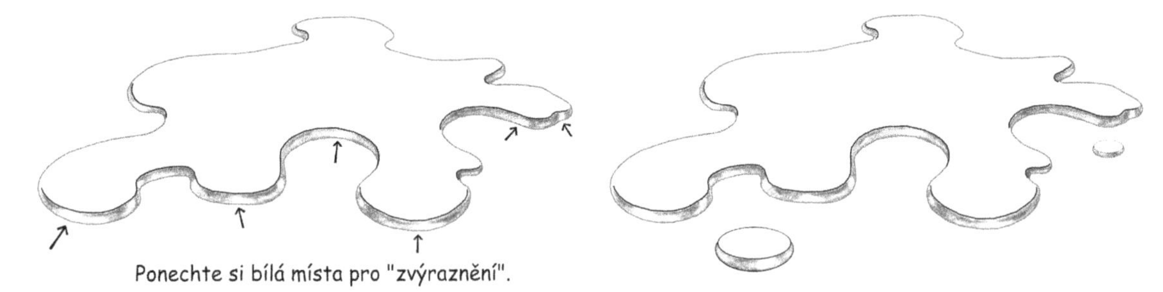

5. Lehce vystínujte zaoblené okraje na "vrcholu" louže.

PLOVÁKY VE VODNÍ KALUŽI

VĚDĚT:

- Základní konstrukce tvarů v kreslení
- Tvar a forma jsou dva ze sedmi prvků umění

ROZUMĚT:

- Rozdíl mezi tvarem a formou
- Objem
- Stínování
- Vrstvení/překrývání

UDĚLAT:

Využijte poznatky získané v projektu "Vodní louže" a vytvořte louži. Vyberte si z listu "Vodní louže plovoucí" předmět (nebo si vyberte vlastní), který bude "plavat" na vaší louži. Nezapomeňte svůj předmět vystínovat, vymazat části louže, abyste naznačili odrazové vlastnosti, a přidat vodní kruhy, abyste znázornili pohyb!

SLOVÍČKA:

Forma - trojrozměrný tvar (výška, šířka a hloubka), který uzavírá objem
Odraz - obraz, který odráží zrcadlová plocha, například zrcadlo nebo stojatá voda
Tvar - uzavřený prostor
Objem - prostor uvnitř formy

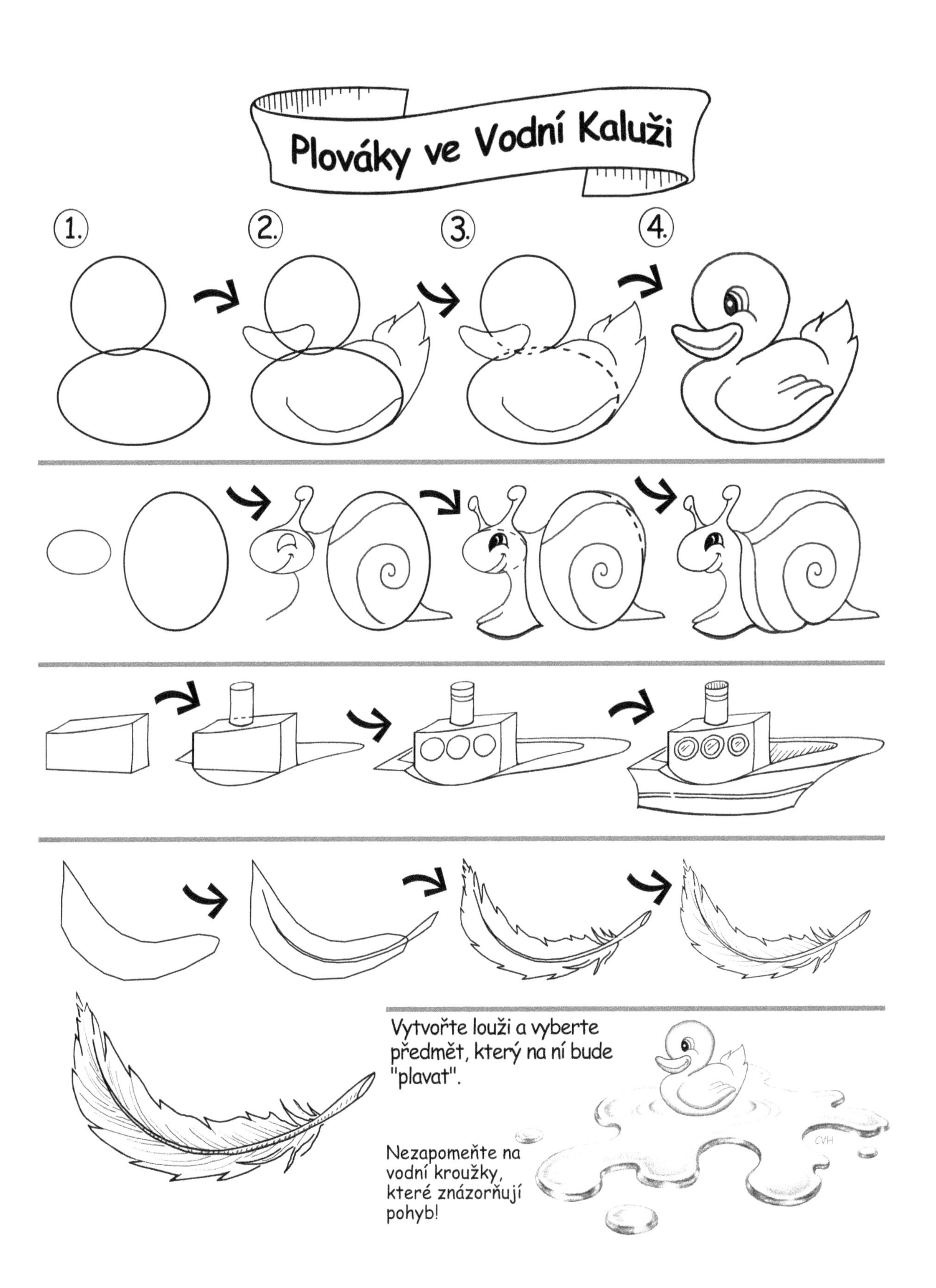
Plováky ve Vodní Kaluži
1.
2.
3.
4.
Vytvořte louži a vyberte předmět, který na ní bude "plavat".
Nezapomeňte na vodní kroužky, které znázorňují pohyb!
CVH

OTISKY NOHOU

VĚDĚT:
Jednoduché tipy a triky, jak vytvořit "mini stopu"

ROZUMĚT:
Můžete používat předměty denní potřeby k vytváření potisků a vzorů

UDĚLAT:
Podle uvedených kroků vytvořte návrh "mini otisku". Pokuste se vytvořit levou i pravou nohu a umístěte je postupně tak, aby představovaly realistický otisk chodidla.

SLOVÍČKA:
Stopa - otisk nebo obraz, který za sebou zanechává člověk při chůzi nebo běhu
Vzor - opakování jakékoli věci, včetně tvarů, linií nebo barev
Tisk - tvar nebo značka vytvořená z bloku, desky nebo jiného předmětu, který je pokryt mokrou barvou (obvykle tuší nebo barvou) a poté vylisován na rovný povrch
Repetice - způsob kombinování uměleckých prvků tak, že se stále znovu a znovu používají stejné prvky. Určitá barva nebo tvar tak mohou být na stejném obraze použity několikrát.
Stupňovat - uspořádat nerovnoměrně nebo v různém klikatém či překrývajícím se postavení

Může to chtít trochu cviku, ale je to zábavný a zajímavý způsob, jak udělat otisk.

1. Začněte s akrylovou nebo temperovou barvou na vodní bázi.

2. Zatněte pěst. Namalujte zadní stranu ruky

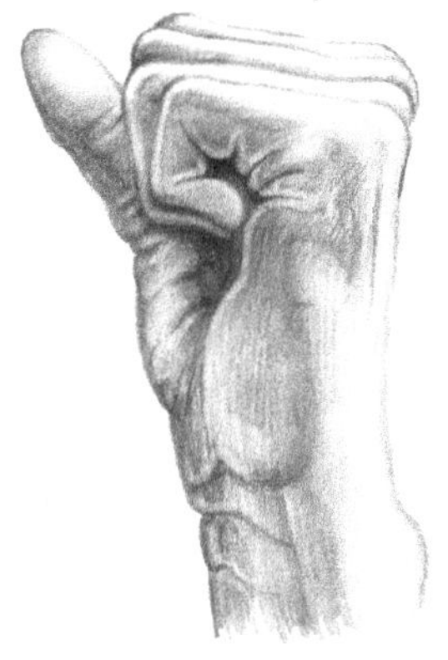

3. Na odpadový papír otiskněte ruku, abyste odstranili přebytečnou barvu.

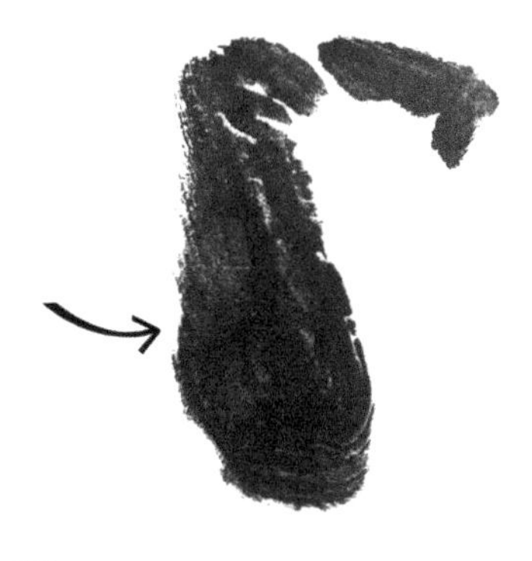

4. Znovu razítkujte a přidejte palec. (použijte palec!)

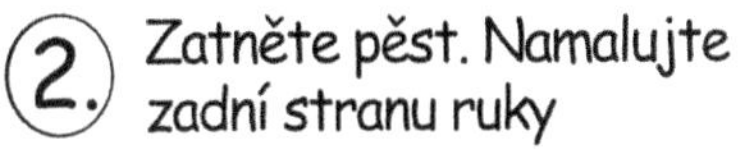

5. Přidejte druhý prst na noze... (použijte ukazováček)

6. Třetí prst na noze... (použijte prsteníček)

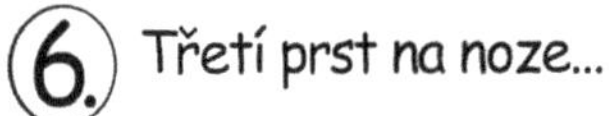

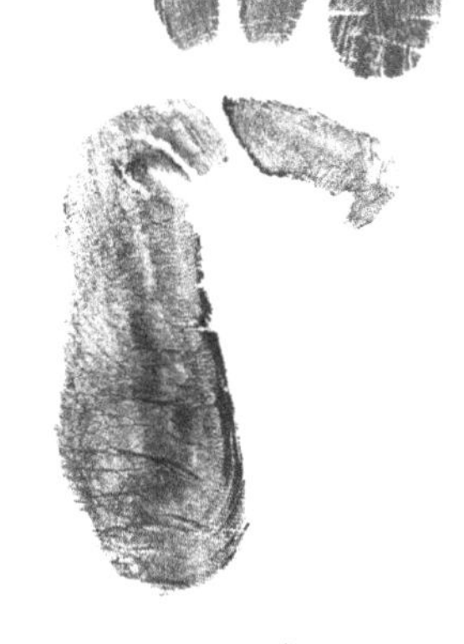

7. Přidejte čtvrtý...

8. Přidejte poslední...

9. Zkuste to znovu druhou rukou a vytvořte dvojici.

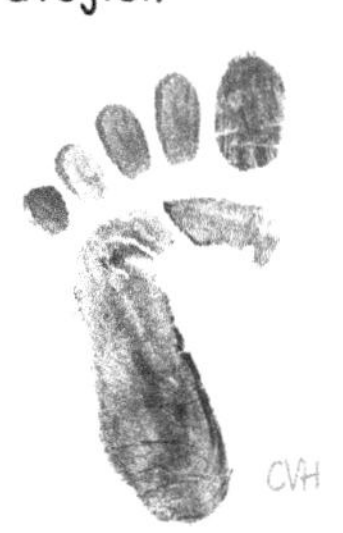

JAK KRESLIT OHEŇ

VĚDĚT:
Náhodné čáry, Překrývání, Zvýraznění, Hodnota

ROZUMĚT:
- Vrstvení jednoduchých tvarů pomáhá ukázat hloubku a vytvořit formu
- Různé hodnoty tónů při stínování mohou přispět k vytvoření zajímavého a realistického obrazu

UDĚLAT:
- Podle uvedených kroků vytvořte vlastní vyobrazení požáru
- Použití hodnoty pro označení tmavých a světlých oblastí
- Vymažte některé oblasti, abyste vytvořili zvýraznění

SLOVÍČKA:
Zvýraznění - Oblast na jakémkoli povrchu, která odráží nejvíce světla; nasměrování pozornosti nebo zdůraznění oblasti kresby pomocí hodnoty
Překrývání - Když jedna věc leží přes druhou, částečně ji zakrývá
Náhodné linie - Náhodné nebo nahodilé, nemají žádný vzor
Hodnota - Světlost nebo tmavost barvy nebo tónu

1. Začněte tvarem slzy

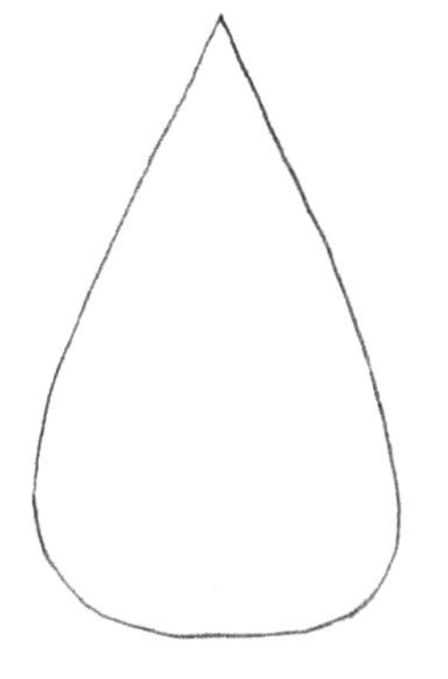

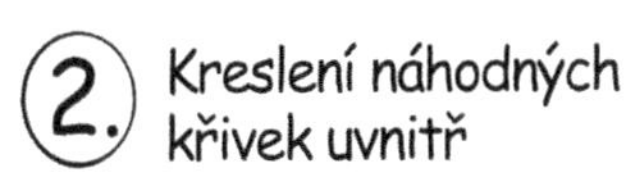

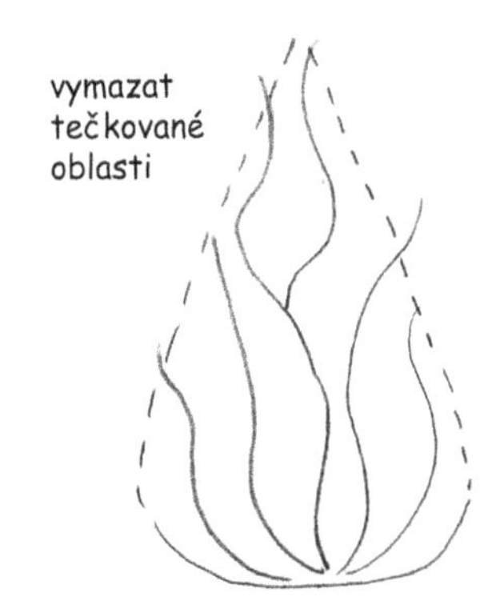

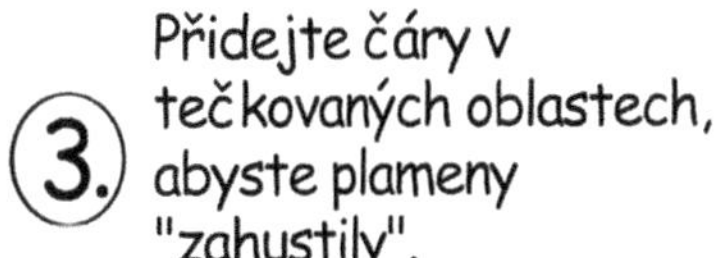

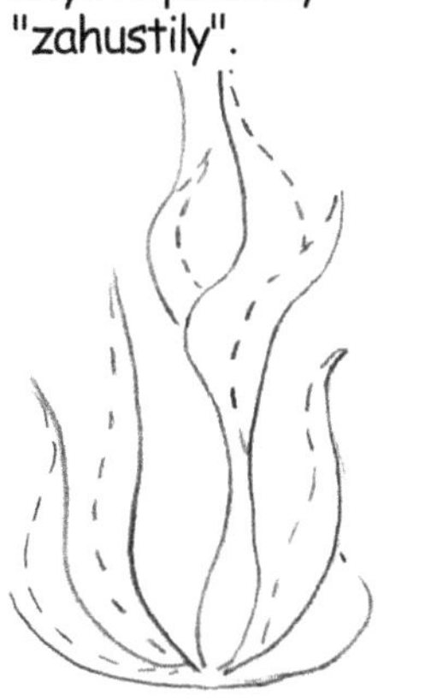

4. Přidejte několik dalších náhodných, křivolakých plamenů.

5. Lehce vystínujte celý plamen a částečně vymažte středové čáry.

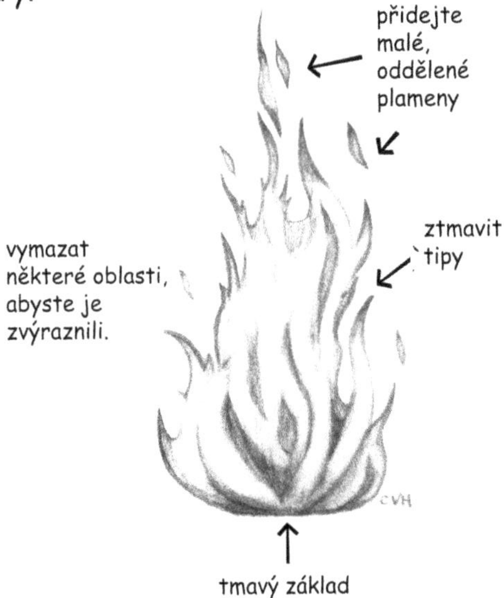

JAK NAKRESLIT SVÍČKU

VĚDĚT:
Válec, zvýraznění, hodnota

ROZUMĚT:
- Válce v umění působí dojmem 3D kruhové trubice.
- Různé hodnoty tónů při stínování mohou přispět k vytvoření zajímavého a realistického obrazu

UDĚLAT:
- Podle uvedených kroků vytvořte vlastní vyobrazení hořící svíčky
- Použití hodnoty pro označení tmavých a světlých oblastí
- Vymažte některé oblasti, abyste vytvořili světlé body (blíže k plameni)

SLOVÍČKA:
Válec - trubice, která se jeví jako trojrozměrná
Zvýraznění - oblast na jakémkoli povrchu, která odráží nejvíce světla; nasměrování pozornosti nebo zdůraznění oblasti kresby pomocí hodnoty
Výraz - světlost nebo tmavost barvy nebo tónu

Nakreslete Svíčku

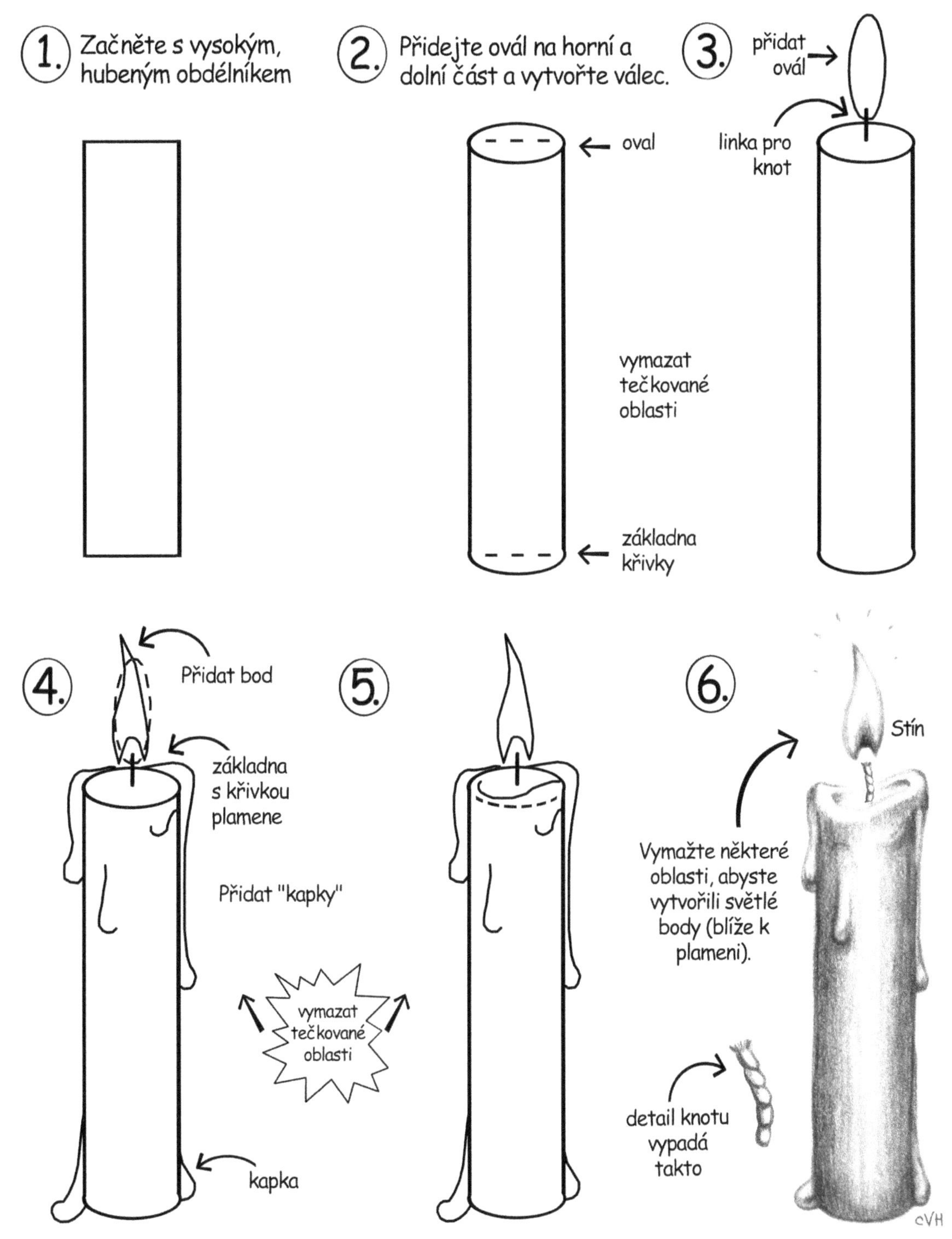
1.
Začněte s vysokým, hubeným obdélníkem
2.
Přidejte ovál na horní a dolní část a vytvořte válec.
oval
vymazat tečkované oblasti
základna křivky
3.
přidat ovál
linka pro knot
4.
Přidat bod
základna s křivkou plamene
Přidat "kapky"
vymazat tečkované oblasti
kapka
5.
6.
Stín
Vymažte některé oblasti, abyste vytvořili světlé body (blíže k plameni).
detail knotu vypadá takto
cVH

LEBKA S PLAMENY

VĚDĚT:
Přehnané vlastnosti, zvýraznění, hodnota

ROZUMĚT:
Použití nadsázky a zkreslení v uměleckém díle pro vytvoření určitého stylu

UDĚLAT:
- Vytvořte vlastní verzi stylizované lebky s plameny podle poskytnutých pokynů NEBO si procvičte kresbu obecné lidské lebky a přehánějte její rysy
- Přidejte "extra" a stín
- Vymažte některé oblasti, abyste zvýraznili plameny

SLOVÍČKA:
Zkreslení - Změna vzhledu, někdy deformace nebo roztažení objektu
Přehánět - Přikrášlovat; zvětšovat nebo zmenšovat velikost
Zvýraznit - Oblast na jakémkoli povrchu, která odráží nejvíce světla; zaměřit pozornost na určitou oblast kresby nebo ji zvýraznit pomocí hodnot

Lebka s Plameny

1. Naskládejte tyto 4 tvary na sebe
oval
geometrický tvar
čtverec
další geometrický tvar
2. Přidat podrobnosti
chrám
přidat oči
lichoběžníkový nos
3. Přidání tvaru obdélníku na obou stranách
vymazat tečkované oblasti
tvar
tvar
4.
zaoblené hrany
Udělejte nos takto
více "m"
tvarov
více "w"
curve
5.
přidat 2 zakřivené čáry pro zuby
6. "Zahuštění" očního důlku
řádky
vymazat tečkované
zaoblené spodní hrany
7. Všude přidejte trhliny
jednotlivé zuby
8. Stín
cVH

NAKRESLETE SPORTOVNÍ MÍČE

VĚDĚT:
Jednoduché kroky k vytvoření různých sportovních míčů

ROZUMĚT:
- Malé změny/doplňky základních tvarů mohou pomoci vytvořit specifické rozpoznatelné obrazy
- Rozdíl mezi tvarem a formou
- Stínování a vzory mohou pomoci proměnit tvary ve formy

UDĚLAT:
Podle uvedených kroků vytvořte alespoň dva ze čtyř vyobrazených sportovních nástrojů. Vystínujte.

SLOVÍČKA:
Forma - trojrozměrný tvar (výška, šířka a hloubka), který uzavírá objem
Tvar - uzavřený prostor
Objem - označuje prostor uvnitř formy

Nakreslete Sportovní Míče

1. BASKETBALL Nakreslete kruh
2. Přidejte mírně zakřivenou úhlopříčku
3. Přidejte 3 křivky, jak je uvedeno níže
4. Stín

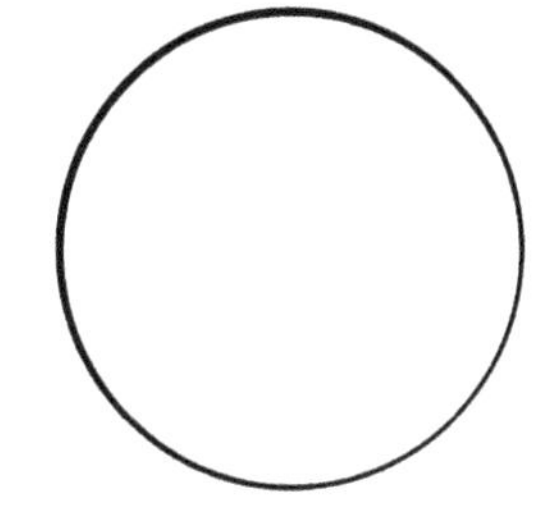

1. FOTBAL Začněte s oválem
2. Přidání zaoblených pruhů na koncích
3. Přidání tvarů "H" pro tkaničky
4. Stín

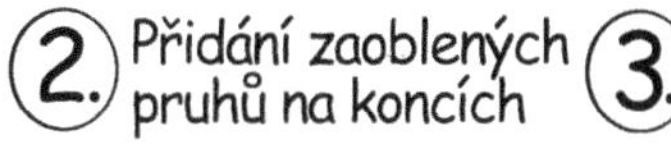

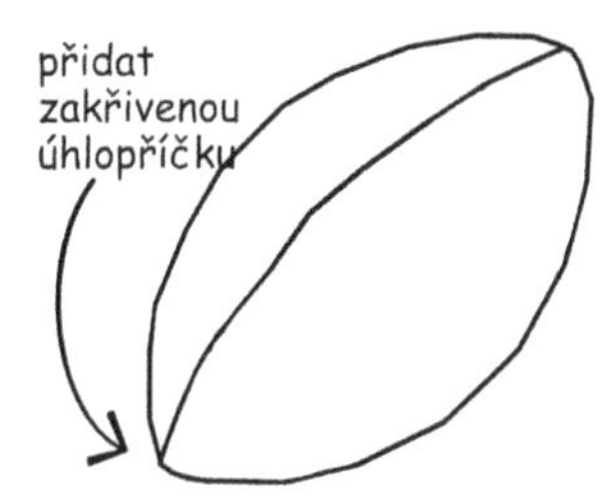

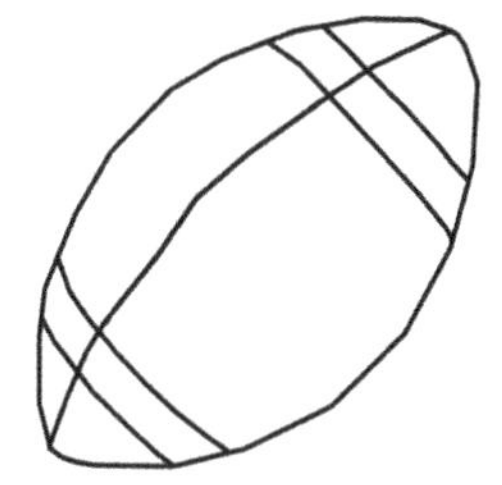
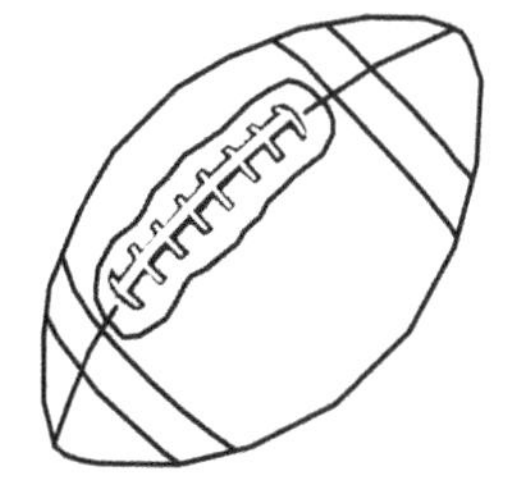

1. BASEBALL Začněte s kruhem
2. Přidejte 2 světelné čáry zakřivené uprostřed
3. Přidejte otevřené písmeno "V" pro detail stehu
4. Stín

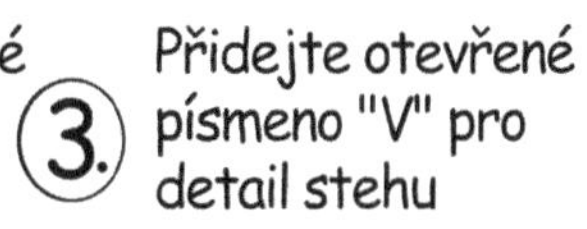

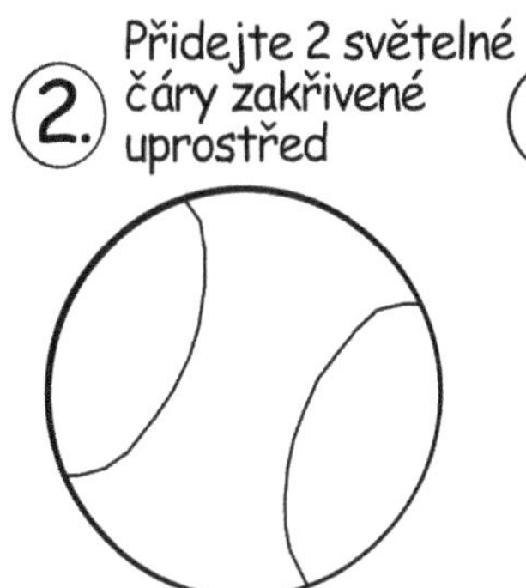

1. HOKEJOVÝ PUK Začněte s oválem
2. Nakreslete 2 rovnoběžné čáry po stranách
3. Kulatá základna pro připojení
4. Stín

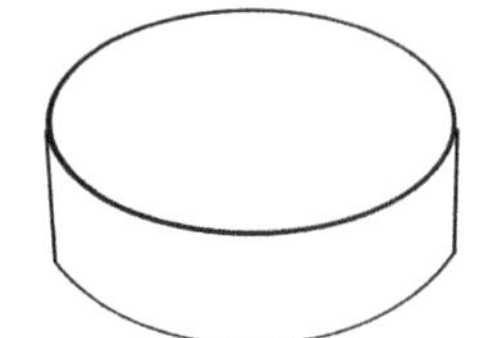

BASKETBALOVÝ KOŠ

VĚDĚT:

- Kombinací jednoduchých tvarů lze vytvořit složitější objekty
- Překrývání

ROZUMĚT:

- Překrývání a vrstvení položek pomáhá vytvářet dojem realističnosti
- Rozdíly ve velikosti částí objektu mohou pomoci dosáhnout iluze hloubky

UDĚLAT:

Vytvořte originální umělecké dílo své verze basketbalového koše podle uvedených kroků. Nejprve si vyzkoušejte snadnou, poté složitější verzi. Neobkreslujte. Stínujte.

SLOVÍČKA:

Překrytí - Když jedna věc leží nad jinou a částečně ji zakrývá
Perspektiva - Technika používaná k vytvoření iluze 3D na 2D povrchu. Perspektiva pomáhá vytvářet pocit hloubky nebo vzdalujícího se prostoru.

Basketbalový Koš

1. Začněte oválným tvarem
2. Vložte menší ovál dovnitř
3. Přidejte základnu

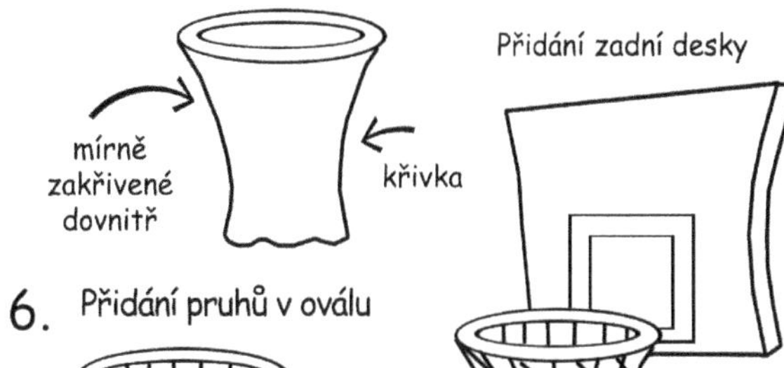

4. Přidejte pruhy (podle obrysu stran).
5. Přidání diagonálních pruhů
6. Přidání pruhů v oválu

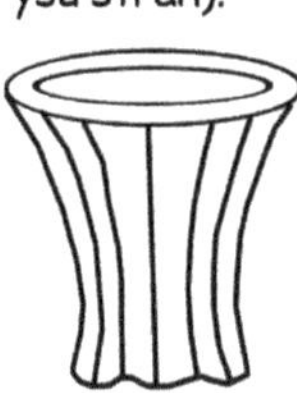

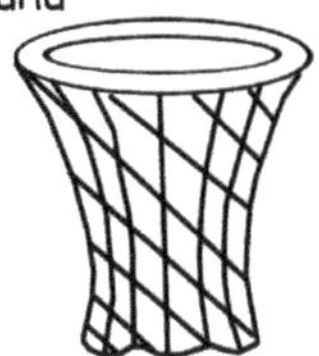

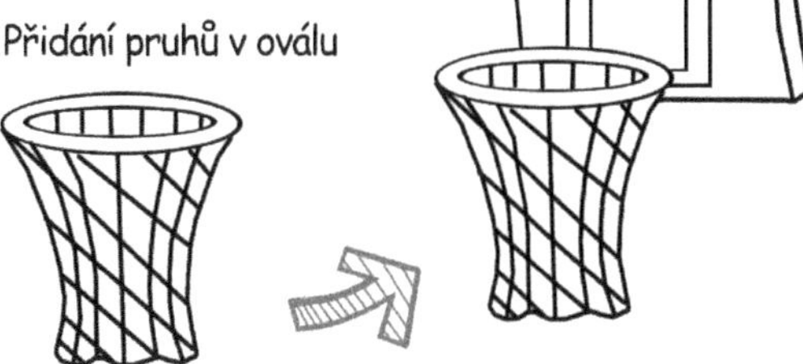

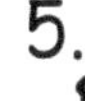

1.

2.

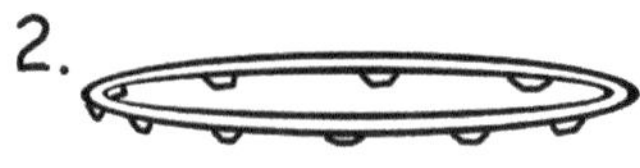

3.

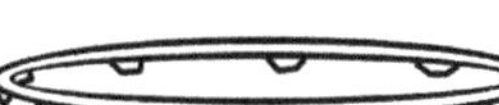

4.

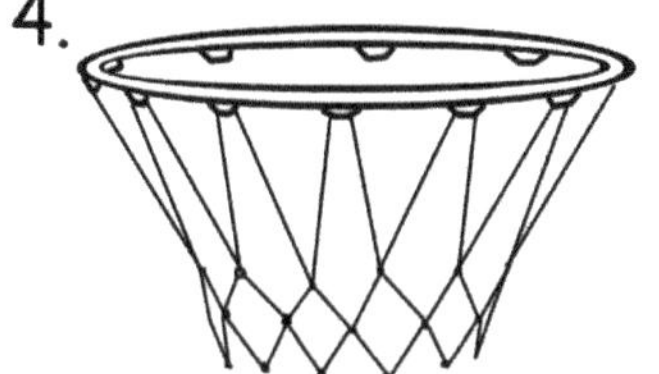

5.

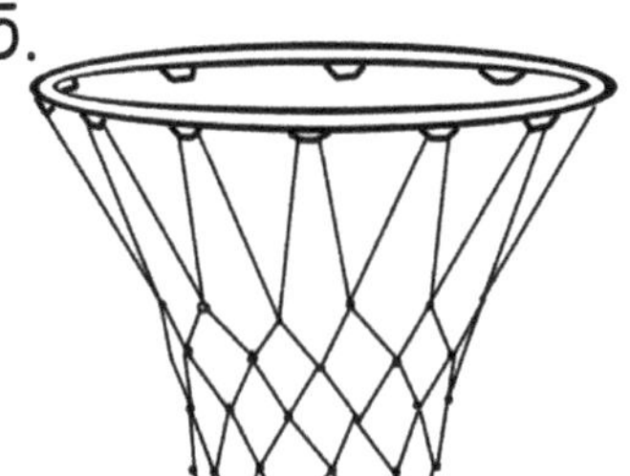

6.

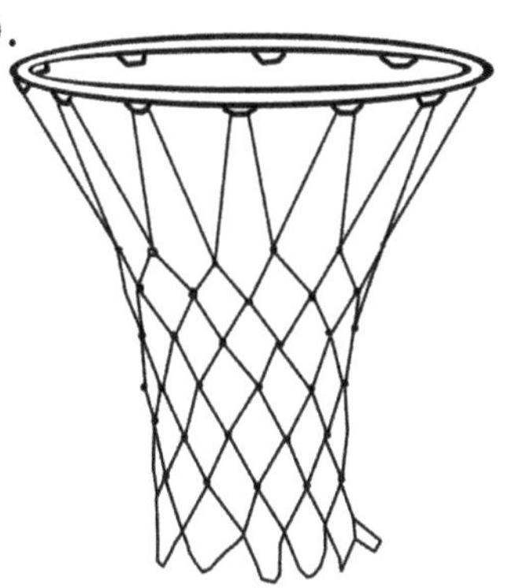

7.

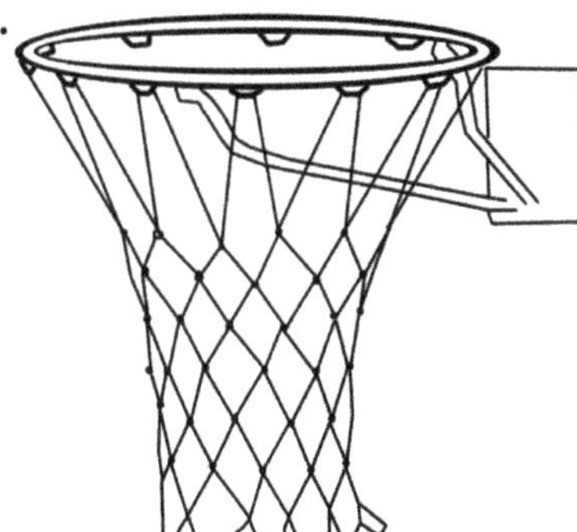

8.

NAKRESLETE HOLÝ STROM

VĚDĚT:
- Základní tvar stromu lze zjednodušit na válec
- Asymetrie
- Trik "Y" (větve vypadají jako písmeno Y)

ROZUMĚT:
- Válce v umění působí dojmem 3D kruhové trubice
- Větve většiny stromů rostou nahoru a ven (ne dolů)
- Každý strom je jedinečný - žádné dva nejsou stejné
- Stromy mohou být na obou stranách podobné, ale ne symetrické

UDĚLAT:
- Vytvořte si vlastní strom pomocí techniky "Trik Y"
- Stínování

SLOVÍČKA:
Asymetrie - části konstrukce jsou uspořádány tak, že se jedna strana liší od druhé
Válec - trubka, která se jeví jako trojrozměrná

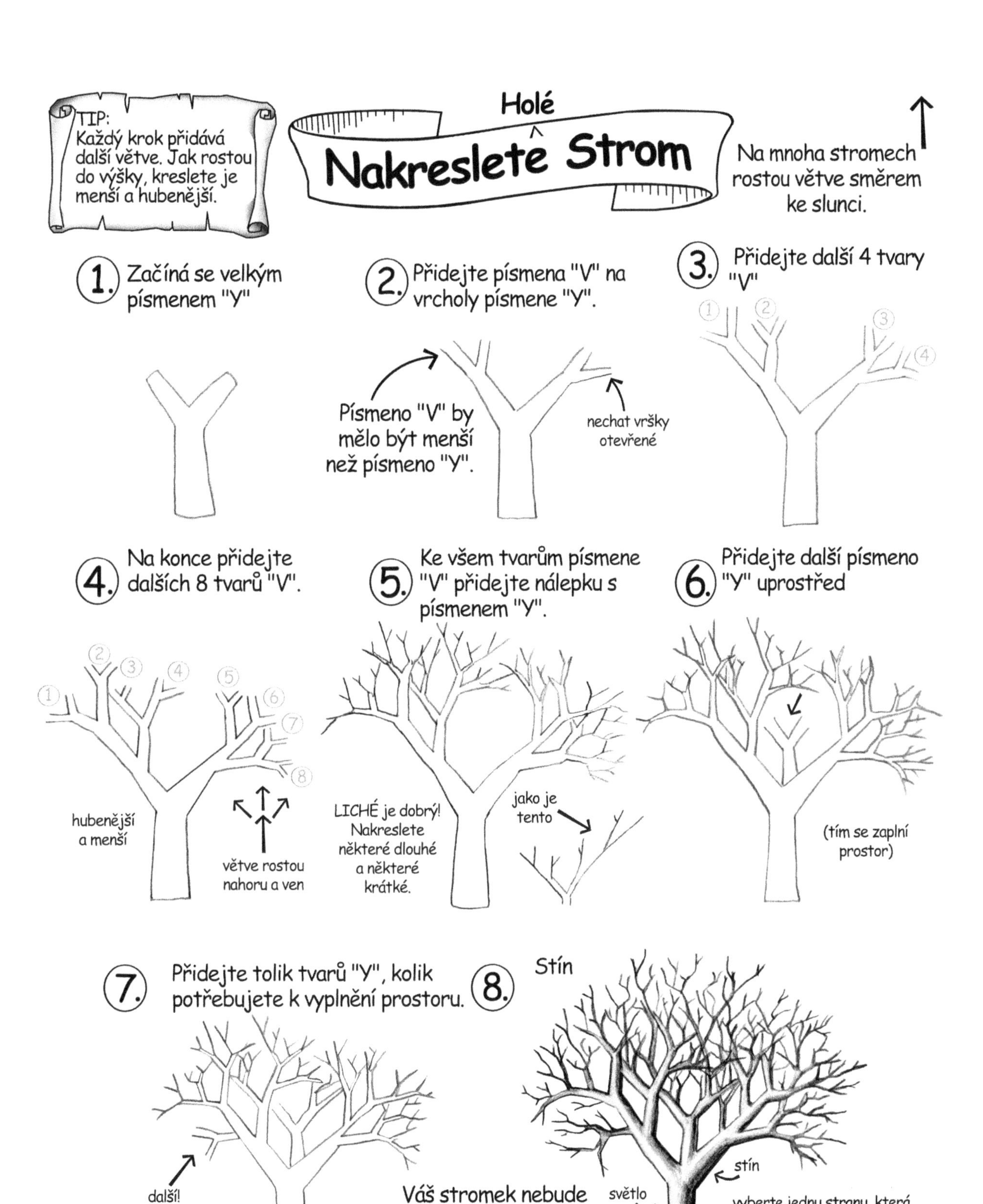
TIP:
Každý krok přidává další větve. Jak rostou do výšky, kreslete je menší a hubenější.
Holé
Nakreslete Strom
Na mnoha stromech rostou větve směrem ke slunci.
1. Začíná se velkým písmenem "Y"
2. Přidejte písmena "V" na vrcholy písmene "Y".
Písmeno "V" by mělo být menší než písmeno "Y".
nechat vršky otevřené
3. Přidejte další 4 tvary "Y"
4. Na konce přidejte dalších 8 tvarů "V".
hubenější a menší
větve rostou nahoru a ven
5. Ke všem tvarům písmene "V" přidejte nálepku s písmenem "Y".
LICHÉ je dobrý! Nakreslete některé dlouhé a některé krátké.
jako je tento
6. Přidejte další písmeno "Y" uprostřed
(tím se zaplní prostor)
7. Přidejte tolik tvarů "Y", kolik potřebujete k vyplnění prostoru.
další!
8. Stín
stín
světlo
vyberte jednu stranu, která bude ve stínu, a pak na ní ztmavte všechny větve, zatímco druhá strana zůstane světlá.
Váš stromek nebude vypadat přesně jako tento, ale to je dobře! Každý stromek je jedinečný.

NAKRESLETE PALMU

VĚDĚT:
- Základní tvar stromu lze zjednodušit na válec
- Asymetrie

ROZUMĚT:
- Zjednodušení uměleckého díla spočívá v rozdělení hlavních částí objektu na jednoduché tvary
- Každý strom je jedinečný - žádné dva nejsou stejné
- Stromy jsou asymetrické

UDĚLAT:
- Postupujte podle uvedených kroků a vytvořte detailní palmu, která začíná jednoduchými liniemi
- K vytvoření iluze hloubky použijte válcový trup. Studenti také zváží velikost, umístění, detaily a stínování

SLOVÍČKA:
Asymetrie - části konstrukce jsou uspořádány tak, že se jedna strana liší od druhé
Válec - trubka, která se jeví jako trojrozměrná

Nakreslete Palmu
ALOHA!
1. Začněte se zakřiveným kmenem
2. Přidejte "pavoučí" nohy na vrchol
3. Přidání zaoblených čar do kmene
klíčení trávy
4. Postupně přidejte ke každé "pavoučí" noze čáry pro listy.
5. Toto proveďte pro každou "pavoučí" nohu
(všimněte si, jak jsou linky uprostřed delší)
6. Přidání dalších listů v horní části kmene
7. Přidejte menší strom ohnutý na opačnou stranu
pomocí teček vytvořte "písek"
cVH

GRAFFITI UMĚNÍ

VĚDĚT:

• Graffiti a rap se staly populárními na počátku 70. let, kdy byly na newyorských školách zrušeny hodiny výtvarné výchovy a hudby a studenti potřebovali uplatnit svou kreativitu.

• Textura

ROZUMĚT:

• Potřeba uměleckého vyjádření

• Textury lze vizuálně vytvářet pomocí čar a stínů

UDĚLAT:

• Vytvoření cihlové zdi s texturou pomocí naučených technik

• Vyberte si nebo vytvořte písmo a/nebo design, který umístíte na zeď. Nezapomeňte přidat stíny.

SLOVÍČKA:

Umělecké vyjadřování - vyjadřovat se prostřednictvím výtvarných děl, písní, poezie atd. Emoce umělce sdělované prostřednictvím barev, námětů a stylu
Font - Kompletní soubor znaků a mezer jedné velikosti písma
Textura - Způsob, jakým něco vypadá, jak by to mohlo působit v uměleckém díle

1. Začněte se 2 dlouhými obdélníky

2. Vycentrujte třetí cihlu pod sebe

3. Přidejte další (rozložte je)

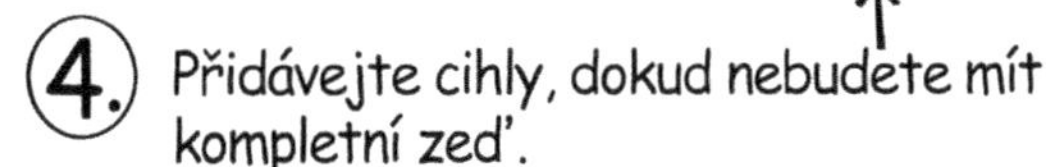

4. Přidávejte cihly, dokud nebudete mít kompletní zeď.

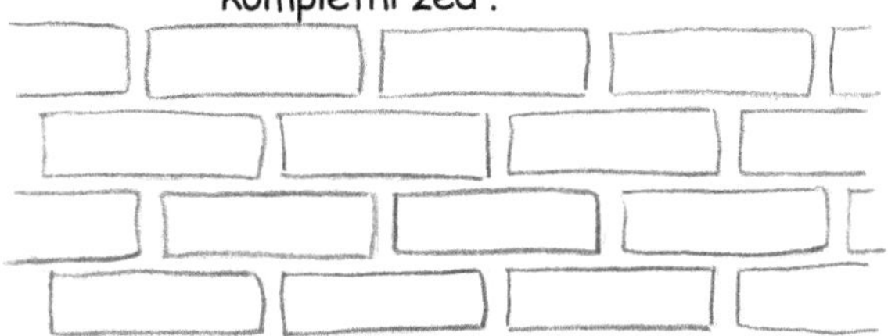

TIP:
Můžete použít pravítko, abyste cihly rovnoměrně rozmístili, a pak vymazat čáry mezi nimi, ale vypadá to autentičtěji, pokud cihly nejsou dokonalé obdélníky.

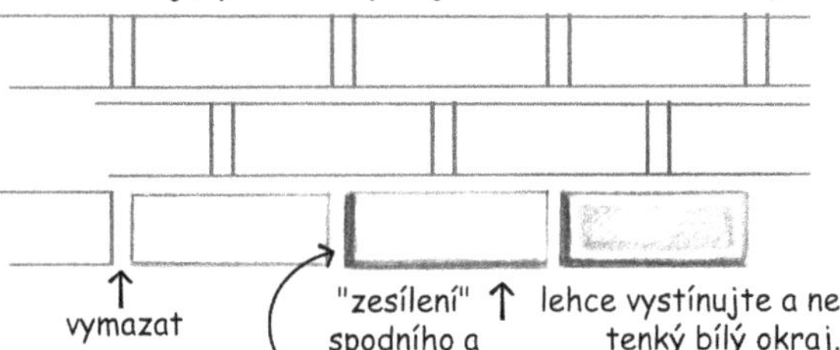

5.

- Nakreslete slovo tlustými písmeny na cihly.
- Trochu vymažte písmena uvnitř (stále chcete, aby byly vidět některé cihly).
- Přidejte několik "kapek" na základnu každého písmene.

Vyberte si některý z těchto stylů a vytvořte si vlastní styl psaní.

SKVĚLÉ STYLY PSANÍ

VĚDĚT:

- Font, písmo, písmena

ROZUMĚT:

"Typ" je tvar písma vytvořený elektronicky nebo fotograficky, nejčastěji pomocí počítače. Předtím, než tuto funkci koncem dvacátého století převzaly počítače, bylo písmo malý kovový nebo dřevěný špalíček s vystouplým písmenem nebo znakem na horním konci, který po napsání inkoustem a přitisknutí na papír zanechal tiskový otisk.

UDĚLAT:

- Vytvořte si vlastní řez písma nebo si vyberte styl, který vidíte na letáku
- Hláskování jména nebo doplnění abecedy pomocí písma. Nezapomeňte přidat detaily, tloušťku nebo stínování.

SLOVÍČKA:

Písmo - Úplný soubor znaků a mezer jedné velikosti písma
Tvar písma - Úplný soubor tvarů písmen, číslic, interpunkčních znamének a dalších znaků sjednocených jednotnými vizuálními vlastnostmi (známý také jako písmo)

Bloková písmena: Vytvořte krabici, vyřežte do ní písmeno rovnými čarami (bez křivek) a pak vymažte části krabice, které nejsou použity pro písmeno.

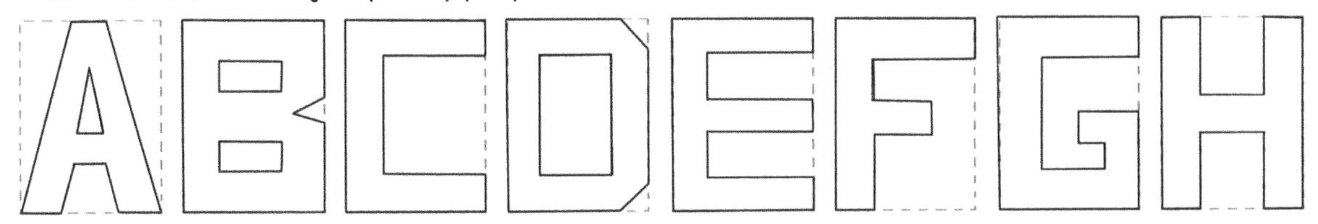

Bubble Letters: Vezměte blokové písmeno a "zvětšete ho" tak, aby v něm nebyly žádné rovné čáry. Stane se z něj balónek!

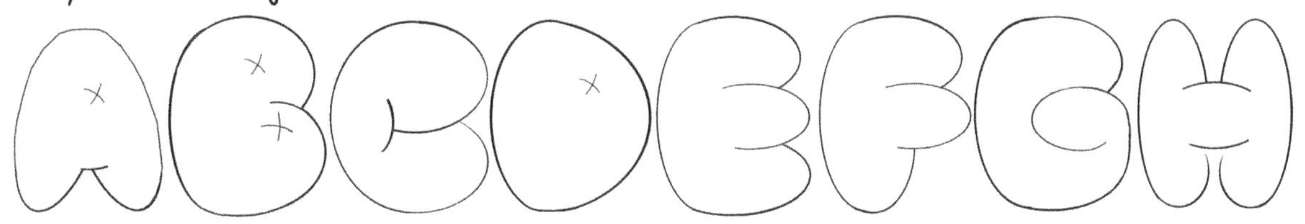

Stínové písmo: Písmeno se zobrazuje přes stínovaný 3D okraj - ne jako skutečné písmeno.

IJKLMNOP

Pěkné: Jednu stranu písmene udělejte tenčí než druhou. Na konec písmene umístěte kudrnaté písmeno q.

Tipy pro tvorbu graffiti: Překrývejte písmena, vytvořte v nich zajímavý vzor, rozložte je (některá písmena jsou na stránce o něco níže) a vytvořte stín!

HOMEBOY LEBKA

VĚDĚT:
Přehnané vlastnosti, zkreslení, hodnota

ROZUMĚT:
Použití nadsázky a zkreslení v uměleckém díle pro vytvoření určitého stylu

UDĚLAT:
• Vytvořte vlastní verzi stylizované lebky s kloboukem podle poskytnutých pokynů NEBO si procvičte kresbu obecné lidské lebky a přehánějte její rysy
• Přidejte "extra" a stín
• Vymazání některých oblastí pro zvýraznění

SLOVÍČKA:
Deformace - Změna vzhledu - někdy deformace nebo roztažení objektu
Přehánět - Přikrášlovat; zvětšovat nebo zmenšovat velikost
Zvýraznit - Oblast na jakémkoli povrchu, která odráží nejvíce světla; zaměřit pozornost na nějakou oblast kresby nebo ji zvýraznit pomocí hodnot

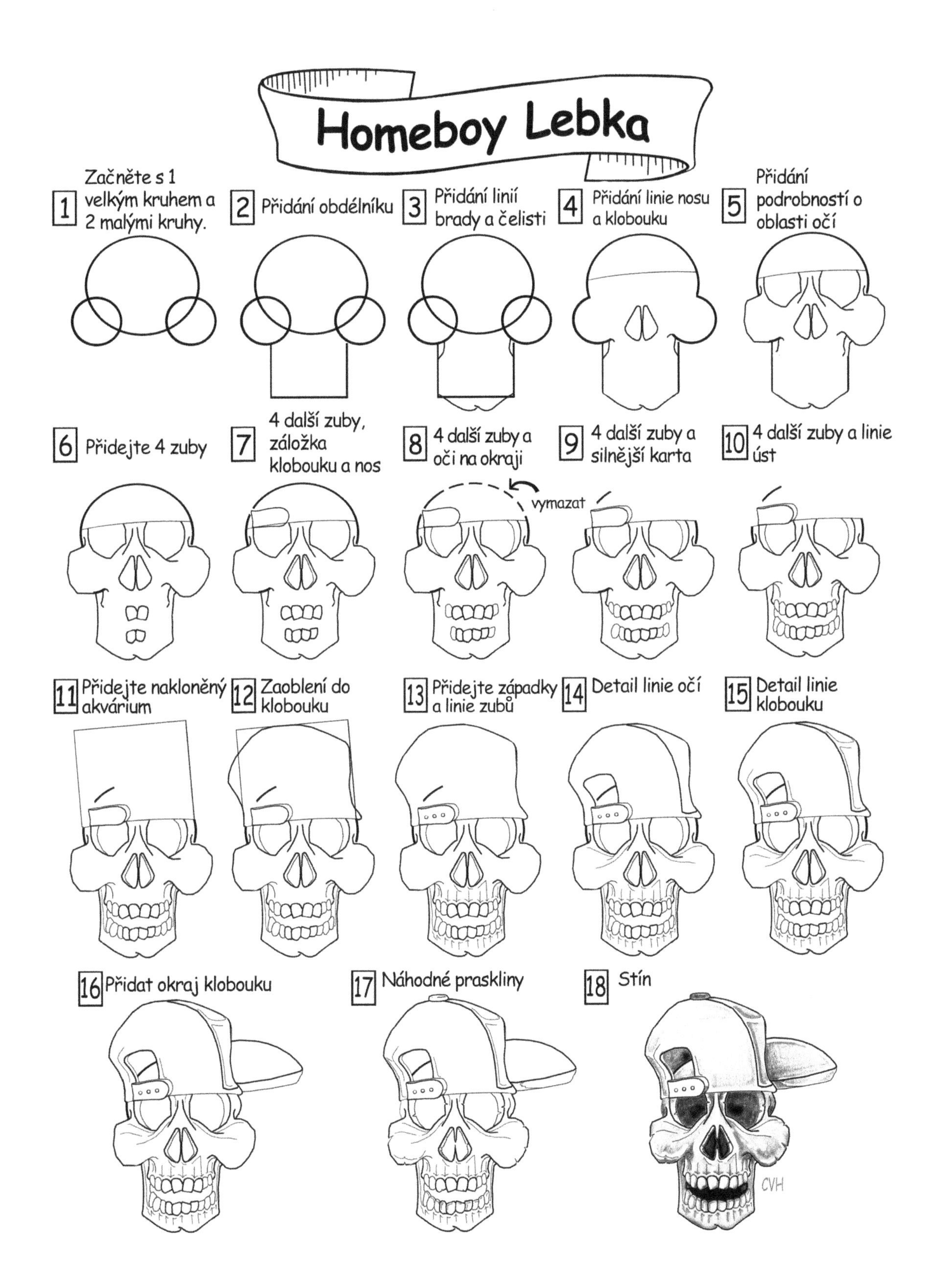
Homeboy Lebka
1 Začněte s 1 velkým kruhem a 2 malými kruhy.
2 Přidání obdélníku
3 Přidání linií brady a čelisti
4 Přidání linie nosu a klobouku
5 Přidání podrobností o oblasti očí
6 Přidejte 4 zuby
7 4 další zuby, záložka klobouku a nos
8 4 další zuby a oči na okraji
vymazat
9 4 další zuby a silnější karta
10 4 další zuby a linie úst
11 Přidejte nakloněný akvárium
12 Zaoblení do klobouku
13 Přidejte západky a linie zubů
14 Detail linie očí
15 Detail linie klobouku
16 Přidat okraj klobouku
17 Náhodné praskliny
18 Stín
CVH

HŘBET RUKY

VĚDĚT:

- Vytváření podoby na základě pozorování
- Mnoho objektů (vytvořených člověkem i přírodních) je založeno na válci

ROZUMĚT:

Stínování pomocí hodnotových stupnic dosáhne realističtějšího vykreslení

UDĚLAT:

- Procvičte si kresbu ruky pomocí navržených technik
- Nejtmavší hodnoty vytvořte mezi prsty a záhyby kloubů. Vymažte některá místa na kloubu, prostředním prstu a středu ruky, abyste vytvořili přirozený efekt zvýraznění.

SLOVÍČKA:

Válec - trubice, která se jeví jako trojrozměrná
Zvýraznění - oblast na jakémkoli povrchu, která odráží nejvíce světla; upoutání pozornosti nebo zvýraznění oblasti na kresbě pomocí hodnoty

Hřbet Ruky

1.

Začněte tím, že si obkreslíte ruku. Pokud jste pravák, obkreslete si levou ruku atd.

TIP: Chcete-li dosáhnout nejlepšího tvaru ruky, držte tužku v úhlu 90 stupňů.

2.

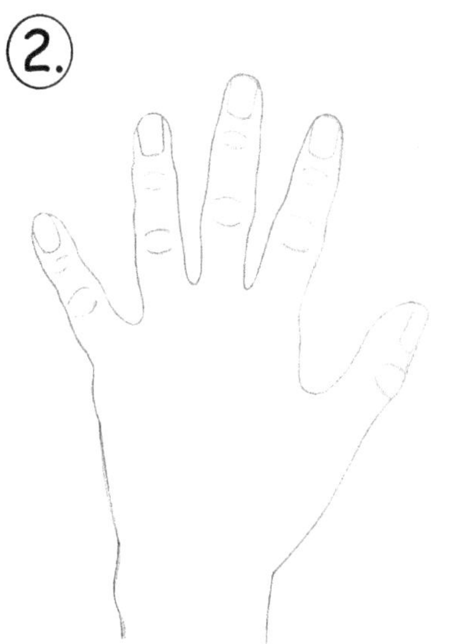

Dále přidejte nehty a tvar každého kloubu.

POZNÁMKA: Na vlastním prstu jsou 2 klouby.

3.

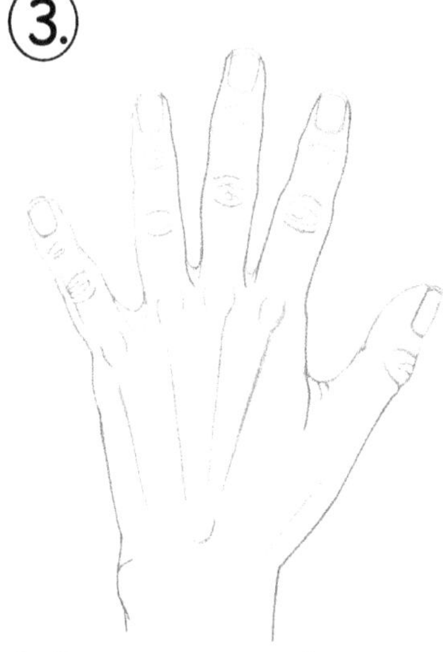

Podívejte se na svou ruku.
Vidíte kůži nad nehty?
Máte na nehtech bílé konečky?
Vidíte jemné kosti rukou?
Máte mnoho kloubních linií?
Pokud ano - přidejte je

4.

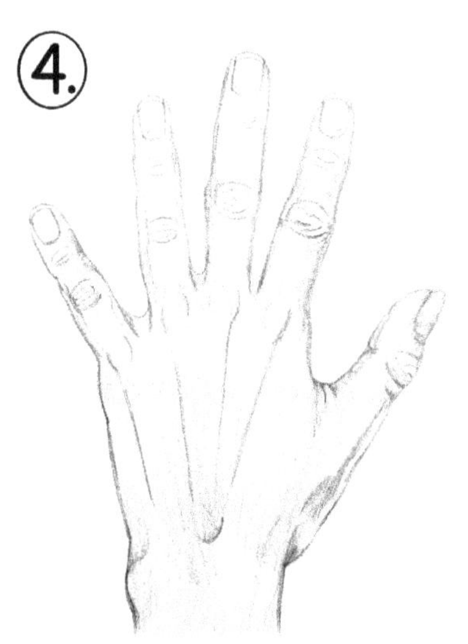

Lehce vystínujte celou ruku do šeda. Obrysy okrajů ruky a kloubů ztmavte.

5.

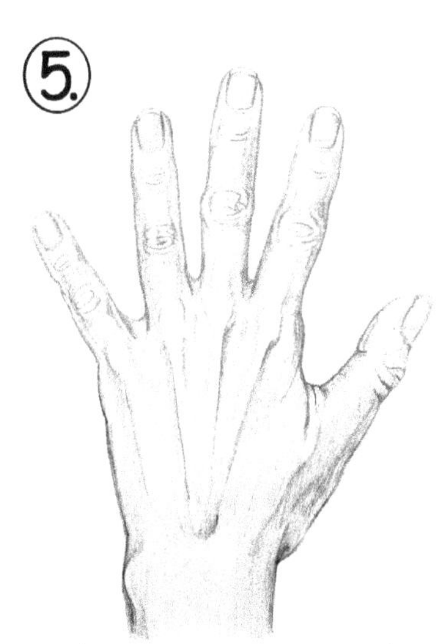

Vystínujte okraje ruky a každý prst. Podívejte se na svou skutečnou ruku a všimněte si tmavých a světlých míst. Tmavší místa prohlubte.

6.

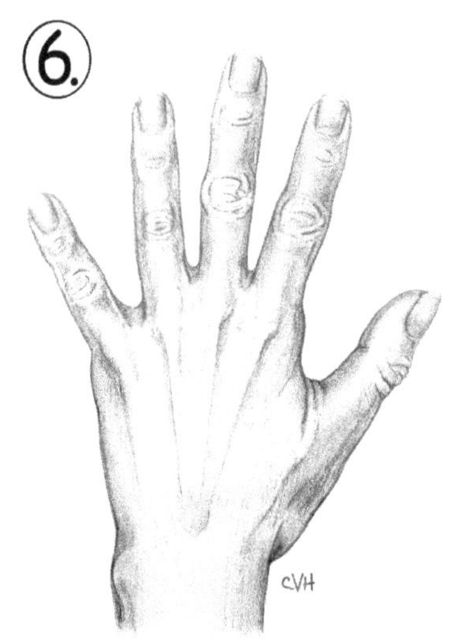

Přidejte závěrečné úpravy. Pomocí gumy zesvětlete klouby a střed prstů.

DLAŇ NA RUCE

VĚDĚT:

- Vytváření podoby na základě pozorování
- Mnoho objektů (vytvořených člověkem i přírodních) je založeno na válci

ROZUMĚT:

Stínování pomocí hodnotových stupnic dosáhne realističtějšího vykreslení

UDĚLAT:

- Procvičte si kresbu ruky pomocí navržených technik
- Nejtmavší hodnoty vytvořte mezi prsty a záhyby kloubů. Vymažte některá místa na polštářcích prstů a mezi záhyby prstů, abyste vytvořili přirozený efekt zvýraznění.

SLOVÍČKA:

Válec - trubice, která se jeví jako trojrozměrná

Zvýraznění - oblast na jakémkoli povrchu, která odráží nejvíce světla; upoutání pozornosti nebo zvýraznění oblasti na kresbě pomocí hodnoty

Dlaň na Ruce

1.

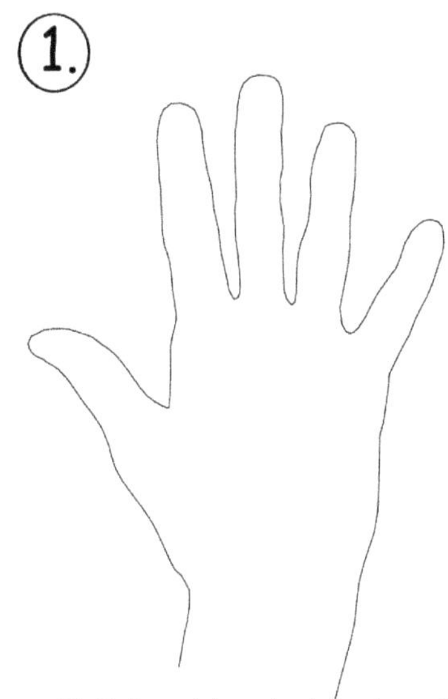

Začněte obkreslením ruky - dlaní nahoru.
TIP: Chcete-li dosáhnout tvaru hnízda, držte tužku pod úhlem 90 stupňů.

2.

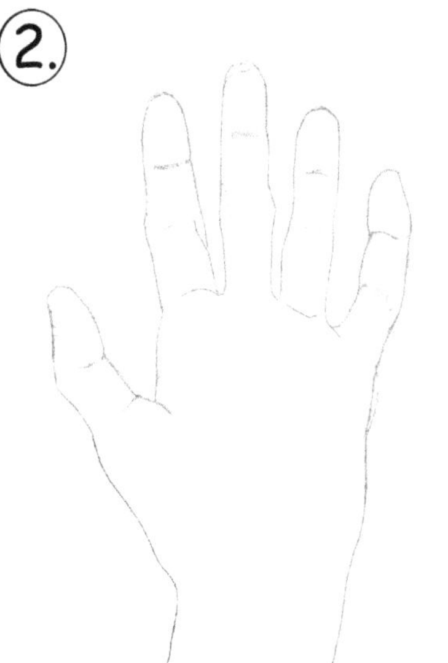

Uvolněte ruku. Prsty se trochu zkroutí. Lehce načrtněte změny úhlů prstů.

3.

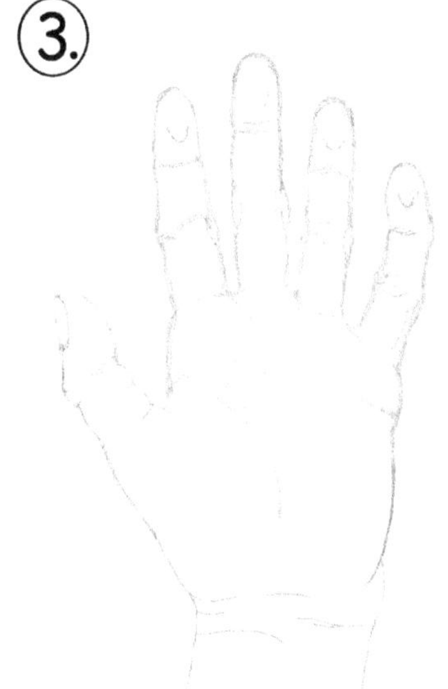

Podívejte se na svou ruku. Vidíte nějakou část nehtu? Každý má na dlani jiný vzor čar. Nakreslete ten svůj

4.

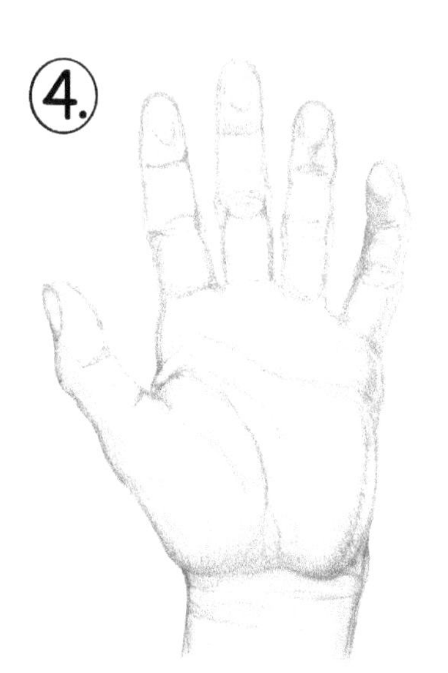

Lehce vystínujte celou ruku do šeda. Ztmavte obrysy okrajů ruky a záhyby kloubů.

5.

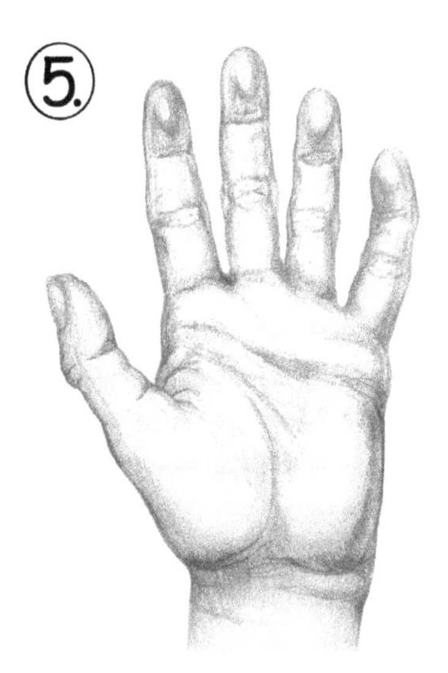

Vystínujte okraje ruky a každý prst. Podívejte se na svou skutečnou ruku a všimněte si tmavých a světlých míst. Tmavší místa prohlubte.

6.

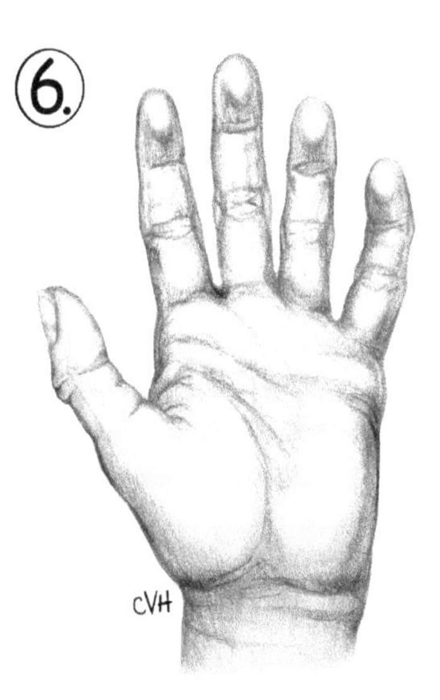

Přidejte závěrečné úpravy. Pomocí gumy zesvětlete dlaň mezi záhyby a polštářky prstů.

MASKY KOMEDIE A TRAGÉDIE

VĚDĚT:
- Vyjádření
- Původ masek komedie a tragédie

ROZUMĚT:
- Tyto masky pocházejí ze starověkého Řecka
- Masky hrály v dějinách dramatu důležitou roli
- Aktuální symbol pro divadlo
- Výraz je neverbální chování, které vyjadřuje emoce, nebo pohyb obličeje, který vyjadřuje emocionální stav

UDĚLAT:
Vytvořte originální kresbu masky komedie/tragédie, která zobrazuje výraz pomocí uvedených kroků

SLOVÍČKA:
Komedie - Vtipná zábava
Maska - Maska na obličej. Obvykle je to něco, co se nosí na obličeji s otvory pro oči, aby se zakryla identita, a to buď na večírku (jako na maškarním plese), k zastrašení nebo pobavení (jako o Halloweenu), k rituálu nebo k představení, jako u herců v řeckém, římském a japonském divadle.
Tragédie - Drama

Masky Komedie a Tragédie

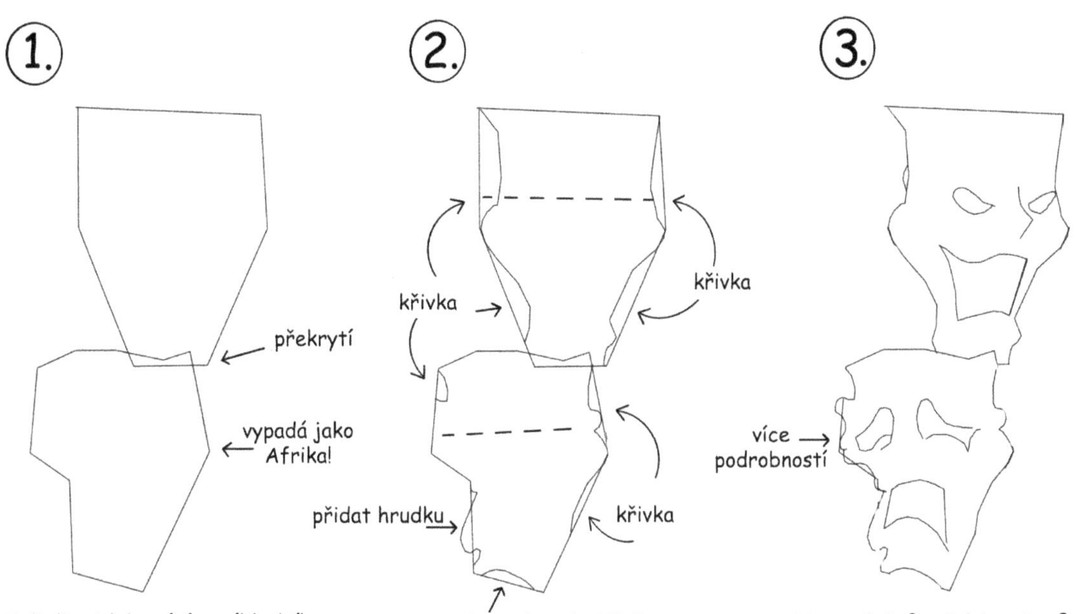

Začněte blokováním základního tvaru masky. Kreslete lehce, protože tyto vodítka budete v kroku 3 mazat.

"Vyznačte" detaily. Přidejte vodicí linie pro oči.

Vymazání původních pokynů. Přidejte oči, nos a ústa.

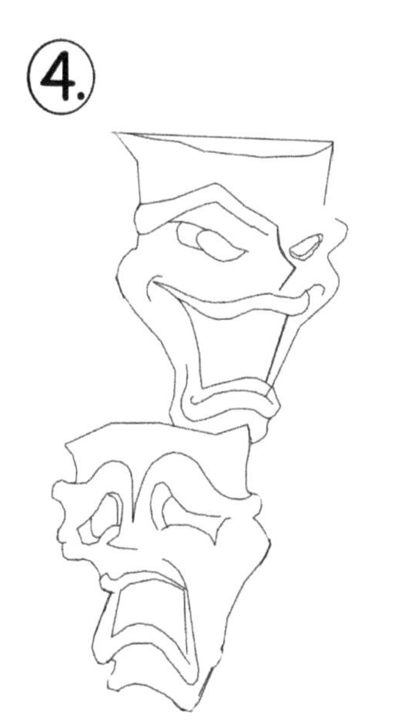

Přidejte obočí, rty a "tloušťku" očí

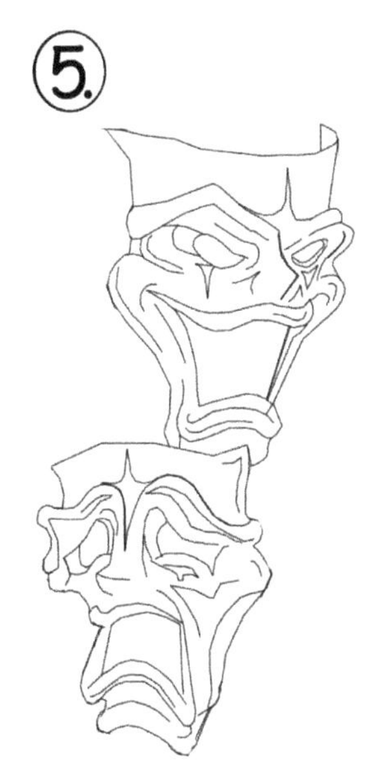

Přidání designových linií

Stín, V případě potřeby přidejte banner s textem.

HROMADY PENĚZ

VĚDĚT:

Přidání vzoru a stínování dodá objektu tvar a rozměr

ROZUMĚT:

- Využití principů krychle k vytvoření 3D obdélníku
- Použití ustupujících linií pro zobrazení perspektivy

UDĚLAT:

Vytvořte originální umělecké dílo "Stohy peněz", které demonstruje perspektivu. Přidejte alespoň 3 hromádky a spoustu "navíc". Nezapomeňte na stíny!

SLOVÍČKA:

Krychle - Mnohostěn se šesti čtvercovými stěnami; čtverec, který se jeví jako 3D
Perspektiva - Bod, z něhož se na objekt nebo scénu díváme
Pokračující linie - Linie, které se pohybují dozadu nebo pryč od popředí

Hromady Peněz

1.

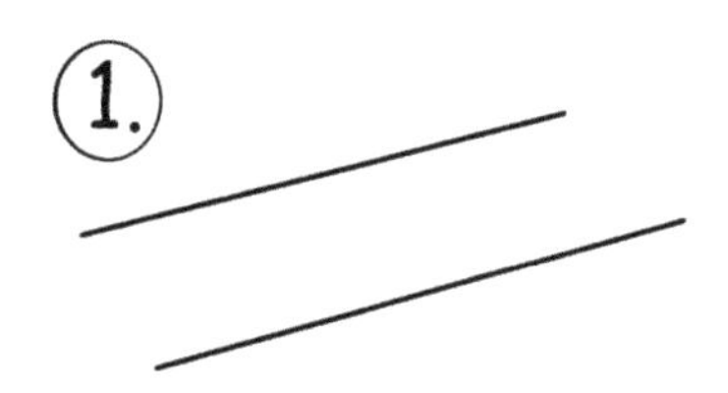

Začněte se 2 rovnoběžnými čarami skloněnými dolů

2.

Spojením po stranách vytvoříte šikmý obdélník.

3.

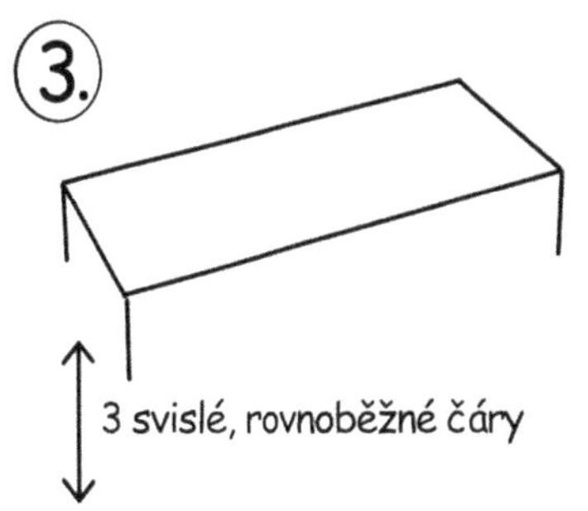

3 svislé, rovnoběžné čáry

4.

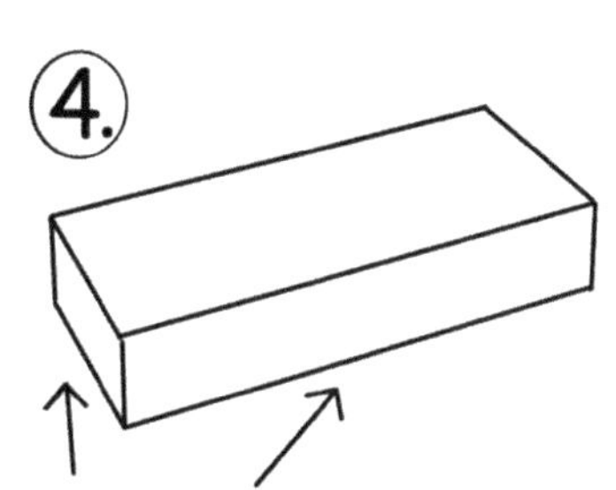

Připojení pomocí 2 šikmých čar

5.

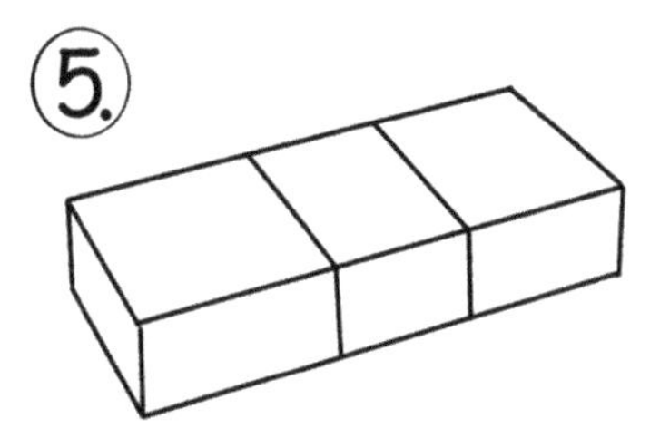

"zabalit" obdélník 3D do středu.

6.

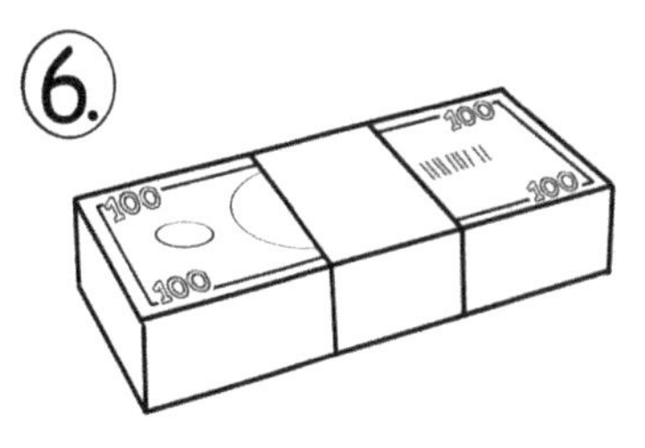

Přidání detailů designu

7.

Přidejte náhodné paralelní přerušované čáry, abyste zobrazili spoustu naskládaných bankovek.

8.

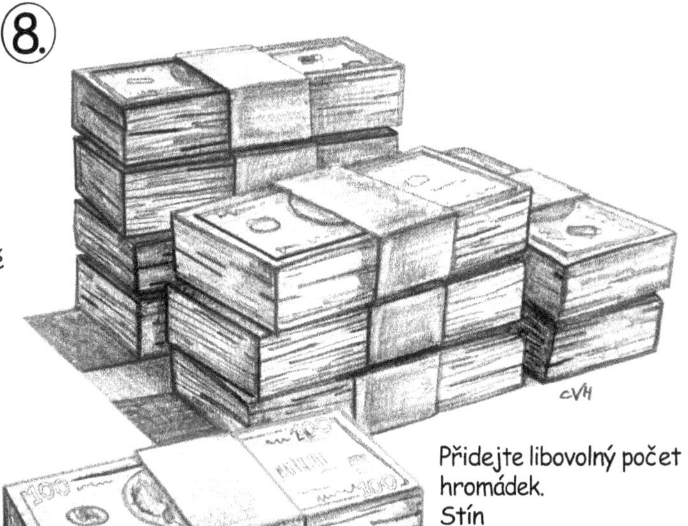

Přidejte libovolný počet hromádek.
Stín

SNADNÁ PAVUČINA

VĚDĚT:
Symetrie, asymetrie, radiální rovnováha

ROZUMĚT:
Základem pavučiny je kruh, jehož konstrukce vychází z jeho středu nebo je na něj zaměřena

UDĚLAT:
- Vytvoření originálního designu pavučiny na základě radiální rovnováhy
- Přidání pavouka a dalších doplňků

SLOVÍČKA:
Symetrie - (nebo symetrická rovnováha) - části obrazu nebo předmětu uspořádané tak, že jedna strana kopíruje nebo zrcadlí druhou
Symetrie patří mezi deset tříd vzorů
Radiální nebo rotační rovnováha je jakýkoli typ rovnováhy založený na kruhu, jehož konstrukce vychází z jeho středu nebo je na něj zaměřena

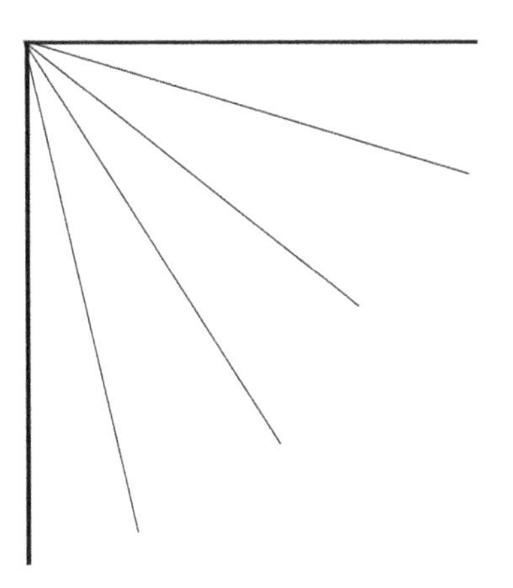
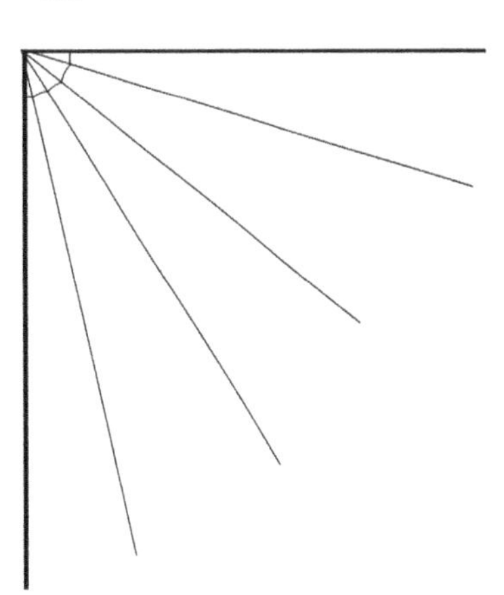

Začněte s úhlem 90 stupňů.
V tomto rohu se bude pavučina "točit".

Nakreslete 4 pr 5 stejně vzdálených čar vyzařujících z rohu (jako paprsky kola).

Vytvořte vrstvu čar, které se ohýbají kolem horního rohu.
Měly by vypadat jako obrácené vlny.

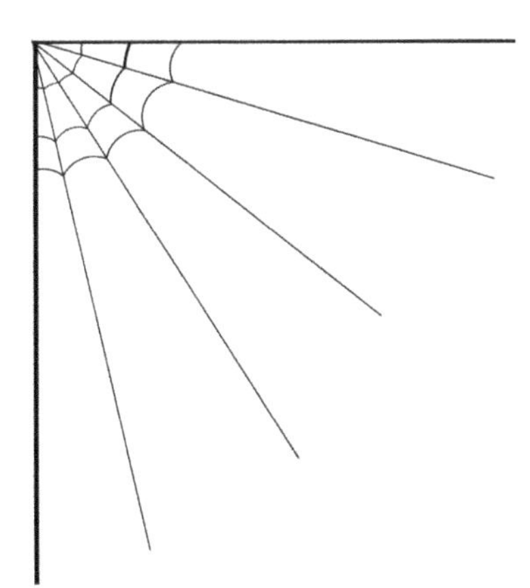
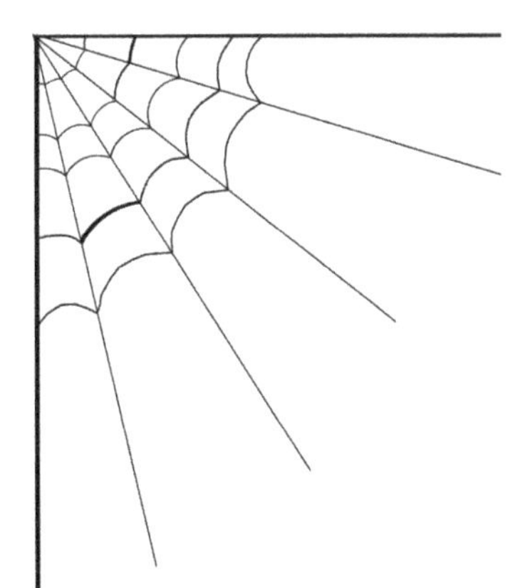

Přidejte několik dalších vrstev sítě.

Pokračujte v přidávání řádků sítě, každou vrstvu dále od sebe.

Dokončete pavučinu. Přidejte visícího pavouka. Nezapomeňte: Pavouci mají 8 nohou!

Milton Keynes UK
Ingram Content Group UK Ltd.
UKHW050651290524
443431UK00008B/255